D0545294

Un dangereux témoignage

La mission de sa vie

LENA DIAZ

Un dangereux témoignage

BLACK *ROSE*

éditions HARLEQUIN

Collection : BLACK ROSE

Titre original : THE MARSHAL'S WITNESS

Traduction française de VERONIQUE MINDER

HARLEQUIN®
est une marque déposée par le Groupe Harlequin

BLACK ROSE®
est une marque déposée par Harlequin S.A.

ÉDITIONS HARLEQUIN

83-85, boulevard Vincent Auriol, 75646 PARIS CEDEX 13.

Service Lectrices — Tél. : 01 45 82 47 47
www.harlequin.fr

ISBN 978-2-2803-0809-0 — ISSN 1950-2753

1

Jessica s'appuya contre la fenêtre d'une des salles du palais de justice de White Plain, écœurée. La violation du secret de l'instruction par un juré, un *seul* homme, avait provoqué la remise en liberté immédiate d'un patron de la mafia new-yorkaise, dont les activités de blanchiment étaient connues, et prouvées.

Elle était le seul témoin cité à comparaître lors de ce procès considéré comme le plus important de ces dernières décennies, et elle attendait avec angoisse de savoir quel serait son propre sort.

Nullité de procédure.

Ces mots repassaient en boucle dans sa tête, ravivant chaque fois sa colère et son impuissance. Ce juré aurait-il agi avec autant de légèreté s'il avait été, comme elle, témoin de l'assassinat de sa meilleure amie ? Si sa vie était devenue un cauchemar, après qu'elle avait choisi de témoigner à ce procès qui avait duré un an ? Depuis le début de l'instruction, elle vivait dans la peur que des tueurs à gages ne découvrent le lieu de résidence secret qui lui avait été octroyé par le programme fédéral de protection des témoins.

Qu'elle avait été naïve ! pesta-t-elle intérieurement. Comment avait-elle pu croire que son témoignage, accablant, ferait toute la différence ? Qu'elle pourrait, elle, simple comptable de vingt-huit ans, démanteler le réseau mafieux le plus puissant de New York alors que tant d'autres avaient échoué avant elle !

C'était dans cet espoir, et pour que justice soit faite,

qu'elle avait quitté son domicile, ses amis et son emploi, et était devenue le principal témoin de la partie civile. C'était pour ça qu'elle avait intégré le programme de protection des témoins, pour pallier les dangers liés à sa déposition devant un tribunal.

Tout ça pour ça..., soupira-t-elle. Richard DeGaullo, à la tête de la plus importante famille de la mafia new-yorkaise, était désormais libre. Quant à elle, elle allait devoir disparaître maintenant que le procès était terminé... ou, plus précisément, se cacher jusqu'à la fin de ses jours.

Dans un lieu inconnu.

Sous une autre identité.

Avec un nouveau passé fabriqué de toutes pièces.

Elle serra les poings tandis qu'à travers la vitre son regard se portait en contrebas : Richard DeGaullo sortait du palais de justice, aussitôt assailli par une meute de journalistes. Impérial dans son costume cintré, il souriait et agitait la main, tel un dignitaire en visite diplomatique. Pourtant, il avait tué de sang-froid une mère de deux jeunes enfants, et commis de nombreux autres crimes tout aussi atroces.

Jessica se rendit compte qu'elle avait du mal à respirer. Parodie de justice !

Dehors, le vent soufflait, le ciel se couvrait, et quelques gouttes de pluie tombaient déjà. DeGaullo se dirigea vers la somptueuse limousine noire qui l'attendait. Le chauffeur lui ouvrit la portière, mais, avant d'y monter, DeGaullo se détourna et leva les yeux vers elle, comme s'il avait senti sa présence et la cherchait du regard. Puis il agita imperceptiblement la main. A son intention ?

Jessica se figea, le souffle coupé.

DeGaullo salua ensuite les journalistes et badauds d'un dernier geste auguste, et monta dans sa limousine.

Au même instant, on frappa à la porte derrière elle, et elle fit volte-face. Un inconnu entra. Cet homme était grand.

Si grand que sa mallette, par contraste, ressemblait à un jouet, songea-t-elle.

Derrière l'inconnu apparurent les quatre marshals de l'United States Marshals Service — l'organisation qui élaborait les nouvelles identités et biographies des témoins protégés, et garantissait aussi leur sécurité. L'un d'entre eux, William Gavin, hocha la tête d'un air rassurant, puis referma la porte en la laissant seule avec l'inconnu.

Elle adressa un sourire poli à ce dernier, mais il lui opposa un visage fermé et désapprobateur. L'homme portait un costume gris acier qui lui allait à merveille, et sa froideur comme sa beauté évoquaient un ange vengeur venu lui infliger quelque terrible châtiment.

Saisie par cette pensée pour le moins fantaisiste, elle se ressaisit, s'efforça de ne pas ciller ou, pis, de ne pas se dérober au regard de cet individu qui s'approchait d'elle d'un pas décidé.

— Poussez-vous ! lui intima-t-il, la tirant par le bras pour l'y obliger.

Sur ces mots, il scruta la cour. Son regard bleu foncé était aussi perçant que la prunelle d'un faucon, nota Jessica.

Il ferma ensuite les persiennes, traversa la salle et se dirigea vers une table. Il tira une chaise et haussa à son intention un sourcil interrogateur et pour le moins autoritaire. Elle obéit avec réticence à cet ordre muet, prit place sur la chaise qu'il lui indiquait, et se raidit au moment où il se pencha vers elle.

— Ne restez jamais devant une fenêtre, murmura-t-il à son oreille. Surtout lorsque vous avez la lumière dans le dos. C'est très imprudent : vous pouvez le payer de votre vie. Ne donnez pas à vos ennemis l'occasion de vous tuer.

Son souffle tiède sur sa peau aussi bien que l'avertissement contenu dans ses paroles — d'autant plus justifié après le geste que DeGaullo lui avait adressé avant de monter dans sa limousine — la firent frissonner.

L'inconnu avait l'air d'attendre une réponse de sa part ou, tout au moins, une réaction. Elle acquiesça donc, mais faiblement. Il s'installa en face d'elle et posa sa mallette sur la table.

— On m'a dit que les vitres de la salle étaient blindées, argua-t-elle.

L'inconnu fronça les sourcils, cette fois sans prendre la peine de la regarder, puis ouvrit sa mallette.

Troublée par son silence et son arrogance, Jessica pinça les lèvres et profita de ce qu'il était occupé pour le dévisager. Il avait de petites rides aux commissures des lèvres, pas parce qu'il riait souvent — cet individu à l'expression marmoréenne n'était certainement pas capable de sourire ou de rire ! — mais plutôt parce qu'il était amer et désabusé. Son regard bleu foncé forçait l'admiration, mais il était impassible et froid, comme s'il avait vu trop de tragédies au cours de sa vie.

Il sortit des feuillets et les posa sur la table.

— Il n'y a pas de vitre blindée qui tienne si votre ennemi a une arme adéquate et de bonnes motivations.

Sa voix profonde résonna dans la salle déserte.

— Et votre ancien patron a les deux, ajouta-t-il.

Il sortit un stylo, qui roula sitôt qu'il le posa sur la table. Jessica n'eut que le temps de le saisir avant qu'il ne tombe.

— Qui êtes-vous ? s'enquit-elle.

— Le marshal Ryan Jackson, prononça-t-il lentement en lui adressant un regard condescendant.

Elle se sentit rougir d'humiliation. De toute évidence, le marshal Ryan Jackson ressentait la plus vive antipathie à son endroit et ne cherchait pas à la lui cacher. D'impuissance, elle serra les poings sur ses cuisses. Elle ne supportait plus d'être jugée par des inconnus. Au cours de l'année passée, chaque jour, on lui avait fait des procès d'intention dans les journaux, et au début du procès DeGaullo elle avait souvent croisé les regards méprisants des jurés.

— Qu'est-ce que c'est ? demanda-t-elle, en montrant du menton les documents.

— Le protocole d'accord du programme de protection des témoins que vous devez signer et qui entérine votre nouvelle identité ainsi que votre transfert dans un nouveau lieu. Notre travail s'effectue avec la collaboration du département de la Justice, dans un souci de coordination rapide et, bien entendu, dans le secret le plus absolu.

— Ah… d'accord. Mais pourquoi n'est-ce pas le marshal Cole qui s'en occupe ? Depuis le début, c'est lui qui est en charge de la paperasserie.

— Le marshal Cole n'était pas disponible.

Ryan Jackson ne lui laissa pas le temps d'en demander plus et pointa le doigt sur un paragraphe du protocole.

— Vous devez vous conformer à cette première disposition du programme : ne prendre contact avec personne de votre ancienne vie, que ce soit par courrier, téléphone, e-mail ou SMS, ou par le biais d'intermédiaires. En clair, vous ne devez pas entrer en contact avec d'anciens associés, amis, collègues ou membres de votre famille non protégés par le programme.

— Je suis déjà au courant, dit-elle en signant.

— Règle numéro deux, poursuivit-il comme si elle n'avait pas parlé, le témoin a interdiction de revenir dans sa ville d'origine, que ce soit dans quelques jours, quelques semaines, dans cinq ans ou dix ans.

Cette injonction, dans la bouche de Ryan Jackson, lui parut pire que la première fois où le marshal Cole la lui avait spécifiée. Elle allait quitter pour toujours New York, qu'elle aimait tant, et où elle avait vécu presque toute sa vie. A cette pensée, la nostalgie l'envahit.

Les cheeseburgers, si savoureux, de chez Junior's et leurs cheesecakes si fondants allaient lui manquer. Ainsi que l'odeur du pain frais s'échappant des boulangeries, les flots de touristes parcourant les rues de la ville, et même l'odeur des pots d'échappement des taxis ! Désormais, plus rien ne serait jamais pareil. De toute façon, depuis plus de un an, plus rien ne l'était.

Sa main trembla quand elle apposa sa signature sous cette seconde clause, sous le regard toujours froid de Ryan Jackson. L'insensibilité de celui-ci lui fit monter les larmes aux yeux, mais elle cilla pour les refouler. Elle n'allait pas pleurer devant un individu aussi dénué d'humanité !

Il la regarda bien en face en citant la troisième clause :

— Enfin, vous ne devez jamais parler à personne de votre passé. Si jamais vous ne respectez pas cette consigne, et les précédentes, vous ne bénéficierez plus du programme de protection. Mais, plus grave encore, vous serez en danger. Les témoins obéissant à ces trois dispositions ne l'ont jamais été.

Il marqua une pause, puis poursuivit.

— Les autres ont trouvé la mort.

A ces mots, le cœur de Jessica se serra, et elle ne put répondre. Sa peur grandissait. Cette peur était tapie en elle depuis plus de un an et menaçait à chaque instant de la submerger, de lui faire perdre la raison. Aussi avait-elle appris à la discipliner. Mais ce n'était pas toujours évident.

Ryan Jackson l'observait, comme s'il s'attendait à ce qu'elle perde son sang-froid. Elle se raidit donc et carra fièrement les épaules.

— J'ai compris. De toute façon, ça n'est pas la première fois que l'on m'énumère les clauses de ce protocole.

Elle signa la dernière page d'une main ferme.

— C'est terminé ?

Sur ces mots, elle reposa le stylo devant elle. Une ébauche de sourire sembla se dessiner sur les traits du marshal Ryan Jackson.

— Pas tout à fait.

Il rangea les feuillets et le stylo dans sa mallette. Son

expression avait repris sa dureté, comme s'il regrettait d'avoir baissé sa garde ne serait-ce qu'un instant.

— Vous avez mémorisé votre nouvelle identité ? l'interrogea-t-il.

— Cela fait des mois que le marshal Cole me prépare. Je suis certaine de ne pas me tromper.

— Je ne demande qu'à vous croire. Comment vous appelez-vous ?

Contrariée de se soumettre, de nouveau, à cette épreuve, elle eut un haut-le-corps.

— Jessica Adams.

— Votre adresse.

— La Nouvelle-Orléans. Louisiane.

— C'est tout ?

Elle soupira et lui énonça un numéro et un nom de rue qui ne signifiaient rien à ses yeux, mais qui s'étaient gravés dans son esprit, allant jusqu'à supplanter son adresse réelle à New York.

Puis Ryan Jackson la bombarda de questions sur sa fausse biographie, lui demanda son nouveau numéro de Sécurité sociale, ainsi que les noms et dates de naissance de sa famille fictive.

Pour la première fois de sa vie, elle eut une pensée reconnaissante envers les familles d'accueil où elle avait passé son enfance et son adolescence et qui jamais ne l'avaient intégrée, comme si elles avaient redouté que ses « mauvais gènes » ne soient contagieux. Si elle avait eu une vraie famille, un père et une mère aimants au lieu de parents de substitution, elle aurait eu les plus grandes difficultés à rompre tout lien avec son passé, songea-t-elle.

Au terme de cet interrogatoire, Ryan se leva.

— Parfait. Prête ?

Prête ? A partir à plusieurs milliers de kilomètres de New York ? A s'installer dans un Etat et une ville inconnus ? A effacer son passé et repartir de zéro ? A vivre dans la peur que Richard DeGaullo ne la retrouve un jour et ne la supprime ?

Son cœur se serra. Que ne pouvait-elle rester dans cette salle et s'y cacher au lieu d'affronter un avenir aussi incertain… Mais elle n'avait malheureusement pas le choix.

— Je suis prête.

Elle se leva, essuya discrètement ses paumes moites sur son jean et suivit Ryan Jackson.

Il ouvrit la porte en lui adressant un petit sourire, sa première marque d'humanité depuis le début de leur entretien.

— Ça va aller, Jessica.

Sur ces mots, il sortit dans le couloir et la remit entre les mains des quatre marshals qui assuraient sa protection depuis le début du procès.

— Prête, Jessica ? demanda le marshal William Gavin, faisant écho aux propos de Ryan.

Celui-ci s'éloignait : son petit sourire l'avait métamorphosé, songea Jessica. Quand il le voulait, il pouvait être très séduisant.

Envoûtant.

Elle toussa pour dissiper son émotion.

— Prête…

Elle remonta le couloir, entourée par les marshals, et se dirigea vers l'escalier où ils croisèrent un inconnu. Si les marshals ne semblèrent pas s'en formaliser, Jessica, elle, eut une hésitation. Mais William Gavin s'écarta pour laisser le passage à l'inconnu et le salua d'un bref hochement de tête. Jessica se détendit. A l'évidence, il le connaissait et avait donc confiance.

Elle oublia l'inconnu sitôt qu'elle descendit l'escalier pour accéder au rez-de-chaussée. Lorsqu'elle eut franchi la dernière marche, son instinct la poussa à prendre la fuite au lieu de continuer vers la sortie qui se trouvait au bout du couloir. Son cœur battait de plus en plus fort et martelait le rythme de ses pas. Encore vingt pas.

Dix-neuf.

Dix-huit.

C'est trop rapide… Moins vite… Par pitié, moins vite…

Soudain ils furent devant la porte. Elle avait affirmé être prête ? Elle s'était trompée… Elle ne l'était pas !

Son pouls battait violemment dans ses tempes et ses oreilles, et dans toute sa tête. Bientôt, elle serait seule. Livrée à elle-même, sans marshal pour assurer sa protection vingt-quatre heures sur vingt-quatre, sept jours sur sept. Sa sécurité dépendrait des mensonges qu'elle avait appris par cœur, et son destin se trouvait désormais entre les mains des fonctionnaires voués au secret qui lui avaient concocté une nouvelle histoire, et qu'elle n'avait jamais rencontrés.

Sa panique montait. William Gavin ouvrit la porte qui, poussée par une rafale de vent, claqua contre le mur. Jessica sursauta. Ces violentes bourrasques étaient surprenantes pour un mois de septembre. Les chênes qui s'alignaient sur le trottoir oscillaient, et leurs branches s'entrechoquaient. Ce chaos préfigurait-il son avenir ? s'inquiéta-t-elle.

William Gavin l'invita à sortir, et elle dut obtempérer. Elle ne pouvait s'accrocher à cette porte ou battre en retraite.

A cause du vent, ses cheveux s'aplatirent sur son visage. La légère ondée de tout à l'heure s'était muée en une pluie glacée. Leur petit groupe se hâta vers le monospace noir garé derrière le palais de justice et encadré par des policiers en civil.

Soudain, des éclairs zébrèrent le ciel, puis le tonnerre gronda.

Jessica tressaillit. Une odeur de brûlé lui parvint, lui rappelant le coup de feu qui avait tué son amie.

Elle revoyait encore Natalie. Natalie s'effondrant sous les yeux de Richard DeGaullo qui venait de tirer sur elle sans hésitation.

Les portières du monospace étaient déjà ouvertes. L'intérieur, sombre, lui sembla tout à coup menaçant. Au comble de l'angoisse, Jessica parvenait à peine à respirer. Natalie avait-elle ressenti ce sentiment de panique pendant son agonie ?

Je ne veux pas mourir…

De nouveau le tonnerre retentit, la pluie devint diluvienne. Trois marshals se précipitèrent vers le monospace et se positionnèrent autour du véhicule. Le quatrième resta à ses côtés. Jessica se figea, incapable de continuer. Elle se sentait trop exposée, trop vulnérable. La sécurité du monospace devenait inaccessible.

— Venez ! l'encouragea le marshal William Gavin. On y est presque !

Elle trébucha, haleta et chercha son souffle, de plus en plus court.

Soudain, une voix résonna derrière elle, mais le vent la couvrait. Elle tourna la tête : c'était le marshal Ryan Jackson, dans l'embrasure de la porte par laquelle elle venait de sortir. Il jeta brutalement sa mallette au sol et courut à toute vitesse dans sa direction. Avait-il crié son prénom ? Elle n'en était pas certaine. Au même instant, William Gavin jura et lui fit bouclier de son corps.

Il y eut de nouveau des cris, puis un bruit métallique suivi d'une détonation. Un mur de chaleur en fusion l'assaillit : elle tomba, ses hurlements se mêlant à d'autres. Le sol se rapprochait à une vitesse hallucinante. Une brûlure intense lui torpillait le corps. Puis… plus rien.

2

Jessica se sentait à l'abri, dans une certaine torpeur, comme une espèce de nid douillet. Mais le lit et l'oreiller, si moelleux soient-ils, ne soulageaient pas ses douleurs persistantes. Elle fit un effort pour ouvrir les yeux. Ses paupières étaient si lourdes qu'elle renonça. Une odeur d'antiseptique flottait autour d'elle, et un bip trop aigu s'élevait par intermittence.

La pire de ses douleurs traversait sa tête de part en part. Elle serra les paupières pour s'empêcher de percevoir la lumière, puis essaya de lever les mains pour définitivement s'en protéger, mais on lui saisit les poignets pour l'obliger à les reposer.

— Laissez-moi…

Elle avait voulu crier, mais sa gorge trop sèche n'avait laissé passer qu'un son inaudible.

— Maintenez-la afin qu'elle ne se blesse pas, ordonna une voix d'homme exaspérée.

— J'essaie, docteur, répondit une autre voix masculine, plus calme, et plus proche aussi. Elle est plus forte qu'elle ne le paraît.

Puis une femme intervint.

— Elle souffre. Puis-je lui donner de la morphine ?

De la morphine ? Jessica se détendit et cessa de se débattre. Oui, de la morphine ! Tout de suite. Elle avait tellement mal, surtout à la tête.

— Non, pas encore ! Je veux qu'elle se réveille, pas qu'elle replonge, reprit la voix autoritaire.

Replonge ?

— Miss Adams ? poursuivit la même voix à son adresse. Je suis le Dr Brooks. Vous avez eu un accident. Pouvez-vous ouvrir les yeux ?

Miss *Adams ?* Un accident ? Folle d'angoisse, Jessica tenta de crier et se débattit de nouveau, mais des mains plaquèrent, de nouveau, ses poignets sur le lit.

— Attention à ses sutures, David !

C'était de nouveau la voix du Dr Brooks, l'homme qui refusait de lui donner de la morphine.

Au même instant, une douleur aiguë traversa sa tempe gauche. Elle gémit et essaya de se dégager, mais on la tenait fermement.

— Infirmière, donnez-lui de la morphine ! déclara le Dr Brooks, toujours avec impatience. Un tiers de la dose habituelle, juste assez pour la calmer.

La voix de l'infirmière s'éleva à son oreille.

— Tout va bien…

Des mains douces et légères, sans doute celles de cette femme, effleurèrent son corps. Le bip s'atténua, l'intolérable douleur devint supportable, et le soulagement lui donna envie de dormir. Elle n'en lutta pas moins contre cette tentation et ouvrit les yeux, mais elle cilla sous les néons fluorescents.

Un jeune homme en blouse verte, un aide-soignant manifestement, était penché sur elle et maintenait ses poignets de chaque côté du lit.

— Lâchez-la, David, lui intima le Dr Brooks.

Le dénommé David obéit, et Jessica porta aussitôt ses mains à sa poitrine. Elle tourna ensuite la tête dans la direction du Dr Brooks — un grand blond au visage fermé. Il ne portait pas une blouse blanche, comme elle s'y était attendue, mais un costume sombre et un stéthoscope autour du cou.

— Miss Adams, savez-vous où vous vous trouvez ? lui demanda-t-il.

Elle regarda autour d'elle, avisa les barrières du lit médicalisé, la potence. Miss *Adams*. L'accident. La mémoire lui revenait, et elle reporta son attention sur le médecin.

— A l'hôpital, balbutia-t-elle d'une voix presque sans timbre.

— Vous êtes au Cohen Children's Medical Center.

Cohen Children's Medical Center ? Pourquoi là, précisément ? Cela n'avait pas de sens… Et puis, cet hôpital ne se trouvait-il pas à Long Island ? N'aurait-elle pas dû déjà se trouver en Louisiane ? Elle s'efforça de reprendre la parole, mais sa gorge toujours trop sèche et trop tendue l'en empêcha.

Le médecin fit un geste à l'intention de l'infirmière.

— Allez chercher des glaçons.

L'infirmière quitta la chambre tandis que l'aide-soignant réglait le débit de la perfusion. La femme revint presque aussitôt avec un verre en polystyrène jaune, s'approcha de Jessica et lui porta le verre aux lèvres.

— Laissez fondre quelques glaçons dans votre bouche. Cela vous fera du bien. Je suis certaine que votre gorge est très douloureuse.

Jessica obéit, reconnaissante envers cette femme qui avait insisté pour qu'on lui donne de la morphine afin d'atténuer ses douleurs. Quand sa gorge fut plus souple et qu'elle se sentit nettement mieux, elle lui sourit avec reconnaissance.

— Merci… beaucoup.

L'infirmière lui tapota la main, puis adressa un petit signe à l'aide-soignant, avec qui elle sortit.

Le médecin s'approcha de Jessica et examina ses yeux avec une lampe ophtalmologique, puis l'ausculta.

— Vous vous souvenez de l'explosion ?

Une explosion… Elle crispa les paupières de toutes ses forces alors que de terribles images l'assaillaient. Au début, elle avait pensé que c'était le tonnerre, s'étonnant tout de même que son fracas perce ses tympans. Ensuite, il y avait eu une sensation insoutenable de chaleur et de brûlure. Puis la douleur, atroce, un choc violent à la tête, et enfin plus rien.

Elle tressaillit et ouvrit les yeux.

— Oui, je crois…

— C'est bien.

Le médecin semblait ignorer sa détresse.

— Votre céphalée est due à une blessure à la tête, qui est la plus sérieuse : vous avez de nombreux points de suture. Vous souffrez également de brûlures bénignes et d'écorchures diverses. Vous avez eu un pneumothorax, quand on vous a transportée aux urgences…

Elle s'efforça de se concentrer sur ses mots, mais les images précédant l'explosion continuaient de déferler dans son esprit : le marshal Ryan Jackson courait dans sa direction en hurlant. Pour l'avertir ? Qu'est-ce qu'il avait vu ?

— … ainsi que de multiples contusions, poursuivit le médecin. Vous avez été perfusée afin de diminuer la douleur pendant la phase de traitement. Vous n'êtes plus en danger, désormais. Vous serez bientôt rétablie.

Elle serra le drap entre ses poings : il était rose pâle, avec des motifs de fées et de fleurs. Les murs étaient quant à eux peints dans des tons pastel très agréables au regard.

— Où suis-je ?

— Au Cohen Children's Medical Center de Long Island, répéta le médecin avec impatience. Il semble que des individus dangereux soient à vos trousses. Votre garde du corps vous a transférée ici dès que votre état a été stable. Il a l'air convaincu que personne ne viendra vous y chercher.

— Long Island ? Garde du corps ? répéta une voix derrière eux.

Le médecin tourna la tête.

— Vous avez cinq minutes, annonça-t-il.

Sur ces mots, il sortit sans autre forme de procès. Déconcertée, Jessica tourna la tête et croisa le regard bleu foncé du marshal Ryan Jackson.

Son expression dure lui fit peur. Elle tira le drap jusqu'au menton comme pour se protéger. Un air ironique se peignit aussitôt sur le visage de Ryan Jackson : il avait remarqué, et évidemment compris, son geste.

— Je constate que vous êtes aussi ravie que moi de nos retrouvailles.

Sa voix sèche fit battre son cœur plus fort. Ryan Jackson se leva sans hâte et s'approcha. Il émanait de sa personne une certaine chaleur corporelle, ainsi qu'une agréable odeur de savonnette.

Dans une autre vie, dans d'autres circonstances, elle aurait été conquise par cet homme séduisant, mais son attirance envers Ryan Jackson était indiscutablement minorée par le mépris qu'il éprouvait envers elle, et qui la glaçait.

Elle refréna ses craintes et se concentra sur les questions qui lui montaient aux lèvres.

— Que s'est-il passé, au juste ? Comment vont les autres marshals ?

— Les quatre marshals sont morts, lâcha-t-il. Si vous avez survécu, c'est parce que vous n'êtes pas montée dans le monospace et parce que le marshal Gavin vous a protégée en faisant bouclier de son corps.

La nausée envahit Jessica, et elle porta la main à sa bouche pour contenir un spasme. Son cœur se mit à battre avec violence. Pendant plus de un an, elle avait quotidiennement côtoyé les quatre marshals chargés de sa sécurité. Elle connaissait leurs goûts, leurs programmes de télévision préférés. Elle savait presque tout sur eux.

Incapable d'accepter l'évidence, elle secoua la tête, mais se figea sitôt que sa douleur au crâne se raviva. Elle serra les dents pour la conjurer.

— Que s'est-il passé au juste ?

— Quelqu'un, sans doute un homme de DeGaullo, a déclenché un attentat à la voiture piégée. J'ai repéré le véhicule quelques secondes avant qu'il n'explose.

A ces mots, son visage se tendit, puis il reprit.

— Mon avertissement est venu trop tard. Vous seule êtes saine et sauve. Ironie de la vie, n'est-ce pas ? Une femme qui a falsifié la comptabilité d'un patron de la mafia, d'un criminel, a survécu alors que quatre marshals honorables, respectables et dévoués ont trouvé la mort.

Elle tressaillit, frappée par son ton accusateur impitoyable, et ce mouvement lui causa une irrépressible nausée. Elle prit une longue inspiration pour la contenir, retenant la remarque mordante qui lui montait aux lèvres.

Ryan Jackson ne la connaissait pas, il ne savait rien d'elle. Il avait perdu quatre collègues dans un attentat à la voiture piégée et il lui en imputait la responsabilité : à sa place, elle aurait sans doute eu la même réaction.

— Quand auront lieu les enterrements ? demanda-t-elle, s'imposant un calme qu'elle était loin de ressentir. Je tiens absolument à y assister.

— Impossible, lâcha-t-il d'une voix tranchante.

La colère l'envahit et supplanta la sympathie que, l'instant précédent, elle avait éprouvée envers lui.

— Ce que vous pensez de moi m'indiffère, mais je veux assister à leur enterrement. Je le leur dois bien.

Contre toute attente, Ryan Jackson s'empara, mais sans brusquerie, de l'un de ses poignets pour dégager la canule de la perfusion qui s'était prise dans ses bandages.

— Ça n'est pas le problème. C'est un miracle si vous avez survécu à cet attentat, mais vous avez été grièvement blessée. Vous êtes hospitalisée depuis déjà quelque temps, et votre convalescence sera longue selon le médecin. L'enterrement des marshals a eu lieu trois jours après l'explosion.

Elle agrippa les barrières du lit, submergée de haine envers Richard DeGaullo comme par une vague de lave en fusion.

Il avait assassiné de sang-froid sa seule véritable amie, Natalie. Pour lui faire justice, elle avait choisi de témoigner contre lui, mais DeGaullo l'avait privée de son identité, de son passé et de sa liberté, et jusqu'au droit de rendre les honneurs qu'ils méritaient aux marshals morts en la protégeant.

— Combien de temps s'est écoulé depuis l'attentat ?

Ryan Jackson arrangea ses draps et posa, à proximité, le bouton d'appel. Pour finir, il lissa les plis de la couverture.

Déconcertée, elle suivit ses mouvements des yeux : il avait le regard lointain et une expression étrangement douce. En fait, il agissait machinalement. Il semblait presque épuisé, hagard. Des fils argentés parsemaient sa chevelure sombre, à croire qu'il avait vieilli d'un coup de plusieurs années, depuis leur première rencontre au palais de justice.

Soudain, ses mains se figèrent. Son regard reprit sa fixité glaciale et son visage, son masque de froideur.

— Deux semaines. Les enterrements ont eu lieu il y a une dizaine de jours.

Il s'approcha de la fenêtre et lui tourna le dos. Un instant plus tard, il carra les épaules et se détourna.

— C'est moi le responsable de votre sécurité, désormais. Quand vous sortirez de cet hôpital, je vous conduirai à votre nouveau domicile sous une nouvelle identité.

Elle secoua la tête, restant cette fois indifférente à la douleur.

— Non. Je refuse ! Vous êtes bien trop furieux contre moi. Vous me tenez pour responsable de la mort de vos collègues dans cet attentat à la voiture piégée. Je vais dire à l'United States Marshals Service, au département de la Justice que…

— Vous pensez que c'est moi qui ai demandé à être assigné à votre protection ? la coupa-t-il.

Le visage dur, il revint à son chevet.

— Vous n'êtes pas une innocente victime qui a été témoin d'un crime : vous avez choisi de couvrir les activités criminelles de votre patron pendant presque cinq ans. La seule raison pour laquelle vous avez fait appel au FBI, c'est parce que DeGaullo a tué votre amie et que vous redoutiez de subir le même sort. Pour autant que je sache, vous êtes pire que lui !

Elle le fusilla du regard, la colère l'envahissait devant ce jugement sans appel.

— Comme je suis un ancien ranger de l'armée américaine et que les hommes de DeGaullo sont particulièrement coriaces, comme les événements récents l'ont prouvé, l'United States Marshals Service a décidé que j'étais le plus à même de vous protéger et d'assurer votre sécurité. Je suis votre garde du corps temporaire : c'est contre ma volonté, mais c'est ma mission.

Son regard bleu glacial lançait des éclairs.

— Quatre hommes ont sacrifié leur vie à la vôtre, et je ne veux pas que leur sacrifice soit vain. Quand je suis devenu marshal, j'ai juré d'assurer la sécurité des citoyens de mon pays. J'assurerai la vôtre, que vous le vouliez ou non. Envers et contre tout.

Sur ces mots, Ryan sortit en claquant la porte et s'adossa au mur du couloir. Il se passa une main sur le visage et se frotta les yeux.

Il venait de passer deux semaines au chevet de Jessica Adams. Il avait dormi dans le grand fauteuil installé là, il avait été bercé par le bip régulier du monitoring des fonctions vitales. Il avait appelé les infirmières sitôt qu'il l'entendait gémir. Il lui avait également tenu la main lorsque, dans les affres de ses cauchemars, elle se contorsionnait.

Mais à peine avait-elle repris conscience qu'il se comportait comme le dernier des imbéciles et lui reprochait froidement la mort de ses collègues et amis. A raison ? se demanda-t-il. En partie, oui… Mais cela n'excusait pas pour autant son attitude ! Sa mère aurait été horrifiée si elle l'avait vu traiter une femme, quoi qu'elle ait fait, avec tant de mépris et de condescendance.

Il soupira.

En réalité, s'il était en colère, c'était surtout parce qu'il était irrésistiblement attiré par Jessica. Chaque fois qu'il croisait son regard brun, il éprouvait une espèce de décharge électrique, et il l'avait ressentie dès leur première rencontre. Comme il ne supportait pas d'être le jeu de ses sensations, il conjurait son attrait par de la froideur et de l'agressivité. Il s'en rendait parfaitement compte. Bon sang, comment pouvait-il être séduit par une femme dont le passé et les choix allaient à l'encontre de toutes ses convictions ?

Cela dit, sur le plan physique, Jessica était exactement son type de femme. Petite et très féminine. Même blessée, même alitée, elle excitait son désir. Logique. Elle était vraiment jolie, et il était un homme vigoureux et viril. A vrai dire, il ne se serait pas autant formalisé si son attirance pour elle s'était seulement limitée au physique.

Mais il y avait dans les yeux de Jessica un tourment, une douleur morale authentique, et cela le touchait. Au fond, il savait parfaitement pourquoi : cette souffrance lui rappelait la sienne, quand il avait appris qu'il avait été trahi par son homme de confiance — une trahison qui avait provoqué la mort de quatre de ses hommes.

Pourquoi Jessica était-elle aussi tourmentée ? Pourquoi son regard brun était-il rempli d'une telle détresse ?

Il refoula ces questions et se massa la nuque pour en atténuer la raideur. Il ne voulait pas s'attarder sur les états d'âme de Jessica Adams. Il devait se distancier d'elle au plus vite. Le plus tôt il aurait rempli sa mission, le plus vite il aurait repris le cours de son existence.

Il sortit donc son Smartphone et envoya un message qui allait enclencher le processus.

La Belle au bois dormant est réveillée.

3

Jessica fit de son mieux pour masquer sa déception. Après trois semaines de convalescence et plusieurs heures de route jusqu'au Tennessee sous la protection de Ryan Jackson et de deux autres marshals, elle découvrait son nouveau lieu de résidence. La demeure choisie par l'United States Marshals Service, plutôt par le marshal Jackson, était la plus laide qu'elle avait jamais vue. Et, à en juger par l'expression des deux autres marshals adossés au capot de leur monospace, ils la trouvaient également affreuse.

C'était un très modeste chalet de bois plutôt décati aux murs jaune moutarde avec d'étranges coulées grisâtres, comme si son propriétaire avait songé à changer la couleur de sa façade avant de finalement se raviser. Par manque de talent et de goût, sans doute ?

Il manquait des lattes aux volets des fenêtres. Les mauvaises herbes abondaient et recouvraient le petit chemin qui conduisait au perron. Un jardin mal entretenu entourait la maison et, sur la gauche, donnait sur un versant escarpé et abondamment boisé.

— Je suppose que vous auriez préféré habiter à La Nouvelle-Orléans, comme prévu au début, déclara Ryan en étudiant le chalet comme s'il en évaluait la valeur. C'était effectivement sans doute plus chic pour une *city girl* dans votre genre…

Dans sa bouche, le terme « city girl » était la pire des insultes, s'agaça Jessica. Elle pinça les lèvres, décidée à ne pas se laisser atteindre par la morgue de Ryan Jackson. Elle aurait volontiers rétorqué qu'il était un « *city boy* » puisqu'il vivait également à New York, mais à quoi bon perdre son temps et son énergie ?

Pour autant, il avait raison, reconnut-elle en son for intérieur. Elle aurait nettement préféré vivre dans les bayous infestés d'alligators de la Louisiane plutôt que dans le Tennessee si rural. *Très* rural.

Ryan avait renoncé à lui assigner le lieu de résidence initialement prévu en Louisiane en arguant que sa notoriété, après l'attentat à la voiture piégée, la mettrait en danger si elle habitait une trop grande ville. Il voulait plutôt la punir, avait-elle songé. Cette supposition s'était muée en une certitude lorsqu'il lui avait révélé qu'elle habiterait dans l'est du Tennessee sous le nom de Jessica *Bouton*.

— Vous aurez toute l'intimité nécessaire ici, reprit-il, l'arrachant à ses pensées.

Il ressemblait à un agent immobilier vantant les qualités d'un bien qui méritait seulement d'être rasé.

Sur sa droite, un chalet était séparé du sien de seulement quelques mètres. Son jardin était soigné. Des rocking-chairs blancs et des pots en terre cuite d'où s'élevaient des bougainvillées occupaient la véranda.

Au cours des dernières vingt minutes de trajet, le long de routes de montagne sinueuses, caillouteuses et pleines de nids-de-poule, elle n'avait dénombré que peu d'habitations. Dans ces conditions, quelles étaient les chances que l'habitant de ce ravissant chalet soit un homme de son âge, avec les mêmes goûts qu'elle, et qu'il devienne son ami et plus si affinités ? A peu près zéro, puisque c'était Ryan Jackson qui avait précisément choisi son nouveau domicile : il n'avait certainement pas eu l'intention de faciliter la vie d'une femme qu'il méprisait et qu'il tenait pour responsable de la mort de ses amis et collègues.

— Qui sont mes voisins ? s'enquit-elle, se préparant au pire.

— Moi.

— Pardon ?

La surprise lui coupa momentanément la parole. C'était la pire des éventualités.

Ryan ouvrit la porte d'entrée, curieusement peinte en bleu électrique.

— C'est moi qui vais devenir votre voisin. Ça ne durera qu'un temps.

— Oh ! *Sugar* !

Sur le visage de Ryan Jackson surgit une ébauche de sourire.

— Pardon ?

— Non. Rien.

Elle n'avait pas l'intention de lui expliquer que, petite fille, elle jurait comme un voyou et que, dans sa dernière famille d'accueil, sa mère s'était chargée de lui apprendre à corriger son langage. Elle l'avait ainsi contrainte à dire « Sugar » au lieu de prononcer des jurons. Cette habitude s'était si bien implantée que ce terme était devenu machinal. En informer Ryan, c'était courir le risque de se faire de nouveau humilier.

Elle le suivit dans le salon. Les murs lambrissés avaient été peints en bleu layette et la moquette, autrefois orange, était devenue marron par endroits.

Elle se contint pour ne pas de nouveau pousser son exclamation. *Sugar.*

Ou pis.

Ryan la rejoignit, regarda autour de lui, l'air franchement amusé. Elle joignit les mains et s'efforça de garder une expression neutre.

— Jolie cheminée, lâcha-t-il comme s'il jubilait.

Elle tourna la tête : la cheminée occupait un pan de mur et s'élevait jusqu'au plafond. Monstrueuse. C'était le seul mot qui lui venait à l'esprit. Ou alors : affreuse. Mais, de toute façon, cet adjectif s'appliquait au chalet tout entier.

Luttant contre son désespoir croissant, elle suivit ensuite Ryan dans la salle de bains, petite mais propre avec ses murs couleur de pêche tirant, par moments, sur des tons de mandarine. Elle tira sur le rideau de la douche, dont les couleurs vives juraient avec le pastel dominant. Dessus, des chats bleu et rouge sautaient par-dessus des cuvettes de W-C : joli motif…

Elle dévisagea Ryan qui soutint son regard. Il avait certainement choisi en personne cet horrible rideau de douche. De plus en plus contrariée, elle fit demi-tour pour sortir mais, dans sa hâte, l'effleura et, gênée, recula d'un bond.

— Excusez-moi… mais vous… vous pouvez me laisser passer ?

Elle se sentit rougir, et Ryan fronça les sourcils, puis baissa les yeux sur ses seins dont les pointes venaient de le frôler. Allait-il lui adresser un commentaire déplacé, voire machiste, peut-être salace ? Non, il resta silencieux et s'écarta à la hâte.

Les joues en feu, elle sortit. Son trouble s'était amplifié. Pourquoi son cœur s'était-il mis à battre avec cette impétuosité ? Pourquoi les pointes de ses seins s'étaient-elles raidies ? Ryan Jackson la méprisait, et elle le détestait. Pourquoi son corps l'avait-il trahie ? Elle en était humiliée.

Surtout, elle était mortifiée par la réaction de Ryan. Une telle expression de mépris s'était peinte sur son visage, au moment où ils s'étaient touchés, qu'il n'avait même pas pu la regarder en face.

Sur ces entrefaites, il la rejoignit et la conduisit, sans un mot, dans le garage. Celui-ci était encombré par les cartons qui contenaient ses affaires, et la voiture blanche mise à sa disposition y était garée.

Elle se passa les mains dans les cheveux, désormais coupés court, une initiative destinée à lui donner une nouvelle apparence.

Ils finirent le tour du propriétaire, puis prirent place

autour de la table du coin kitchenette. Ryan y déposa les clés de la maison, puis sa mallette qu'il ouvrit.

A ce stade, Jessica était tellement abasourdie qu'elle n'eut pas la force de réagir à la vue du papier peint de la kitchenette : des coqs jaunes et rouges, tambour au cou et trompette au bec, défilaient fièrement. Elle espérait garder sa dignité jusqu'au départ de Ryan. Ensuite, elle s'abandonnerait à son désespoir et gémirait sur son sort.

Ryan sortit une carte de la région qu'il déploya sur la table et fit un rond rouge autour de Providence, la ville qu'ils avaient traversée et qui se trouvait au pied des montagnes. Il la relia à un autre lieu tout proche, qu'il entoura.

— Voilà où se situe votre chalet. Vous devrez prendre cette route pour vous rendre à Providence. Vous y trouverez tout ce dont vous avez besoin : épicerie, station d'essence, quincaillier. Il y a un petit restaurant en face de la quincaillerie, et on m'a dit qu'on y servait un petit déjeuner correct. Vous trouverez aussi des chaînes de restauration rapide, dans la rue principale, ainsi que de nombreuses boutiques.

Puis il traça une ligne qui partait de Providence et rejoignait l'autoroute qu'il entoura.

— Si vous voulez faire des courses plus importantes, prenez la I-40 pour vous rendre à Sevierville. C'est à deux heures de route.

— Deux… heures ?

— Je vous avais prévenue : cet endroit est isolé. On ne viendra pas vous y chercher.

Dire que Providence était isolé était un euphémisme, c'était le bout du monde.

Elle se sentait de plus en plus découragée.

— Je pensais que je vivrais dans une ville touristique avec de jolis chalets disséminés un peu partout dans la montagne. Mais je vais me sentir… bien seule, ici.

Elle se tut, craignant d'être de nouveau taxée de « city girl ».

— Vous n'êtes pas obligée de rester dans cette région.

Il semblait sincère pour une fois, mais elle resta sur ses gardes.

— Que voulez-vous dire ?

— Vous devez réinventer votre existence, et cela vous sera difficile si vous détestez l'endroit où l'on vous a installée. Je peux vous conduire dans un lieu sécurisé en attendant de vous trouver une nouvelle résidence, en expliquer les raisons à mon supérieur. Il faudra du temps pour trouver une autre solution, mais…

Jessica le fixa. La seule perspective de se retrouver dans un lieu sécurisé, autrement dit, dans la chambre anonyme d'un motel, lui faisait horreur. Après leur vol New York-Nashville, et plusieurs heures de route dans un monospace sécurisé entre deux marshals, elle avait seulement envie de se reposer.

En arrivant à Providence, elle s'était étonnée qu'ils n'aient pas pris un vol qui les aurait rapprochés de Gatlinburg ou de Sevierville, donc de Providence. Ryan lui avait expliqué qu'il avait choisi l'itinéraire le plus long pour des raisons de sécurité.

— Inutile ! lança-t-elle finalement.

Elle allait lui saisir le poignet pour mieux faire valoir son opposition, mais se figea de peur de le toucher et devoir de nouveau affronter le mépris dans son regard.

— Je vais rester ici ! reprit-elle. Vous affirmez que je ne risque rien, que personne ne viendra m'y chercher, je vous crois. Ma sécurité est plus importante que mon désir d'avoir un café Starbucks à tous les coins de rue !

Elle se tut et se mordilla la lèvre inférieure.

— Mais il y a peut-être un Starbucks à Providence ? Je peux aller y boire un *caffè mocha* tout à l'heure ?

Ryan Jackson secoua lentement la tête.

— Je ne crois pas qu'il y ait un Starbucks à Providence.

— Ah bon… Tant pis, ça n'est pas important.

Elle le pensait vraiment.

— Ça va aller ? s'enquit-il.

Elle n'en savait rien. Mais il allait insister et même lui offrir sa sympathie, pensa-t-elle. Non : il referma sa mallette et lui fit signe de la suivre.

— Je vais maintenant vous expliquer le fonctionnement de votre système d'alarme.

Il la conduisit dans l'entrée et lui montra comment activer et désactiver l'alarme.

— Le bouton rouge que vous voyez là, c'est le bouton panique : il donne immédiatement l'alerte à la police de Providence.

— Pourquoi aurais-je besoin de la police de Providence, puisque vous êtes mon voisin ?

Sa voix avait tremblé, et elle détestait cela. Ryan pourrait en profiter pour se moquer d'elle de nouveau.

— Je ne le serai pas longtemps, lui annonça-t-il d'une voix nette.

Sans trop savoir si elle en était soulagée ou non, elle le suivit dans la véranda. Il alla saluer les deux marshals qui les avaient accompagnés. Elle avait préféré ne pas se souvenir de leurs noms. A quoi bon ? Il y avait déjà ceux de quatre autres marshals gravés dans sa mémoire. Avec celui de Natalie.

Les marshals repartis, Ryan se dirigea vers son propre chalet sans daigner lui souhaiter une bonne soirée ou bonne chance, sans même lui accorder un regard. Il referma sa porte brusquement.

Le vent se leva, Jessica frissonna et se frotta les bras pour se réchauffer. Le soleil se couchait, les températures allaient chuter, comme souvent en montagne. Les arbres, qui semblaient si beaux quelques instants plus tôt, avec leurs feuillages rouge et or, projetaient maintenant des ombres sinistres. Au crépuscule, les buissons prenaient des formes étranges. On pouvait s'y cacher facilement…

Recouvrerait-elle un jour la sérénité ? Etait-elle vraiment en sécurité ? Ryan ne l'aurait pas laissée seule chez elle, s'il n'en avait pas été certain, non ?

Le vent se leva de nouveau, apportant des senteurs de sapins et d'autres, inconnues, ainsi que les bruits étranges et inhabituels de la campagne. Jessica perdit le peu de courage qui lui restait et rentra à la hâte dans sa maison.

4

Un cri aigu rompit la quiétude de sa chambre.

Jessica se réveilla en sursaut, bondit de son lit, mais elle se cogna dans la commode et perdit l'équilibre. Elle maudit sa maladresse — elle n'était pas encore familière des lieux — puis se releva avec un soupir.

De nouveau, ce cri affreux perça la nuit.

Sugar. Que se passait-il ?

En cherchant l'interrupteur, elle se cogna une fois de plus et se cramponna à la commode, puis saisit à tâtons un objet qui s'y trouvait pour s'en servir comme d'une arme le cas échéant, et, enfin, sentit sous ses doigts l'interrupteur. Elle alluma la lumière avec soulagement. Aveuglée au début, elle cilla, puis regarda autour d'elle. Elle était seule.

Le cri s'éleva encore une fois : il venait de l'extérieur.

Jessica se mordilla la lèvre, hésitant à téléphoner à Ryan. Et si ça n'était rien… ? Elle ne voulait pas voir le mépris dans les yeux de Ryan Jackson lorsqu'il découvrirait que c'était seulement un animal inoffensif. Elle avait déjà été trop blessée par son « city girl » : elle n'aurait pas la force de subir de nouveau sa morgue. Et puis maintenant qu'elle avait retrouvé une vie normale, enfin presque, elle devait cesser de compter sur Ryan qui reprendrait le cours de sa propre existence d'ici peu. Elle devait réapprendre à vivre, à ne pas paniquer et à ne plus craindre que DeGaullo l'ait retrouvée chaque fois qu'un événement inattendu survenait.

Elle décida donc de faire face seule, mais sa peur persistait, le sang bouillonnait dans ses oreilles. Elle réunit tout son courage, s'approcha de la fenêtre, plaqua son dos au mur, leva son arme et, très doucement, tira le rideau. Une chouette se tenait sur le rebord de sa fenêtre

L'oiseau de nuit cilla à sa vue et poussa son long cri étrange. Puis, comme si elle était satisfaite de l'avoir bien effrayée, elle déploya ses ailes et s'envola.

Jessica laissa retomber le rideau. Voilà, une simple chouette l'avait plongée dans la panique... Telle allait être sa vie désormais ? Marquée par la peur, permanente, de réveils en sursaut par des oiseaux nocturnes ?

Elle tourna les yeux vers son réveil. Il était 6 h 30. Déjà ? Elle avait mal dormi, mis du temps avant de sombrer dans un sommeil agité, et elle pensait ne s'être assoupie que deux ou trois heures. Elle était exténuée.

Surtout, elle était nerveuse. Enervée. Une vraie boule de nerfs... Dans ces conditions, retourner se coucher était vain... Elle leva la main pour se dégager le visage : elle tenait toujours l'objet qu'elle avait saisi sur sa commode et qui lui aurait servi d'arme. C'était son sèche-cheveux.

Sugar.

Et si elle s'était retrouvée nez à nez avec l'un des hommes de Richard DeGaullo ? Lui aurait-elle proposé un brushing ?

Agacée, elle jeta le sèche-cheveux sur son lit et se rendit dans la salle de bains. Elle se sentait nauséeuse, après ce réveil pour le moins désagréable. Une bonne douche la réveillerait et lui ferait commencer cette journée dans une bonne humeur relative.

Elle tourna le robinet de la douche et, pendant qu'elle attendait que l'eau soit chaude, vaqua à ses activités matinales habituelles. Elle prit des vêtements propres dans sa chambre, revint dans la salle de bains, puis monta, avec un soupir de plaisir, dans le bac à douche.

Mais de l'eau gelée cribla son visage et tout son corps comme autant de pics de glace. Elle bondit en hurlant du bac à douche, glissa sur le carrelage, tendit les bras pour se rattraper au lavabo, mais s'y cogna et, finalement, tomba.

Etourdie par le choc, elle resta immobile, nue, la tête douloureuse. Allait-elle hurler, pleurer ou tout casser, de colère ? Le rideau de douche gonflait comme une voile, et les chats rouge et bleu souriaient comme s'ils se retenaient de rire.

Finalement, elle poussa un gémissement, prit appui sur un genou, agrippa le bord du lavabo et réussit à se relever péniblement. Elle se regarda dans la glace au-dessus du lavabo et, de nouveau, gémit : un hématome se formait sur sa tempe.

Une journée qui commençait aussi mal laissait augurer le pire…

Déjà, pendant l'instruction du procès et le procès, elle avait été relogée dans un motel et souvent eu la nostalgie de son appartement si confortable, de son Jacuzzi, de sa couette moelleuse qu'elle avait achetée, deux ans plus tôt, lors d'une expédition shopping avec Natalie. Elle détestait les lieux sécurisés, terme officiel pour désigner les motels bas de gamme et appelés le plus souvent « planques ». Il lui avait tardé d'avoir un nouveau chez elle, même si rien ne remplacerait jamais son minuscule appartement new-yorkais.

Maintenant qu'elle avait sa propre maison, elle prenait conscience de la chance qu'elle avait eue en habitant dans un motel minable : au moins, elle y avait de l'eau chaude à profusion et n'était jamais réveillée par des chouettes qui se perchaient sur le rebord de ses fenêtres pour crier aussi fort que les petits-enfants de son ancien voisin new-yorkais quand ils dévalaient les escaliers de son immeuble en hurlant.

Elle referma le robinet de la douche, se regarda de nouveau dans la glace au-dessus du lavabo et se recoiffa pour cacher son hématome. Derrière une mèche de cheveux apparurent ses cicatrices, souvenir de ses blessures dues à l'attentat à la voiture piégée. Elle s'immobilisa. Elle avait failli mourir, quatre marshals avaient péri, et elle se lamentait sur son sort parce qu'elle n'avait pas l'eau chaude, son Jacuzzi ou une couette moelleuse ? Pathétique !

Ces marshals avaient sacrifié leur vie à la sienne parce que leur mission avait été d'assurer sa sécurité envers et contre tout. Le souvenir de leur courage et de leur loyauté la bouleversait et révélait mieux la lâcheté et la peur qui l'avaient si longtemps paralysée, lorsqu'elle travaillait encore dans la société de Richard DeGaullo. Pis, la nuit où il avait tué Natalie, elle était restée cachée derrière son bureau, impuissante et terrorisée.

Le moment était venu de faire face bravement et de cesser de se montrer pusillanime.

Ainsi résolue à apprécier sa nouvelle vie, quelle qu'elle soit, et à ne jamais se plaindre, même en son for intérieur, elle remplit le lavabo d'eau froide et frissonna en y plongeant un gant pour faire une toilette sommaire. Elle était sur le point de sortir de la salle de bains quand le rideau de douche attira de nouveau son attention.

Les chats semblaient *vraiment* se moquer d'elle. Aussi, elle arracha le rideau de douche d'un coup sec. La barre tomba avec un bruit métallique qui la fit sourire de plaisir. C'était puéril, mais elle piétina le rideau de douche avec un plaisir sans partage.

Galvanisée par cette petite victoire, elle s'habilla à la hâte. Le soleil s'était levé et donnait aux rideaux bruns de sa chambre des teintes pour le moins incertaines. Incapable d'affronter les coqs en file indienne sur le papier peint de la cuisine, elle se dirigea vers les baies vitrées du salon-salle à manger. Elle tira les rideaux d'un geste preste et se figea d'admiration à la vue des Great Smoky Mountains, dont les versants étaient garnis d'arbres aux feuillages déjà automnaux. Dans un mois, le spectacle serait absolument féerique. Et, pour la première fois depuis son arrivée dans cette région fort reculée, elle se sentit heureuse. Elle avait beau être une « city girl », elle n'en appréciait pas moins l'éblouissant spectacle de la nature.

La veille, fatiguée, découragée et déprimée, elle n'avait pas pris le temps d'observer son nouvel environnement, mais dorénavant elle regarderait tout avec attention et aborderait sa nouvelle vie avec enthousiasme !

Soudain, elle crut avoir de nouveau dix-huit ans, avec la maturité en plus bien entendu. En quittant sa dernière famille d'accueil pour entrer à l'université, à sa majorité, elle avait espéré trouver sa place dans le monde et s'assumer pleinement. Aujourd'hui, elle n'était plus une jeune fille naïve, avide d'être reconnue, acceptée et aimée. Elle avait perdu son idéalisme, quelques illusions, et n'accorderait plus jamais sa confiance aussi facilement.

Dans le jardin derrière son chalet, Jessica admirait la chaîne de montagnes. Ce carré de pelouse mal entretenu donnait, au fond et sur un côté du chalet, sur un versant escarpé très boisé. Un raidillon abrupt reliait son chalet à celui de Ryan, pour ensuite remonter et s'élancer plus haut, dans une forêt dense et très ombragée. C'était une cachette idéale pour ses ennemis, songea Jessica. A cette idée, elle ne put s'empêcher de frissonner. En revenant devant, elle suivit des yeux la côte escarpée qui ourlait son jardin. Elle avait peur. De quoi ? Personne ne savait qui elle était et où elle se trouvait, mis à part une poignée de marshals. Elle était parfaitement en sécurité.

Un bruit de pas lui fit lever les yeux. Un grand brun faisait son jogging et passait devant chez elle. L'individu lui rappela Ryan, mais Ryan était tout en muscles, et le coureur avait une légère surcharge pondérale, comme s'il pratiquait les sports en amateur.

— Bonjour..., lança l'homme d'une voix aimable.

— Bonjour..., répondit-elle machinalement, en se dirigeant vers l'intérieur de sa maison, pressée de rentrer.

Elle devait réapprendre à avoir un autre regard sur le monde et son entourage, mais pas aujourd'hui. Elle ne se sentait pas encore prête à prendre sa nouvelle existence à bras-le-corps.

L'inconnu avait dû se méprendre sur le sens de son mouvement, car il se dirigea vers elle.

Jessica, perplexe, se figea. L'inconnu déjà tout proche tendit le bras dans sa direction.

— Non ! s'exclama-t-elle en reculant.

Mais l'inconnu lui saisit le poignet.

— Attention ! Si vous continuez de reculer, vous allez dévaler la côte qui borde votre jardin !

Il fronçait les sourcils et avait l'air réellement inquiet.

— Pardon ? s'enquit Jessica en regardant derrière elle.

Elle était tout au bord de ce versant qui flanquait en partie son jardin. Elle sursauta. L'inconnu serra son poignet avec fermeté.

— Merci..., murmura-t-elle avec embarras.

L'inconnu devait la prendre pour une folle.

Quoi qu'il en soit, il leva les mains comme pour la rassurer et recula aussitôt.

— Je n'aurais pas dû me précipiter. Je comprends que vous ayez pris peur.

— Non, non, ça n'est pas votre faute ! Je suis mal réveillée. Je n'ai pas encore bu mon café.

Elle jeta un regard sur la côte escarpée et, tremblante, s'enveloppa de ses bras. Après avoir survécu à un procès qui avait duré un an, puis à un attentat à la voiture piégée, elle aurait pu faire une chute stupide et peut-être se tuer...

Un bruit de pas s'éleva du chalet voisin et lui fit tourner la tête. Ryan sortait dans sa véranda, mais ne daigna pas regarder dans sa direction et contempla la chaîne de montagnes.

— Bonjour, Ryan ! lança Jessica, en lui adressant un grand geste.

Il parut surpris, mais se ressaisit et lui fit également un signe. Puis il posa sa tasse sur la table de la véranda et s'approcha.

Arrivé à sa hauteur, il jaugea l'inconnu avec un intérêt poli. Celui-ci lui sourit et lui tendit la main.

— Je me présente. Mike Higgins. Je courais quand j'ai vu votre voisine. Je voulais juste lui dire bonjour ! Je loue un chalet, un peu plus bas. Vous avez une vue beaucoup plus belle d'ici.

— Ravi de faire votre connaissance, Mike. Ryan Jackson.

Mike Higgins lui serra la main, et Ryan jeta un regard significatif à Jessica, pour qu'elle se présente à son tour.

— Oh, je... Jessica... Bouton.

Elle serra à son tour la main de Mike. Pourvu qu'il n'ait pas remarqué son hésitation, songea-t-elle. Elle avait failli dire « Jessica Delaney ». Elle se mordilla la lèvre et regarda subrepticement Ryan.

Il s'approcha d'elle comme pour la soutenir.

— Alors, comme ça, vous habitez plus bas ? s'enquit-il ensuite.

— Oui. Je viens dans cette région à chaque automne.

Le regard de Mike Higgins passait de Jessica à Ryan.

— Vous êtes résidents permanents, ou des touristes, comme moi ?

Jessica ne trouva rien à répondre, toute sa mémoire semblait s'être envolée. Par chance, Ryan eut la présence d'esprit d'engager la conversation.

— Je suis guide de montagne saisonnier, je conduis les touristes sur le sentier de randonnée « Appalaches » à travers le parc national des Great Smoky Mountains : Cades Cove, le dôme de Clingman, etc. Et vous ?

— Je suis gérant d'une petite compagnie d'assurances,

Solid Rock Insurance, à Little Rock, non loin de Nashville. Et j'aime venir pêcher en montagne.

Ryan lui indiqua aussitôt les lieux les plus poissonneux. Il semblait maîtriser son sujet à la perfection, remarqua Jessica, sidérée. Il connaissait *vraiment* la région comme sa poche ?

Tout en parlant, il passa son bras autour de ses épaules et l'attira à lui. Elle tremblait, constata-t-elle. Mais son étreinte réussit à la détendre.

C'était bon de se sentir enlacée, en plus par un homme aussi fort que Ryan… C'était même trop bon… Quel dommage qu'ils ne se soient pas connus dans d'autres circonstances ! Si elle l'avait rencontré avant que sa vie ne devienne un cauchemar, auraient-ils sympathisé ? Lui aurait-il adressé ce sourire sexy si rare, qui lui donnait un air malicieux ? Malheureusement pour elle, elle ne le saurait sans doute jamais…

— Merci pour vos informations ! conclut Mike en lui serrant de nouveau la main. Je pars pêcher : je vais sans doute attraper un gros poisson !

Sur ces mots, il adressa un clin d'œil à Jessica.

Etait-ce un effet de son imagination ou Ryan s'était-il tendu ? Il n'en sourit pas moins à Mike et lui fit un signe quand il s'éloigna. Jessica l'imita tandis que Mike repartait à petites foulées. Dès que ce dernier eut disparu, Ryan la prit par la main et la conduisit dans son chalet.

— Ryan ! Qu'est-ce que vous faites ?

— Mon café doit être froid maintenant, vous m'en devez un.

— Que se passe-t-il ? demanda-t-elle, mal à l'aise pendant qu'il se dirigeait vers la cuisine. Vous avez reconnu cet individu ?

Ryan ne l'écoutait pas. Il ouvrait les placards et regardait à l'intérieur. Il en sortit un paquet de filtres et un autre, de café, qu'il déposa à côté de la cafetière.

— Ryan ? insista-t-elle. Avez-vous reconnu cet homme ? Ai-je des raisons de m'inquiéter ?

— Non, je ne l'ai jamais vu. Vous avez une cuillère doseuse à café ?

— Laissez-moi faire.

La veille au soir, elle avait sorti le strict nécessaire de ses cartons, assiettes, couverts, verres et tasses qu'elle avait rangés dans les placards et tiroirs de la cuisine.

Elle sortit une cuillère doseuse, puis un pack de lait du réfrigérateur, reconnaissante qu'on ait pensé à lui faire quelques provisions de première nécessité — café, beurre, œufs et pain de mie. Avant que sa vie ne soit bouleversée, elle passait chez Starbucks tous les matins en se rendant au bureau. Elle aurait pu s'offrir des vacances aux Bahamas avec tout ce qu'elle y avait dépensé…

— Comment buvez-vous votre café ? s'enquit-elle.

— Serré, noir et sans sucre.

Il s'appuya contre le comptoir et croisa les bras.

Elle mit trois cuillérées de café dans le filtre.

— Je vous remercie d'être intervenu, tout à l'heure… J'ai manqué d'à-propos, rien ne m'est venu à l'esprit. J'ai même failli me présenter sous ma véritable identité.

— Vous vous êtes bien débrouillée. Ce sera plus facile la prochaine fois, laissa-t-il tomber.

La prochaine fois. A cette pensée, son cœur se serra.

— J'espère que vous avez raison…

Après avoir mis la cafetière en marche, elle l'observa à son aise. Il n'avait pas pris le temps de se raser, mais ses cheveux noirs étaient encore humides : il venait de prendre sa douche quand il était sorti sur sa terrasse.

Une bonne douche chaude sans aucun doute.

— Vous savez réparer les chauffe-eau ? demanda-t-elle subitement.

— Pourquoi ? Le vôtre ne fonctionne pas ?

— Non… Et je l'ai découvert de la pire façon…

Elle se força à lui sourire et lui montra sa tempe.

L'air inquiet, il s'approcha d'elle et effleura son visage pour mieux l'examiner.

— Que s'est-il passé, au juste ?

Elle frissonna au contact de son index et recula avant de succomber au désir de nouer ses bras autour de son cou et de l'attirer à elle, puis de l'embrasser. Elle secoua la tête pour dissiper l'incongruité de cette pensée. Voilà qu'elle fantasmait sur *Ryan Jackson* ! Un homme qui la détestait. Qu'elle détestait aussi ! Sa chute dans le bac à douche lui avait fait perdre la tête !

Elle se frotta les bras. Peut-être, après tout, ne frissonnait-elle que de froid, et non d'un désir incompréhensible et mal maîtrisé.

— L'eau était si froide, lorsque je me suis mise sous la douche, que je suis précipitamment sortie du bac : j'ai glissé et je me suis cognée contre le lavabo.

De nouveau, une ébauche de sourire sembla se dessiner sur le visage de Ryan, mais il porta la main à sa bouche et fit mine de tousser.

— Je comprends. Je vais aller voir pour résoudre le problème.

Aussitôt, elle se rappela avoir arraché le rideau de douche et l'avoir ensuite piétiné.

— Attendez ! le rappela-t-elle. Vous avez déjà pris votre petit déjeuner ?

Il se détourna.

— Vous m'invitez à le prendre avec vous ?

Il paraissait surpris, elle l'était aussi. Elle ne cuisinait presque jamais. A quoi bon se compliquer la vie quand elle pouvait passer chez Starbucks le matin, et, le soir en rentrant, sortir une pizza du congélateur ?

Mais pour une fois la perspective de préparer un petit déjeuner lui plaisait, parce que c'était une activité normale sinon banale, donc rassurante. Cela faisait si longtemps qu'elle avait perdu la notion de la normalité.

— Pourquoi pas ? reprit-elle. J'allais préparer le mien. Et puisque vous réparez mon chauffe-eau je peux bien vous inviter à petit-déjeuner.

— Avec du pain grillé, du bacon et des œufs ? demanda-t-il avec espoir.

Elle soupira et regretta son invitation.

— D'accord… mais je vous préviens, je ne suis pas très bonne cuisinière.

— On verra.

Il lui adressa un regard suffisant et se rendit dans le garage. Dès qu'il y eut disparu, elle se précipita dans la salle de bains et remit le rideau de douche en place. Puis elle revint dans la cuisine, espérant pouvoir préparer des œufs brouillés sans les faire brûler.

Dès que Ryan eut refermé la porte et fut seul, il sortit son Smartphone. L'invitation de Jessica à prendre le petit déjeuner ensemble l'étonnait. D'un autre côté, pendant qu'elle le préparait, il avait le champ libre pour se renseigner au sujet de Mike Higgins, qui avait éveillé sa méfiance.

Il composa le numéro d'Alex Trask, son supérieur de l'United States Marshals Service, en regardant la voiture et les cartons empilés au fond du garage. Sur ces entrefaites, il s'approcha du chauffe-eau. Comme il s'y était attendu, il n'avait pas été allumé : l'équipe qui avait préparé le chalet l'avait oublié. Il l'alluma, et le chauffe-eau émit un vrombissement qui se mua en un sifflement imperceptible au fur et à mesure que l'eau commençait à chauffer.

La voix d'Alex lui parvint au même moment.

— Alex Trask, j'écoute

— Salut, Alex, c'est Ryan.

Il s'adossa à la voiture de Jessica et croisa les chevilles.

— Il est possible qu'on ait un problème.

— Quel genre ?

— Un touriste qui faisait son jogging s'est présenté au témoin. Un certain Mike Higgins. Il serait en vacances dans la région. Il habite près de Nashville, à Little Rock, où il a une petite compagnie d'assurances qui s'appelle Solid Rock Insurance. Je voudrais que tu vérifies.

— Tout de suite, déclara Alex, en tapant sur son clavier d'ordinateur.

En attendant, Ryan pianota sur le capot de la voiture. Pourvu qu'Alex infirme ou confirme son intuition très vite. Quand il avait entendu des voix dehors, tout à l'heure, il était sorti sur sa terrasse et avait fait mine de découvrir l'homme en tenue de jogging aux côtés de Jessica. Il avait pensé que la jeune femme parviendrait à surmonter sa nervosité et pourrait tenir sa première vraie conversation avec un inconnu depuis qu'elle faisait partie du programme WitSec mais, au moment où elle lui avait fait signe, il s'était rendu compte qu'elle était trop nerveuse pour assumer seule la situation.

La voix d'Alex l'arracha à ses pensées.

— La compagnie d'assurances semble réelle : elle est dans l'annuaire et a un site Web avec des commentaires des clients. Le site mentionne que le patron est actuellement en vacances, mais que les bureaux sont restés ouverts. Cela te va ?

— Cela colle avec la version de cet individu, en tous les cas.

— Tu ne sembles pas convaincu ?

— C'est exact. C'est facile de concevoir un faux site. Et puis, il y a quelque chose qui me gêne chez cet homme. Il n'a pas la tête d'un agent d'assurances, même s'il a la corpulence d'un gars qui reste assis toute la journée à son bureau à se goinfrer de beignets !

— Mon oncle est agent d'assurances, et il n'est pas adepte de la malbouffe !

— Toujours est-il que cet individu me rend nerveux ! Quand il a pris congé, il a dit qu'il espérait attraper bientôt un gros poisson. Tu peux penser que je suis paranoïaque, mais l'allusion m'a semblé claire.

— Il est où maintenant ?

Ryan traversa le garage et regarda par la vitre de la porte.

— Si j'en crois ce qu'il a raconté, il est redescendu dans son chalet.

— Je vais faire des recherches plus approfondies sur l'homme et sa compagnie d'assurances. Je vais l'appeler et essayer d'obtenir sa photo, que je t'enverrai. Mais pour le moment je ne vois rien qui donne matière à s'inquiéter.

Ryan s'exhorta également au calme. Son patron avait plus d'expérience que lui dans la protection des témoins.

Avant de suivre la tradition familiale et d'entrer dans la police, Ryan avait en effet passé plusieurs années dans l'armée, en détachement à l'étranger, où il dirigeait des missions militaires secrètes. Rester sur ses gardes, c'était une question de survie, et il avait beaucoup de mal à se départir d'une défiance devenue naturelle, surtout après sa dernière mission qui s'était soldée par un terrible fiasco.

Son patron avait peut-être raison, il n'y avait pas lieu de s'inquiéter, mais il ne voulait prendre aucun risque.

— Envoie-moi une photo sitôt que tu en auras une, conclut-il. Mais je te préviens, si cet individu revient à la charge avant que tu n'aies pu me donner confirmation de son identité et de son activité, je déplace le témoin.

Ryan était sous sa douche et, mains posées sur le carrelage, laissait l'eau couler sur ses épaules et sur son dos.

Une fois que Jessica avait préparé un petit déjeuner plutôt brûlé, il avait passé le reste de la journée à transporter ses cartons dans les différentes pièces de la maison et l'avait ensuite aidée à en déballer le contenu.

Au début, Jessica lui avait paru réticente à accepter sa

présence : elle n'arrivait évidemment pas à croire qu'il veuille lui être agréable. Revoyant son étonnement, la culpabilité l'envahit. Depuis leur première rencontre, il n'avait cessé d'être froid et désagréable avec elle. Si toute la journée il l'avait aidée, c'était parce qu'il craignait que Higgins ne revienne. Bien sûr, il ne le lui avait pas dit, mais plutôt qu'il souhaitait la voir bien installée avant son retour imminent à New York. Apparemment, elle l'avait cru.

Au final, Higgins n'était pas revenu au cours de la journée, et Alex l'avait rappelé après avoir pris contact avec sa compagnie d'assurances. Il s'était entretenu avec la réceptionniste de Higgins, qui lui avait confirmé que le gérant était en vacances dans le Tennessee, précisément à Providence. Ryan n'avait pas reçu de photo, comme Alex le lui avait pourtant promis, mais la description de la réceptionniste correspondait au jogguer de ce matin.

Son instinct l'avait-il trompé ? Se serait-il émoussé depuis son départ de l'armée, six mois plus tôt ? Depuis qu'il menait une vie relativement moins périlleuse ? Tout concourait à prouver que Mike Higgins était bien un homme d'affaires en vacances, un amateur de pêche et de grand air.

Il secoua la tête. Ça n'était pas Higgins le vrai problème pour le moment, mais Jessica.

Il avait passé plusieurs heures avec elle, observé, bien malgré lui, ses gestes et attitudes, par exemple et entre autres choses, son pantalon qui se tendait sur son postérieur, quand elle se penchait, ou son T-shirt moulant mieux ses seins quand elle levait les bras. A maintes reprises, elle avait humecté ses lèvres roses. Il l'avait souvent frôlée par inadvertance, par exemple, en l'aidant à préparer les sandwichs pour leur déjeuner. Il avait vécu un supplice : il désirait une femme qu'il méprisait, et avec qui il n'avait pas envie d'avoir une liaison, même d'une nuit.

Il devait absolument réussir à gérer cette attirance irrationnelle, d'autant qu'il était obligé de rester auprès de

Jessica plus longtemps qu'il ne l'avait prévu. Avant qu'il ne parte avec elle pour le Tennessee, Alex lui avait lâché une information qui lui avait fait l'effet d'une bombe : il était assigné à la protection de Jessica Bouton pour une durée indéterminée !

C'était insensé ! Maintenant que Jessica se trouvait installée par les soins de l'United States Marshals Service, elle n'avait plus besoin de protection et devait au plus vite s'intégrer à son environnement pour commencer sa nouvelle vie ! Ça n'était pas la procédure normale ! Pourquoi Alex insistait-il pour qu'il reste ? Depuis que, le jour de l'attentat à la voiture piégée, Alex l'avait écarté d'une autre affaire pour qu'il remplace le marshal Cole auprès de Jessica, tout allait de travers.

Il ferma les yeux, offrit son visage au jet d'eau, mais se raidit presque aussitôt : le canon d'une arme était pressé contre sa nuque.

Il ouvrit les yeux, tourna la tête lentement : il y avait deux hommes dans sa salle de bains. Il ne connaissait pas le second, mais reconnut sans peine le premier. Il souriait, bien que le menaçant de son arme

C'était Mike Higgins.

— Salut, marshal. Tu te souviens de moi ?

5

Jessica reposa sa brosse à dents, éteignit la lumière et gagna sa chambre en pyjama, ou plus exactement en T-shirt des New York Yankees et en caleçon. Elle espérait ne pas avoir la visite d'oiseaux nocturnes et profiter d'une nuit paisible. Après avoir passé la journée à déballer ses cartons, elle était épuisée. Mais, grâce à l'aide de Ryan, son installation était terminée. Quel soulagement !

Elle restait troublée par l'attitude de Ryan : aujourd'hui, il ne l'avait pas quittée une seconde, sauf pour prendre ses communications. Pourtant, d'habitude, il ne restait à ses côtés que par nécessité. Plus étonnant encore, il avait semblé répugner à regagner son propre chalet. Si elle n'avait pas bâillé à s'en décrocher la mâchoire, il serait sans doute toujours chez elle !

Jessica se couchait quand une vive lumière orange surgit au-dehors. Une espèce de crépitement retentit au même moment. Elle n'eut pas besoin de tirer les rideaux : c'était des flammes.

Son chalet était en feu !

La panique l'envahit. Elle bondit de son lit, dévala l'escalier et courut vers la porte d'entrée. A peine eut-elle saisi la poignée qu'elle la lâcha en hurlant : elle était brûlante. Elle testa ensuite la chaleur du battant en y approchant les paumes prudemment. Brûlant lui aussi. La véranda devait être en feu.

Un terrible sentiment d'impuissance l'accabla, mais elle ne se laissa pas abattre et se précipita vers les baies vitrées.

Le mur de flammes qui s'élevait de la terrasse l'arrêta brutalement.

Piégée. Elle était piégée !

Mais elle ne mourrait pas dans ce brasier ! Il devait sûrement y avoir une issue ! Elle courut vers la porte qui donnait sur le garage : celle-ci était déjà déformée par l'intense chaleur.

Alors elle revint dans sa chambre : peut-être pourrait-elle sortir par la fenêtre. Mais, dès qu'elle y entra, la fenêtre fut soufflée par une violente explosion. Le verre éclata, et des flammèches furent projetées partout. La chaleur devint vite insupportable tandis que le feu consumait la couette, le lit et la moquette. Aveuglée par la fumée, elle recula, reprit le couloir et claqua la porte de la chambre derrière elle.

Le chalet était désormais complètement enfumé, elle devait avancer à tâtons. Surtout, il y régnait une température insoutenable. Elle ne cessait de tousser et, finalement, s'accroupit pour mieux respirer et inhaler aussi peu que possible la fumée et les émanations toxiques. Ses yeux piquaient, des larmes inondèrent son visage tandis qu'elle gagnait le salon-salle à manger à croupetons.

Elle ne mourrait pas dans cet incendie ! Non ! Il devait y avoir une issue ! se répéta-t-elle. Et si elle remplissait la baignoire d'eau ? Ça n'était peut-être pas la meilleure solution, mais elle n'en avait pas d'autres. Dans tous les cas, mieux valait périr noyée que brûlée vive !

Elle cherchait à gagner la salle de bains quand la baie vitrée du salon-salle à manger explosa. Elle baissa la tête pour éviter d'être blessée par les éclats de verre.

La voix étouffée de Ryan lui parvint alors.

— Jessica, où êtes-vous ?

Comment avait-il réussi à franchir le mur de flammes ?

— Ryan ! essaya-t-elle de hurler, mais elle toussa.

Il surgit tout à coup devant elle, informe dans la couverture dont il s'était enveloppé. Il l'aida à se relever et la revêtit aussi d'une couverture humide.

— Nous devons passer au travers des flammes, lui annonça-il. Il faut faire vite.

Sa voix profonde était calme, étonnamment rassurante. Il la prit par la taille et la conduisit vers la terrasse sans tenir compte de sa résistance. L'espace occupé par la baie vitrée béait sur des flammes menaçantes qui envahissaient la terrasse et progressaient. Si elles n'avaient pas encore envahi la maison, c'était grâce au carrelage du salon-salle à manger.

De la pointe du pied, Ryan écarta les éclats de verre sur leur trajectoire.

— Vite ! C'est la seule issue, nous n'avons pas le choix.

— Je… je ne peux pas…

Elle secoua la tête et essaya de se dégager de sa poigne. Sa résistance était absurde, songea-t-elle. Ils n'avaient pas le choix, et elle avait déjà l'impression de se consumer dans cette fournaise.

Face à son indécision, Ryan la souleva dans ses bras et se précipita au travers des flammes. Elle poussa un cri de terreur continu, jusqu'à ce qu'ils fussent sortis du chalet en feu, et que Ryan les fasse rouler sur la pelouse.

Au même instant, une partie du toit s'écroula, et des étincelles furent projetées partout. Enfin, une partie de la maison implosa et s'effondra.

— Vite ! Venez vite ! lui intima Ryan.

Il se releva, se débarrassant de sa couverture. Il était torse nu, et elle en eut le souffle coupé. La lueur mordorée des flammes donnait à son corps musclé et bronzé des reflets de bronze.

— Venez vite ! reprit-il.

Sa voix pressante n'était qu'un murmure dans le fracas ambiant. Il serra sa main et la conduisit en courant tout au fond du jardin. Aussitôt qu'ils y eurent descendu le raidillon et gagné la forêt, l'obscurité les enveloppa, mais Ryan continua à courir sans la lâcher, pour remonter le raidillon et accéder à son chalet épargné par les flammes. Il ne s'arrêta que lorsqu'ils furent arrivés dans sa chambre à coucher.

Jessica, pliée en deux, toussa, exhalant la fumée et autres émanations toxiques qu'elle avait respirées.

Quand elle se sentit mieux, elle se redressa. Ryan était en train de s'affairer. Il sortait des affaires de son armoire, qu'il fourrait dans un grand sac à dos, déjà à moitié rempli. Il avait visiblement l'habitude de plier bagage dans l'urgence.

Il n'avait pas allumé la lumière, mais elle y voyait bien grâce aux flammes qui s'élevaient dans ce qui avait été, brièvement, sa demeure.

Ryan courut dans la salle de bains adjacente. Toujours immobile, elle le suivit des yeux, oubliant l'incendie et ses conséquences pour admirer ce corps viril et musclé. Ryan Jackson était la perfection faite homme.

— Qu'est-ce que vous faites ? lui demanda-t-elle, sortant de sa torpeur. Il faudrait plutôt appeler les pompiers !

Elle s'approcha de la salle de bains, frissonnant dans son T-shirt désormais humide, puis elle étouffa un cri.

Sur le carrelage gisaient les corps inertes et baignant dans une mare de sang de deux hommes.

Horrifiée, elle recula, trébucha, puis se figea en essayant de donner un sens à ce monstrueux spectacle.

Ryan ne lui prêtait pas attention. Il tira quelques objets de toilette d'un tiroir de la salle de bains et les fourra dans une trousse en cuir. Il repassa devant elle pour jeter la trousse dans son sac à dos et ferma celui-ci. Il enfila ensuite un jean, glissa dans sa poche une épaisse liasse de billets. Enfin, il plaça trois boîtes dans les poches extérieures de son sac à dos et, après réflexion, en mit aussi une quatrième. Jessica eut tout juste le temps de lire le mot « munitions » dessus.

— Ryan ? Ces hommes sont… morts !

Elle s'interrompit et, soulevée par une irrépressible nausée, porta les mains à ses lèvres.

— C'était eux ou moi, répondit-il d'une voix nette en laçant des chaussures de randonnée.

Il enfila un T-shirt, un coupe-vent et, après l'avoir jaugée, ouvrit un tiroir de la commode dont il sortit quelques vêtements qu'il jeta sur le lit. Puis il lui fit signe.

Toujours immobile, elle le regardait sans comprendre, sidérée. Alors il s'approcha et, avant qu'elle n'ait le temps de se rendre compte de ses intentions, il lui retira son T-shirt. Elle chercha à lui cacher la vue de ses seins nus, mais il lui fit lever les bras avec impatience pour lui mettre un sweat-shirt. Elle l'enfila en tremblant, tandis qu'il prenait le pantalon de jogging sur le lit.

— Laissez, je vais le mettre ! dit-elle précipitamment en le lui prenant des mains.

— Avant, retirez votre caleçon : comme votre T-shirt, il est trempé.

— Alors tournez-vous !

Un sourire sembla frémir sur ses traits durs, mais il obtempéra.

Jessica jeta son caleçon humide sous le lit et, le visage en feu, enfila le pantalon de jogging qui lui était si grand qu'elle dut rouler plusieurs fois l'élastique à la taille. En vain. Elle était obligée de le tenir à deux mains pour qu'il ne dégringole pas sur ses chevilles. Tant pis, au moins, elle était au sec et au chaud.

Ryan fronça les sourcils en la jaugeant de nouveau, puis lui tendit une paire de chaussettes et des tennis.

— Enfilez-les !

Poings noués dans son pantalon, elle ne l'écoutait pas. Elle ne pouvait s'empêcher de jeter des coups d'œil dans la direction de la salle de bains, mais sans oser regarder franchement. Au moins, cela lui faisait oublier l'indignation que Ryan venait de lui causer en la dévêtant si rudement.

Il la prit alors par la taille pour l'obliger à s'asseoir sur le lit. Elle sursauta mais se laissa faire, abasourdie. Il lui enfila chaussettes et tennis comme si elle avait été une petite fille, et lui fit même ses lacets.

Il lui mit un coupe-vent dont il retroussa les manches trop longues. Elle l'observait, comme si elle était très loin et seulement spectatrice de cette scène improbable, comme si elle avait perdu toute sensation, était devenue une autre. Le ululement d'une sirène la fit tressaillir et revenir à elle.

— On y va ! s'exclama Ryan. Vite !

Il courut, elle le suivit, trébuchant dans ses tennis et dans son pantalon trop grands. Ryan ne la lâcha que lorsqu'ils furent arrivés dans le garage. Il mit son sac à dos dans l'une des sacoches de cuir d'une moto. Pendant ce temps, elle essayait de donner un sens à ses manœuvres. Pourquoi se trouvaient-ils dans ce garage ? Ne devaient-ils pas plutôt attendre l'arrivée de la police et des pompiers ? Ils n'allaient plus tarder : la stridence des sirènes devenait de plus en plus audible.

Ryan semblait les ignorer. Il lui mit son casque et serra la lanière sous son menton.

— Mais qu'est-ce que vous faites ? répéta-t-elle, en lui prenant la main pour l'interrompre. Nous devons rester pour attendre les pompiers et la police !

L'idée de reprendre la route l'angoissait plus qu'elle ne pouvait le lui exprimer.

— Nous ne pouvons pas rester, Jessica ! Il faut partir. Tout de suite !

— Non ! Je n'irai nulle part !

— Si ! Si vous restez, vous êtes morte.

— Mais la police… ?

— La police ne vous protégera pas des assassins !

— Des assassins ? Vous voulez parler de ces deux hommes dans la salle de bains… Ce sont eux, les pyromanes ? Mais ils sont morts, maintenant !

Son cœur battait trop fort. De nervosité, elle croisait et décroisait ses doigts dans son sweat-shirt.

— Ils ont deux autres complices : ils étaient postés devant chez vous tout à l'heure. C'est pour ça que nous sommes sortis par-derrière et que nous sommes passés par la forêt. Vous voulez savoir pourquoi ces individus attendaient devant chez vous ?

— Non… je… je ne sais pas.

— Si, vous le savez ! Ce sont eux qui ont déclenché l'incendie. Ils veulent s'assurer que vous allez périr dans ce brasier. Avec l'arrivée de la police et des pompiers, ils vont se cacher derrière le chalet, et ensuite venir dans le mien. Ils vont vite comprendre que je suis venu à votre rescousse et que nous sommes en fuite. Nous devons prendre de l'avance : partir avant de nous faire piéger.

Jessica secoua de nouveau la tête.

— Non, non… Ces hommes ne peuvent pas avoir retrouvé mes traces. Je n'ai rien dit à personne, je n'ai pas enfreint le protocole WitSec ! Je vous le jure ! Non ! Ils ne peuvent pas m'avoir retrouvée. Vous vous trompez, Ryan !

Sa voix se brisa.

L'expression de Ryan s'adoucit, et un petit sourire rassurant surgit sur ses lèvres. Puis il lui tendit la main, paume vers le haut, et attendit, comme s'il avait tout le temps du monde.

— Je vous crois quand vous me dites que vous n'avez pas enfreint ce protocole. Prenez ma main. Faites-moi confiance.

Jamais il n'avait été aussi amical et compréhensif avec elle. Emue au-delà des mots, elle sentit des larmes brûlantes inonder ses joues.

— Mais qu'allons-nous faire ? Où allons-nous partir ? Moi, je ne sais plus…, balbutia-t-elle.

— Moi je sais. N'ayez pas peur. Prenez ma main.

Elle s'essuya les joues et le regarda droit dans les yeux. Il semblait si sûr de lui…

Devant le palais de justice, le jour de l'attentat, c'était le seul à avoir pris conscience du danger. Et, là encore, il lui avait sauvé la vie. Sans lui, elle aurait péri dans les flammes. Et il refusait de l'abandonner à son sort.

Peu à peu, un calme relatif l'envahissait, séchant ses larmes. Elle cessa de trembler.

— D'accord, articula-t-elle enfin. Je vous fais confiance.

Elle posa sa main sur la sienne. Il la dévisagea avec un mélange de curiosité et de perplexité, comme s'il la voyait sous un nouveau jour.

Les lueurs des gyrophares passaient par intermittence par les interstices de la porte du garage. Il tressaillit et la fit monter derrière lui, sur la moto.

— Ryan… Et votre casque ?

— Sur votre tête ! Tenez-vous bien à moi, surtout.

Ses derniers mots se perdirent dans le vrombissement du moteur, assourdissant dans l'espace restreint du garage. Elle serra ses bras autour de sa taille pour ne pas basculer en arrière. Il sortit par-derrière, et elle ferma les yeux lorsque sa moto dévala l'escalier et traversa la pelouse.

Lorsqu'elle les rouvrit, un camion de pompiers était devant sa maison, mais les pompiers, occupés à éteindre l'incendie, ne regardaient pas dans leur direction, et le crépitement des flammes couvrait largement le moteur de la moto.

Un mouvement dans la forêt attira son regard : deux hommes en émergeaient et couraient vers le chalet de Ryan. L'un d'entre eux avait le bras tendu, et le clair de lune révéla l'arme qu'il brandissait.

Elle noua plus étroitement ses bras autour de la taille de Ryan.

— Ces hommes dont vous parliez… Ils sont là…, lui souffla-t-elle à l'oreille.

— Je sais. Serrez bien ma taille, surtout.

Sur ces mots, il braqua et fonça sur les deux inconnus qui s'écartèrent d'un bond. L'un d'eux tira, mais sans les toucher, et la moto continua sur sa lancée le long du raidillon qui se perdait dans la forêt et ensuite remontait dans la montagne.

6

Jessica se serra de toutes ses forces contre Ryan. La moto continuait sa folle équipée sur un chemin caillouteux et irrégulier, tressautant à la façon d'un cheval qui se cabre pour désarçonner son cavalier. Les cahots furent bientôt si violents qu'elle se mordit la lèvre : un goût de sang, métallique et désagréable, envahit sa bouche.

En dépit des difficultés, Ryan parvint à garder le contrôle de son véhicule et, à un moment donné, put même accélérer, ce qui les propulsa brutalement vers l'avant. Jessica se sentit déséquilibrée, elle glissa et se cramponna à Ryan pour ne pas tomber. Ce dernier lui cria quelques mots qu'elle ne comprit pas.

— Que dites-vous ? hurla-t-elle.

Il ralentit.

— Je vous demandais si ça allait ?

— Ça va ! Plus de peur que de mal. *Sugar*, prévenez-moi la prochaine fois que vous aurez décidé de faire des pointes de vitesse !

— Vous m'avez appelé *sugar* ? Vous me prenez pour votre petit ami ?

— Même pas en rêve !

Pour la première fois depuis qu'elle le connaissait, Ryan éclata de rire. A l'évidence, et en dépit des circonstances, leur équipée lui plaisait beaucoup, mais elle elle n'avait jamais fait de moto et n'appréciait pas vraiment cette escapade dictée par l'urgence. La seule chose qu'elle voulait, c'était atteindre le plus vite possible leur but, quel qu'il soit. Elle avait déjà les mains glacées et les doigts gourds. Comment pouvait-on trouver du plaisir à rouler à moto ? Non seulement c'était très inconfortable, mais c'était aussi très bruyant.

Finalement, harassée et engourdie, elle se blottit contre Ryan et osa même poser son menton sur son épaule.

Le chemin qu'ils empruntaient était assez bien entretenu et, manifestement, souvent utilisé par les gardes forestiers ou les randonneurs. Mais ils tournèrent ensuite sur une piste plus escarpée, plus étroite, encombrée par des branches d'arbres et des souches que Ryan dut éviter plus souvent qu'à son tour.

Le jour se levait lorsqu'il s'arrêta enfin à proximité d'une masure et coupa le moteur. Le silence qui tomba était bienfaisant, soupira Jessica. Seuls s'y élevaient le coassement de quelques grenouilles et les premiers chants d'oiseaux. Ils semblaient être seuls... L'étaient-ils ? Etaient-ils en sécurité ?

— Où sommes-nous ? lui demanda-t-elle, en observant le vieux chalet et sa toile de fond, la nature dans les splendeurs des débuts de l'automne, telle une toile hyperréaliste de Norman Rockwell.

— Un ancien refuge désormais abandonné.

— Comment le savez-vous ?

— Je n'ai pas choisi par hasard — et avec l'assentiment de mon boss, bien entendu — de vous installer dans l'est du Tennessee. Je connais très bien cet endroit. Stuart Lanier, l'un des rangers avec qui j'étais à l'armée, habite à quelques heures de route au nord. Autrefois, nous avons sillonné une bonne partie du sentier des Appalaches jusqu'au New Hampshire, et les Great Smoky Mountains, mais j'ai tout de même effectué une étude minutieuse des lieux, j'ai mémorisé la carte de la région.

— Vous m'avez donc installée dans cette partie du Tennessee parce que vous la connaissez bien : par conséquent, au cas où l'on retrouverait ma trace, on pourrait partir en montagne et se réfugier dans une cabane de ce genre ?

— On peut dire ça comme ça. Dans les faits, il faut toujours parer à toutes les éventualités. A raison manifestement. Au départ, je devais rentrer à New York avec les deux autres marshals mais, pendant notre route jusqu'à Providence, mon boss m'a informé que je devais rester pour parachever la mission J. B.

Jessica se raidit, mortifiée de n'être que la « mission J. B. », somme toute un dossier parmi d'autres. Non seulement Ryan la méprisait — la sympathie qu'il lui avait témoignée, tout à l'heure, n'était qu'un pur hasard — mais il la considérait comme un pion qu'on déplace, et non comme un être sensible subissant une épreuve particulièrement douloureuse.

— J'ai quadrillé la région pour en évaluer les avantages et les inconvénients, ou les menaces, poursuivit-il. Je ne laisse jamais rien au hasard.

Il s'interrompit.

— Vous pouvez descendre seule de moto, ou vous avez besoin de mon aide ?

— Oh non… je n'en ai pas besoin.

Elle retira son casque et le lui tendit, passa la langue sur sa lèvre pour vérifier si elle saignait encore. Apparemment, non. Puis elle descendit prudemment. Ses muscles adducteurs lui arrachèrent une grimace. Elle était moulue, épuisée, et se frotta longuement les reins.

Ryan bondit quant à lui de sa moto avec agilité, et elle en fut contrariée et jalouse : elle, elle devait se masser discrètement le postérieur.

Mis à part ses cheveux en bataille, Ryan semblait frais et dispos, prêt à accepter un nouveau défi. Il sentait même très bon : la nature automnale au petit jour, alors qu'elle avait l'impression d'empester la fumée.

— Ne bougez pas, surtout, lui intima-t-il.

Sa voix était redevenue froide et métallique, et il ouvrit la porte de la masure.

Sa gentillesse n'avait décidément pas fait long feu, songea-t-elle, dépitée, en se souvenant de sa sympathie avant leur départ en trombe, ou de son hilarité, quand il avait cru que c'était lui qu'elle appelait *sugar.*

Il ressortit de la cabane, lui tint la porte ouverte en observant les alentours, comme s'il s'attendait à voir surgir leurs ennemis à tout instant.

Elle suivit son regard, soudain prise de panique.

— Vous croyez que ces individus ont pu nous suivre ? On avait de l'avance sur eux ! Et puis, on a roulé vite, avec votre moto !

Elle chercha son regard avec inquiétude

— J'ai raison, n'est-ce pas ? insista-t-elle.

— Oui, oui, marmonna-t-il entre ses dents.

Pour autant, il ne semblait pas convaincu, et elle se décida à entrer pour ne pas l'exaspérer plus.

La masure ne comportait qu'une fenêtre qui laissait à peine entrer la lumière du petit jour. Des caisses de bois s'alignaient contre les murs et, visiblement, servaient de siège. Il n'y avait même pas de salle de bains et, surtout, de toilettes ! constata Jessica, catastrophée.

Ryan entra à sa suite, referma soigneusement la porte, puis il lui prit les mains et l'obligea à s'asseoir sur l'une des caisses. D'abord elle résista, plus surprise qu'inquiète, mais il fit pression sur ses épaules et, quand elle eut obtempéré, il s'agenouilla devant elle et riva son regard au sien.

Etait-il inquiet pour elle ? se demanda-t-elle, perplexe. A moins que la lèvre qu'elle s'était mordue ne se soit remise à saigner ? Elle se les humecta. Non, pourtant… elles n'avaient pas le goût de sang.

— Ryan, allez-vous enfin… ?

— Qu'est-ce que vous avez fait exactement à Richard DeGaullo ?

Elle se raidit, frappée par son ton accusateur. Il n'était pas inquiet, comme elle l'avait subodoré, non, il était méfiant. Il venait de lui sauver la vie, il avait même été compréhensif, mais il ne l'estimait ni ne la respectait pour autant. A ses yeux, elle n'était qu'une « city girl » ou la « mission J. B »

— Pardon ? Ce que *moi* je lui ai fait, à *lui* ? DeGaullo a tué mon amie sous mes yeux ! Et j'ai eu l'affront de témoigner contre lui ! s'exclama-t-elle, outrée.

Elle crispa ses doigts sur les bords de la caisse de bois.

— Et d'abord pourquoi me posez-vous cette question ?

— Lui avez-vous volé quelque chose ? reprit Ryan sans l'écouter.

— Mais non !

— Avez-vous été la petite amie d'un de ses associés, ou d'un autre parrain de la mafia ?

— Vous êtes devenu fou !

Furieuse, elle tenta de se lever. Il la retint.

— Je ne connais pas les amis de Richard DeGaullo, poursuivit-elle. Je ne connais pas non plus ses associés, partenaires, et les autres parrains de la mafia. Je suis… enfin, j'étais sa comptable, et plutôt douée en informatique. Je travaillais avec quatre autres femmes, et DeGaullo ne connaissait même pas mon nom ! Je l'ai vu en tout et pour tout une douzaine de fois durant les cinq ans où j'ai travaillé dans sa société. Allez-vous m'expliquer pourquoi vous m'accablez de questions ?

Elle tenta de nouveau de se lever, mais de nouveau il l'en empêcha.

— La seule raison pour laquelle je suis encore en vie ce soir, déclara Ryan, c'est parce que j'ai réussi à désarmer l'homme qui braquait son arme sur ma tempe alors que j'étais sous la douche, et à le tuer et à tuer son complice. S'il m'avait menacé du seuil de la salle de bains, je ne serais plus de ce monde et vous auriez brûlé vive dans votre maison. Attentat à la voiture piégée, incendie criminel : DeGaullo a mis un contrat sur votre tête, c'est plus qu'une certitude. Il veut votre peau *à tout prix*. Moi, je dois vous protéger, et je ne pourrai pas assurer votre sécurité si je n'ai pas une vision exacte de la situation. Alors je vais vous poser une question plus directe : étiez-vous la maîtresse de Richard DeGaullo ?

Jessica étouffa un cri, se débattit en vain et, pour finir, tomba à genoux. Ryan la toisait, imperturbable, insensible à sa détresse et attendant manifestement qu'elle lui confesse au plus vite quelque terrible péché. Elle avait l'impression d'être redevenue adolescente, d'être de retour dans sa dernière famille d'accueil : elle avait été accusée, à la place d'un enfant de la fratrie, d'un vol dont elle n'était pas responsable. Elle avait toujours été stigmatisée par ses origines : une mère voleuse et un père criminel condamné pour homicide.

Ryan était comme les autres en définitive ! A ses yeux, elle n'était qu'une brebis galeuse. Pourtant, elle avait travaillé dur et cumulé les petits boulots pour entrer à l'université et s'affranchir de sa condition. Une fois diplômée, elle avait obtenu un emploi de comptable dans la société gérée par une famille du crime organisé mais, cela, elle ne l'avait malheureusement appris que plus tard. Trop tard.

— Répondez-moi, Jessica ! insista Ryan en serrant plus fort ses mains.

— Non ! Je n'ai jamais été la maîtresse de DeGaullo !

Elle essayait toujours de se dégager, mais il la tenait fermement.

— Lâchez-moi ! reprit-elle entre ses dents, ou je vous jure que je vais vous faire très mal et que vous aurez des difficultés à marcher droit pendant une semaine !

Elle leva une jambe et fit mine de presser son pied sur son entrejambe.

Il la lâcha aussitôt. Elle se leva, impatiente de s'éloigner de lui, et surtout de sortir pour soulager une envie pressante. Elle retint d'une main son pantalon trop grand et se dégagea le visage de l'autre.

— Je vous interdis de me suivre ! dit-elle en sortant.

— Ne vous éloignez pas. Si vous n'êtes pas revenue dans cinq minutes, je pars vous chercher.

Elle ouvrit la porte en haussant les épaules. Sa sortie, qu'elle aurait voulu spectaculaire, fut lamentable : elle trébucha dans ses tennis de plusieurs pointures trop grandes et se rattrapa fort peu élégamment à l'embrasure de la porte. Elle fixa ensuite Ryan, le défiant de se moquer d'elle, et claqua la porte à grand fracas.

Resté seul, Ryan sourit à part lui, mais se rembrunit presque aussitôt en repensant à l'expression de Jessica, quand il lui avait demandé quelle avait été la nature de ses relations avec DeGaullo. Il ne s'était certainement pas attendu à ce regard blessé, ni à la honte qu'il avait aussitôt ressentie. Il avait été surpris, dérouté par l'air consterné et offensé de Jessica, et finalement par son cri du cœur qui prouvait son innocence.

Jessica était charmante et si féminine : il avait toujours été intimement convaincu que DeGaullo avait fait d'elle sa maîtresse. Mais la jolie Jessica avait semblé dégoûtée et proche de la nausée quand il le lui avait si crûment exprimé. Elle lui avait certainement dit la vérité. Seulement, il ne parvenait pas à donner un sens aux événements de la nuit.

Mike Higgins, ou quel que soit son nom, savait qu'il faisait partie de l'United States Marshals Service. Donc il savait aussi que Jessica était un témoin protégé. On l'en avait informé. Conclusion : l'United States Marshals Service avait été infiltré, ce qui mettait en péril un programme dont l'existence était fondée sur le secret le plus absolu. La situation était grave.

Richard DeGaullo avait perdu une grande partie de son crédit dans le milieu, en se retrouvant dans le collimateur du département de la Justice durant l'instruction sur ses activités criminelles de blanchiment d'argent, et par la suite au cours de son procès. Pourquoi DeGaullo, surveillé de près par le FBI, avait-il pris le risque d'attirer de nouveau l'attention sur lui et d'être de nouveau jugé ? A moins qu'il ne veuille justement éliminer ce témoin gênant ? Ou qu'il ne soit obsédé, d'une façon ou d'une autre, par Jessica ?

Ryan soupira. Jessica paierait le prix ultime s'il ne réussissait pas à résoudre l'énigme principale : qui était la taupe ?

Il sortit son Smartphone, dont il avait retiré la batterie quelques heures plus tôt pour être certain de ne pas être géolocalisé. Puis il hésita. Allait-il appeler son boss ? C'était peut-être Alex Trask la taupe ?

D'un autre côté, il avait besoin de s'assurer de la probité d'Alex. L'appeler était risqué mais nécessaire.

Il remit la batterie, consulta sa montre et effectua un bref calcul pour déterminer combien de temps il pouvait s'entretenir au téléphone sans courir le risque de se faire localiser. Enfin, il pressa sur une touche de raccourci.

— Alex Trask.

— Ryan Jackson.

— Ryan ? Pour l'amour du ciel, qu'est-ce qui s'est passé ? Où es-tu ? Où est le témoin ?

Ryan se mit aussitôt sur ses gardes. Comment Alex savait-il qu'il était en fuite avec Jessica ? La police locale n'avait pas encore été avertie que Jessica était un témoin protégé et n'avait donc pas pu aviser le FBI des récents événements. En plus, il était convenu avec Alex de ne le rappeler qu'après plusieurs heures.

— De quoi parles-tu ? demanda-t-il pour le tester.

— Ne joue pas avec moi, Ryan ! Le chalet du témoin a brûlé au cours de la nuit, et toi, au lieu de me téléphoner pour que des marshals soient dépêchés sur place, tu disparais de la circulation avec le témoin ! Deux corps ont été retrouvés dans ton chalet. J'attends le rapport de la balistique pour savoir qui les a tués, mais j'ai déjà mon idée sur la question. Alors tu ferais mieux de t'expliquer !

Ryan consulta sa montre.

— Comment es-tu au courant pour l'incendie ?

— Ecoute-moi bien, Ryan, ne commence pas à m'interroger ! C'est moi qui pose les questions, et j'ai besoin de réponses tout de suite : tu ne peux même pas imaginer la pression que je subis, et qui vient d'en haut. Où est…

— Comment es-tu au courant pour l'incendie ? répéta Ryan.

Alex jura.

— On a retrouvé l'édition du *New York Times* qui remonte à la fin du procès de DeGaullo sur la pelouse devant le chalet du témoin. Ce jour-là, le *New York Times* a consacré sa une à la nullité de procédure et à l'attentat à la voiture piégée devant le palais de justice. Ce détail a attiré l'attention de la police locale et, ensuite, de la presse régionale. La police a averti le FBI, qui m'a ensuite appelé. Bon, ça suffit, maintenant. Comment va le témoin ? Où êtes-vous ?

La porte du chalet s'ouvrit sur Jessica qui tenait son haut de pantalon à deux mains. Elle écarquilla les yeux en le voyant au téléphone.

Il posa son doigt sur les lèvres pour lui intimer le silence.

— Le témoin a fait confiance à l'United States Marshals Service pour garder son identité et sa localisation secrètes, répondit Ryan d'une voix nette. Mais le témoin a failli mourir dans l'incendie de son nouveau lieu de résidence. J'en déduis que le témoin a été trahi. A ton avis, dans quel état d'esprit est-il ?

Jessica pâlit et s'assit sur l'une des caisses.

— Je comprends ta frustration, déclara Alex après un long soupir. Je comprends aussi tes soupçons, et ils me déplaisent, car ils mettent en cause une organisation dédiée à la sécurité du citoyen. Mais tu peux me faire confiance, Ryan : WitSec, c'est l'œuvre de toute ma vie ! Le saboter, c'est me tirer une balle dans le pied. Je suis actuellement à Washington DC, au QG du FBI. Tout le monde est sur les dents, ici. J'imagine que vous êtes tous les deux pourchassés par les tueurs qui veulent supprimer le témoin. Pour sa sécurité, tu dois absolument revenir à Washington ! Dis-moi où tu es, je vais envoyer quelqu'un vous chercher.

— Trouve qui est la taupe, et je conduis le témoin à Washington DC, coupa Ryan en consultant de nouveau sa montre.

Il devait interrompre la communication. Il avait évité de prononcer l'identité, fausse ou réelle, de Jessica, mais si leur appel était espionné, en dépit des précautions prises pour sécuriser les communications, il ne faudrait pas longtemps avant que l'espion se figure l'identité du témoin.

— Tu n'as rien à exiger de moi ! reprit Alex, furieux. En revanche, moi, j'exige que le témoin revienne sous notre protection dans les vingt-quatre heures, sinon tu seras accusé de faire obstruction à la justice.

Ryan raccrocha brutalement et retira la batterie de son Smartphone.

— Qui était-ce ? s'enquit Jessica.

— Mon boss : Alex Trask. Je voulais savoir qui a trahi votre nouveau lieu d'habitation.

— Il le sait ?

— Non. Evidemment. S'il le savait, de toute façon, il le nierait.

— Vous vous méfiez de votre patron ?

Il haussa les épaules.

— Je me méfie de tout le monde.

Jessica se frotta les bras et resserra les pans de son coupe-vent.

— Je ne comprends pas ce qui se passe. Comment DeGaullo a-t-il pu savoir où je me trouvais ?

Ses yeux cernés et ses traits tirés accusaient la fatigue et la tension qu'elle avait accumulées au cours de ces dernières heures.

— Il y a un traître à l'United States Marshals Service ou au département de la Justice : il a informé les tueurs à gages de DeGaullo, qui sont désormais à vos trousses. Mais peut-être avez-vous aussi d'autres ennemis que DeGaullo et les siens ?

— Non. DeGaullo est le seul.

Il fronça les sourcils.

— Je n'aurais jamais cru que DeGaullo avait assez d'influence pour infiltrer et corrompre quelqu'un à l'United States Marshals Service ou au département de la Justice, lâcha-t-il. A moins qu'il n'y fasse chanter un marshal ou un employé ? Qu'il lui ait promis un service important ?

Il s'accroupit devant elle et lui posa les mains sur les épaules.

— Donnez-moi une seule raison de vous faire confiance, Jessica. Dites-moi pourquoi DeGaullo veut tellement se venger d'une ancienne comptable, qui a certes témoigné contre lui, mais qui ne pèse pas lourd dans la balance… Pourquoi veut-il absolument vous supprimer ?

7

Ryan fixa Jessica du regard, les mains toujours posées sur ses épaules.

Elle pinça les lèvres et se dégagea d'un mouvement d'épaules. Puis sa réponse fusa.

— Peut-être parce qu'il ne veut pas passer le reste de sa vie en prison ! C'est un fait, il a été libéré. Nullité de la procédure, comme vous le savez… Mais le département de la Justice peut rouvrir son dossier à tout instant… Si tel est le cas, je devrai de nouveau déposer contre lui : je représente un danger même si, comme vous le dites, je ne pèse pas lourd dans la balance.

Au fur et à mesure qu'elle parlait, l'air bravache, elle pâlissait et tremblait davantage, nota Ryan. Elle semblait perdue et tellement vulnérable qu'il eut envie de la serrer dans ses bras pour la réconforter. Mais il contint son impulsion : elle n'apprécierait certainement pas, surtout après qu'il l'ait accusée d'avoir été la maîtresse de DeGaullo.

Et puis, qu'il désire la serrer dans ses bras avait de quoi le tracasser. Il n'avait plus toute sa tête. Le manque de sommeil altérait manifestement ses facultés.

Il croisa les bras et, pour contenir son envie persistante d'attirer Jessica à lui, se remémora ce qu'il savait sur elle. Jessica Delaney avait aidé un patron du crime à blanchir de l'argent sale en falsifiant sa comptabilité, lui permettant ainsi de poursuivre et exercer ses activités criminelles impunément. D'un coup, il n'éprouvait plus la moindre compassion à l'égard de Jessica.

— Vous êtes certain qu'il y a eu des fuites ? Une taupe ? s'enquit-elle s'enveloppant de ses bras. Ce jogger m'a reconnue, car il m'avait peut-être vue dans les journaux. Il a peut-être appelé un journaliste et…

— Ce joggeur était un tueur à gages, Jessica. C'est l'un des individus dont vous avez vu le corps, dans ma salle de bains. Vous n'avez pas vu son visage, parce qu'il était tourné vers le mur.

Elle écarquilla les yeux de peur, et il regretta ses paroles implacables. Mais il conjura presque aussitôt son malaise : il ne devait pas lui épargner la réalité des faits. Puis il consulta sa montre et soupira. Le temps passait vite, chaque minute était précieuse. Il avait peut-être mal évalué le temps nécessaire pour qu'Alex les localise. Ce dernier avait peut-être déjà demandé à ses hommes de quadriller les Great Smoky Mountains. E, dans ce cas, la taupe était informée de l'endroit où ils se trouvaient : les tueurs à gages de DeGaullo étaient de nouveau à leurs trousses.

— Higgins savait que j'étais un policier fédéral de l'United States Marshals Service, reprit-il. Il savait aussi qui vous étiez. Vous veniez d'arriver dans le Tennessee, alors sauf si vous avez appelé quelqu'un…

— Mais je vous ai déjà dit que j'avais respecté le protocole du programme WitSec à la lettre. Pourquoi voulez-vous que je coure le risque de prévenir quelqu'un ?

— … il y a une taupe, conclut-il.

Un silence tomba. Jessica était livide.

— Qu'allons-nous faire ? s'inquiéta-t-elle.

Il consulta de nouveau sa montre et se leva.

— Pour commencer, vous allez devoir faire un choix.

Elle se leva à son tour et le dévisagea, étonnée.

— Un choix ? Lequel ? murmura-t-elle, l'air si perdu que Ryan fourra ses mains dans ses poches pour de nouveau contenir son désir de la réconforter d'une étreinte.

Elle était émouvante, pesta-t-il intérieurement. Pas étonnant que les jurés s'y soient laissé prendre ! A son tour, il était presque attendri. Il devait absolument se ressaisir.

— Première option, dit-il en se forçant à parler avec froideur, vous décidez de revenir à Washington pour vous mettre sous la protection de l'United States Marshals Service, en espérant que les marshals qui seront assignés à votre sécurité ne seront pas aux ordres de DeGaullo.

Elle cilla.

— Deuxième option ?

— Je vous propose de vous cacher dans ces montagnes, le temps de trouver une solution ou de résoudre le problème : en clair, vous vous en remettez complètement à moi. Vous acceptez de vous mettre sous ma seule protection.

Elle déglutit et cilla à plusieurs reprises.

— Pourquoi me feriez-vous une telle… faveur ?

Parce que, pour des raisons inexplicables, il ne réussissait pas à faire le rapprochement entre Jessica Delaney, comptable intrépide impliquée dans les activités du crime organisé, et Jessica Bouton, triste, fragile et apeurée. Elle avait rompu avec sa vie d'avant, elle était complètement seule et elle avait besoin de lui. En définitive, il ne supportait pas la pensée de la confier à une autre personne sans avoir la certitude que ladite personne serait en mesure de lui assurer une vraie protection.

Mais le lui aurait-il dit qu'elle ne l'aurait pas cru, conclut-il. Leurs relations étaient bien trop empreintes d'animosité.

— C'est mon boulot, prétendit-il. Ma mission de marshal.

Gêné d'avoir été si direct et si froid, il serra les dents.

— Concrètement, comment allez-vous me protéger ? reprit-elle.

— Nous allons nous cacher dans ces montagnes pendant quelques jours. Stuart Lanier, dont je vous ai parlé tout à l'heure, a monté une société de sécurité privée après avoir quitté l'armée. Il travaille pour mon compte depuis déjà quelque temps. Il ne refusera donc pas d'enquêter aussi sur cette affaire. Il a noué beaucoup de contacts importants lorsqu'il était dans l'armée et il a des relations qui lui doivent quelques services et faveurs. Il ne réussira peut-être pas à découvrir l'identité de la taupe, mais il nous aidera à savoir à qui accorder notre confiance.

Ils mettraient toutes les chances de leur côté en s'enfonçant au cœur de la montagne. Aussi ne devaient-ils pas rester dans cette cabane. Il préférait le lui cacher pour le moment, afin de ne pas lui saper le moral.

Pourvu qu'elle soit en bonne condition physique, songea-t-il, même si elle ne faisait certainement jamais de randonnée. D'un autre côté, elle ne pouvait pas non plus marcher dans cet accoutrement et des tennis trop grandes. Il devait résoudre ce problème, du moins si elle acceptait de rester sous sa protection, au lieu de s'en remettre à Alex et aux autres marshals.

— Nous allons rester dans ce chalet ? s'enquit-elle au même instant. Mais comment allons-nous faire pour survivre ?

Elle envisageait sérieusement la possibilité de rester en fuite avec lui ? Elle avait peut-être plus de force de caractère qu'il ne l'avait pensé… Malheureusement, elle semblait persuadée qu'ils resteraient dans la vieille cabane. Il décida donc de jouer cartes sur tabls. Comme ça, elle ne lui reprocherait pas d'avoir menti par omission si elle choisissait de rester.

— Ça ne sera pas facile…, reprit-il. Parce que nous n'allons pas rester… Nous allons au contraire beaucoup marcher, sans doute devoir bivouaquer. Les nuits sont très froides à cette altitude et à cette époque de l'année. J'ai quelques barres énergétiques et de l'eau, mais seulement pour quelques jours. Vous sentez-vous capable de marcher en montagne et de vivre à la dure ?

Elle ouvrit grand les yeux, l'air perplexe.

— A la dure, dites-vous… ?

— Oui. Pas d'épicerie, d'électricité, de lit moelleux ou de salle de bains.

Il se tut pour lui laisser le temps d'assimiler ces informations. Elle semblait se décomposer : elle allait lui annoncer son intention de repartir pour Washington. La déception qui simultanément l'envahit le surprit. Dans un sens, il n'avait pas plus envie qu'elle de crapahuter dans ces montagnes, mais il avait tout de même tablé sur plus de volonté et de pugnacité de sa part.

— Alors ? Est-ce que vous voulez toujours venir avec moi ? Même sans salle de bains ou toilettes ? l'interrogea-t-il, mais sans plus y croire.

Elle rougit.

— Ma foi, la vie à la dure, dans la nature… J'en conviens, ça n'est pas l'idéal, mais il faut dire, la situation est extrême… Et puis, je vous fais confiance. Sans vous, j'aurais péri dans l'attentat à la voiture piégée devant le palais de justice, et cette nuit dans cet incendie… Vous m'avez sauvé au péril de votre vie. Je choisis donc de partir avec vous. De me mettre uniquement sous votre protection.

Il la dévisagea, secrètement ravi.

— Cela dit, ajouta-t-elle, vous allez avoir des problèmes en agissant de votre propre initiative. Votre patron…

— Ne vous occupez pas de lui, c'est mon problème. Votre sécurité est le plus important.

— Pourquoi ?

— Pourquoi quoi ?

Il s'approcha d'elle. Une odeur de fumée émanait de ses cheveux, ce qui, loin de le faire reculer, l'attira.

— Cette nuit, expliqua-t-elle, vous avez risqué le tout pour le tout pour moi. Et maintenant vous enfreignez les ordres… pour moi. Pourquoi ?

Il continua de la fixer. N'était-ce pas normal qu'il la protège ?

Il allait le lui dire, mais elle se leva et prit son visage en coupe.

— En refusant d'obtempérer aux ordres de votre patron, vous allez peut-être perdre votre emploi, Ryan. Pourquoi vous mettre dans une situation difficile pour moi ?

La sensation de ses mains, douces et si chaudes, sur son visage accéléra la vitesse de son pouls. Son regard tomba, malgré lui, sur sa bouche. Il n'avait qu'à incliner la tête pour prendre ses lèvres.

S'il l'embrassait maintenant, cesserait-il de la désirer ? Sa curiosité serait-elle satisfaite ? Retrouverait-il son calme, après avoir conjuré son attirance et ce désir qui, toute la nuit, pendant leur équipée à moto, l'avaient tourmenté parce que, à chaque nouveau cahot, il avait senti ses seins se plaquer contre son dos ?

Mais il ne l'embrassa pas, ni ne l'étreignit. Il était trop ému, presque paralysé par la confiance qu'elle lui accordait.

Et cependant elle le regardait comme si elle n'avait d'autre désir qu'il l'embrasse. Finalement, il préférait encore quand leurs rapports étaient froids, distants et empreints d'animosité. La situation était plus simple.

— Ryan ? insista-t-elle, perplexe, en posant ses mains sur son torse. Pourquoi voulez-vous m'aider ?

Il recula, les mains de Jessica glissèrent sur son torse. Elle les laissa retomber.

— Je suis lié par la promesse d'accorder protection à un citoyen en danger. Quatre marshals ont trouvé la mort devant le palais de justice parce qu'il y avait une taupe à l'United States Marshals Service ou au département de la Justice. Je veux vous protéger pour honorer ma promesse, et à la mémoire de ces hommes. Je veux que justice soit faite.

Elle détourna les yeux.

— Moi aussi, je veux que justice soit faite, murmura-t-elle. A la mémoire de ces quatre marshals. A la mémoire de mon amie Natalie… Je veux rester avec vous parce que je vous fais confiance. DeGaullo veut me supprimer, mais je ne lui donnerai pas la permission de me tuer. Je me battrai jusqu'au bout. Envers et contre tout.

Pour la première fois depuis qu'il la connaissait, il eut du respect pour elle. Ne venait-elle pas de reprendre les mots qu'il avait prononcés lors de leur première rencontre et ensuite à l'hôpital ?

Il sortit son Glock et le lui tendit, mais elle resta immobile.

— Pourquoi me donnez-vous votre arme ?

— Parce que je vais partir en reconnaissance et vous laisser seule. L'endroit est isolé, je doute que l'on nous ait suivis, mais au cas où, je veux que vous soyez capable de vous défendre. Prenez cette arme. Il n'y a pas de sécurité, vous n'avez qu'à viser et tirer.

Elle fixait le Glock avec répugnance.

— Je n'en ai pas besoin : je reste avec vous, Ryan.

Il fut irrité par son obstination. S'il partait seul en reconnaissance à moto, il serait plus efficace et beaucoup plus rapide. Il n'aurait pas à redouter qu'elle tombe de moto, car à l'évidence elle n'en avait jamais fait. Elle ne savait même pas se pencher pour épouser les courbes des pistes.

— Je serai de retour dans une ou deux heures.

— Pourquoi voulez-vous partir en reconnaissance et ainsi perdre du temps ? Pourquoi au contraire ne pas continuer plus loin dans la montagne ?

Encore plus agacé, il baissa son arme et consulta sa montre. Etaient-ils traqués ? Si oui, leurs poursuivants étaient-ils proches ? Comment les piéger ? Les distancer ?

— Nous réfugier dans ces montagnes à moto n'est pas non plus la meilleure des solutions, mais pour l'instant nous n'avons pas eu le choix. Nous retrouver est facile, d'autant que la moto est bruyante. D'un autre côté, ce véhicule nous permet de progresser plus vite. Il faut absolument que j'évalue la situation, Jessica : savoir si nous sommes poursuivis et, si c'est le cas, déterminer le nombre d'hommes à nos trousses, et enfin établir une stratégie. Si vous venez avec moi, vous me ralentirez.

— Mais ça n'a pas de sens de revenir me chercher une fois que vous aurez effectué cette mission de reconnaissance ! C'est une perte de temps, Ryan ! Ne me laissez pas seule. Dans le pire des cas, si je vous accompagne, je pourrai toujours vous servir de renfort…

Elle avait vraiment peur, et cela l'étonna : elle semblait redouter qu'il la laisse seule plus qu'elle ne semblait craindre les tueurs de DeGaullo.

8

Après avoir effectué une brève mission de reconnaissance à deux, ils reprirent leur route. Ryan continua par la forêt, roulant sur des branches cassées, évitant les ornières parfois profondes. Avec Stuart, il avait parcouru la plupart des sentiers de randonnée de la région, mais il ne se souvenait pas être venu sur cette piste. Il dut même s'arrêter à plusieurs reprises pour consulter son plan et son GPS, afin de vérifier qu'ils continuaient dans la direction du mont Le Conte, l'un des plus hauts sommets du parc national des Great Smoky Mountains.

Pour autant, ce mont n'était pas leur destination finale : Ryan voulait seulement gagner en altitude pour avoir une vue dégagée sur les sommets avoisinants. Par chance, la journée était ensoleillée, et les nappes de brouillard, fréquentes, s'étaient vite dissipées.

Il arriva à un piton rocheux qui lui permettait de bien voir les alentours, gara sa moto et coupa le moteur.

— Nous y sommes ? s'enquit Jessica.

Il se retourna un peu et attendit qu'elle descende.

— Je crois bien que je me suis assoupie…, dit-elle en bâillant.

Qu'elle ait pu tomber de moto causa à Ryan une peur rétrospective, qu'il garda néanmoins pour lui.

A peine Jessica fut-elle descendue de la moto qu'elle se laissa tomber sur le sol, s'adossa contre un tronc d'arbre et, épuisée, referma les yeux.

Ryan s'agenouilla et lui retira son casque avec des gestes

lents. Ce faisant, son regard tomba sur ses lèvres toutes proches. Le souffle de Jessica était régulier, elle s'était endormie. Soudain, sa méfiance envers elle s'envola, et il oublia sa collaboration avec DeGaullo. Il s'inclina vers sa bouche, l'effleura.

Jessica frémit, mais elle n'ouvrit pas les yeux ni ne répondit à son léger baiser. Brusquement rappelé à la réalité, Ryan recula. Il regrettait déjà d'avoir cédé à un élan aussi stupide.

Son sens de l'honneur et de la justice édulcorait sérieusement son attirance envers Jessica. Elle n'avait pas été un témoin passif des activités criminelles de DeGaullo, elle y avait participé. Elle avait été sa complice en utilisant ses talents de comptable pour couvrir ses activités de blanchiment. Jamais il ne pourrait lui faire confiance, et sans confiance construire une relation quelle qu'elle soit, voire envisager un avenir commun, était impossible. En acceptant d'entrer dans le programme WitSec, Jessica avait sacrifié son passé, son confort et ses habitudes et, s'il voulait rester à ses côtés pour longtemps, il devrait aussi participer à ce programme de protection des témoins, soit sacrifier toute sa famille et son passé, jusqu'à son identité.

C'était impossible.

Pour qui que ce soit.

Il secoua la tête, sidéré que ses pensées l'aient conduit si loin. Il devait revenir au présent et se concentrer sur sa mission : assurer la protection de la jeune femme jusqu'à ce que l'identité de la taupe de l'United States Marshals Service et du département de la Justice soit révélée, et lui faire quitter ces montagnes saine et sauve.

Une fois qu'il eut recouvré ses esprits, il recula, disciplinant ses impulsions et attendant que son excitation diminue. Bon sang, si effleurer les lèvres de Jessica l'avait mis dans un état pareil, il aurait été littéralement foudroyé par le plaisir si elle avait répondu à son baiser ! Les sentiments que Jessica provoquait en lui étaient insensés…

Il sortit une couverture d'une des sacoches de la moto et en couvrit Jessica, désormais profondément endormie. Elle était épuisée, si pâle qu'elle semblait plus délicate et vulnérable que jamais. S'ils étaient forcés de rester dans ces montagnes plus longtemps qu'il ne le prévoyait, il devrait trouver des provisions plus substantielles que des barres de céréales pour qu'elle garde ses forces.

Il regretta de devoir la réveiller, mais il devait s'éloigner afin d'observer les environs du piton rocheux et l'en prévenir. Il ne se souvenait que trop bien de son affolement, tout à l'heure dans la cabane, quand elle avait été convaincue qu'il allait l'abandonner à son sort. Si jamais, en sortant de son sommeil, elle se découvrait seule, elle serait en proie à une terrible panique.

Il la secoua, mais doucement.

— Il est temps de se réveiller, Belle au bois dormant.

Jessica entrouvrit les yeux, cilla.

— On est arrivés ?

Il contint un sourire et biaisa.

— Je vais monter sur ce piton rocheux là-bas, répondit-il, en le lui montrant. Je ne serai pas loin, et je pourrai vous entendre crier, le cas échéant. Je vous laisse mon arme, à tout hasard.

Jessica éprouvait la plus vive aversion envers les armes, il l'avait bien compris. Mais il ne lui laissa pas le temps de protester. Il lui mit son Glock dans la poche intérieure de son coupe-vent, en remonta la fermeture Eclair et s'éloigna, songeant de nouveau à sa bouche si douce et si tentatrice.

Jessica suivit Ryan des yeux jusqu'à ce qu'il disparaisse. Un peu avant qu'il ne la tire de son sommeil, elle rêvait qu'il l'embrassait. Ce baiser était doux, si tendre et si réel que son pouls s'était accéléré. Encore maintenant, ce souvenir lui serrait le ventre, parcouru de frémissements absolument délicieux.

Avait-elle rêvé ? Ou l'avait-il *réellement* embrassée ?

Evidemment, elle se leurrait ! Troublée par le manque de sommeil, elle ne faisait même plus la différence entre rêve et réalité. Ryan aurait été horrifié s'il avait su quelles pensées concupiscentes l'occupaient. Il la détestait et se méfiait d'elle : jamais il ne s'intéresserait à elle, Jessica Delaney, qu'il méprisait autant que Richard DeGaullo.

Elle soupira. Certes, elle était loin d'être parfaite, elle avait commis des erreurs. Et Ryan l'avait jugée, comme tout le monde. Pouvait-elle l'en blâmer ? Peut-être avait-il raison ? Peut-être était-elle pire que DeGaullo ?

Elle se frotta les yeux et s'enveloppa mieux dans la couverture. Au moins, Ryan assurait sa sécurité et son confort…

Elle s'allongea sur le flanc, sentit le poids du Glock dans la poche intérieure de son coupe-vent et ne put réprimer une grimace de dégoût. Elle détestait les armes à feu et abhorrait la nécessité d'en avoir une.

Soudain, un craquement s'éleva. Elle se releva, en sortant maladroitement le Glock, et scruta les ombres projetées par les arbres avec la plus vive angoisse.

Lorsque Ryan eut atteint le sommet du piton rocheux, il se mit à plat ventre afin que sa silhouette se détachant sur le bleu du ciel ne trahisse pas sa présence. Puis il sortit ses jumelles et regarda autour de lui avec attention. La montagne commençait à revêtir son manteau automnal et était sillonnée par une multitude de sentiers de randonnée bordés d'arbres aux feuillages rouge et or.

De là où il se trouvait, il repéra sans mal la masure où il avait trouvé refuge avec Jessica, mais il avisa aussi d'autres chalets dispersés. La plupart, en ruine, semblaient abandonnés.

D'autres, en revanche, étaient habités : des 4x4 étaient garés devant, des jardinières ourlaient les rebords de fenêtre. En dépit de leur longue route, une trajectoire faite de tours et détours pour brouiller leurs traces, ils ne s'étaient guère éloignés du monde dit civilisé. Ne devrait-il pas abandonner la moto, trop bruyante, et dont le vrombissement se répercutait dans toute la montagne, surtout quand il ne roulait pas en forêt ? D'un autre côté, elle leur permettait de progresser plus rapidement, et il voulait conduire Jessica dans un lieu plus sûr et isolé très vite. La vitesse l'emportait pour l'instant sur le risque de se faire repérer, conclut-il.

Une demi-heure s'écoula. Il ne repéra rien qui attire son attention en particulier et décida de joindre la seule personne en qui il avait confiance : Stuart Lanier, son ami d'enfance et son ancien compagnon d'arme.

Stuart accepta immédiatement d'enquêter et de mettre à contribution ses ressources pour découvrir la taupe.

— Dis-moi où tu te trouves actuellement ? s'enquit Stuart. Je vais envoyer des hommes à votre secours. Tu te cacheras chez moi jusqu'à ce que l'affaire soit résolue.

— Non : j'ai désobéi à un ordre direct de mon supérieur en refusant de revenir à Washington avec le témoin, répliqua Ryan, et je ne veux pas que tu sois accusé de complicité. Tout ce que je te demande, c'est d'enquêter. Le reste, je m'en charge.

— Très bien. Je comprends. Mais, au cas où tu changerais d'avis, appelle-moi.

— Merci. Je t'en dois une, Stuart !

— Ravi de te retourner l'ascenseur.

Ryan promit de le rappeler dès le lendemain, raccrocha et rempocha son portable, puis il regarda une dernière fois autour de lui. Il allait ranger ses jumelles quand il repéra un couple qui se promenait main dans la main le long d'une rivière. Il chercha des yeux leur campement et découvrit un pick-up avec une remorque, et non loin, une corde à linge tendue entre des arbres où séchaient des vêtements.

Il reporta aussitôt son attention sur le couple pour évaluer la stature de la jeune femme. Elle était sensiblement de la taille de Jessica. Parfait : l'heure était venue de faire un peu de shopping.

Jessica étouffa un cri quand une main se posa sur sa bouche.

— Chut, c'est moi ! dit aussitôt Ryan.

Elle se détendit et porta son poing crispé à sa poitrine.

— Vous m'avez fait une de ces peurs ! Qu'est-ce qui vous prend ? dit-elle d'une voix plus tranchante qu'elle ne l'aurait voulu, à cause du choc.

Ryan lui prit son Glock qu'elle serrait dans son autre main.

— Vous vous rendez compte que vous auriez pu tirer ? Je vous rappelle que ce Glock est chargé, déclara-t-il en le mettant à sa ceinture.

Jessica rougit.

— Evidemment, qu'est-ce que vous croyez ? Mais tout à l'heure j'ai entendu du bruit dans la forêt. J'ai prêté l'oreille. J'ajoute que j'ai attendu pendant une éternité que vous reveniez. J'ai redouté qu'un lion des montagnes ne surgisse !

Ryan sourit

— Un lion ? Et pourquoi pas des tigres ? Ou des éléphants ?

— Ne vous moquez pas de moi !

Il déploya ses doigts sur son cœur, railleur.

— Jamais ! Et si je n'étais parti qu'une demi-heure, et non une éternité ?

Sur ces mots, il lui tendit les vêtements dérobés au couple.

— Voilà pour vous.

Elle les lui arracha pour aussitôt se figer et le dévisager avec méfiance et perplexité.

— Attendez… Vous les avez volés ?

— Je les empruntés sans demander la permission, j'en

conviens, mais j'ai aussi laissé de l'argent. J'ai également des chaussures de randonnée. Elles ne sont peut-être pas exactement à votre taille, mais elles vous iront mieux que les tennis trop grandes que vous portez actuellement. J'ai pris aussi un jean et un T-shirt de rechange. Déjà dans la sacoche de la moto… qu'en dites-vous ?

Pour seule réponse, elle poussa un cri de joie et s'empara des chaussures de randonnée, qui étaient d'une demi-taille trop grandes. Qu'importe, elle était si heureuse qu'elle se haussa sur la pointe des pieds pour embrasser, avec élan, Ryan sur la bouche.

Il se raidit.

Gênée, elle rougit et recula.

— Oh, je suis… désolée… Je n'aurais pas dû… Je n'ai pas réfléchi.

Elle serra le jean et le T-shirt contre sa poitrine, regrettant de ne pouvoir disparaître sous terre.

— Je vous laisse vous changer, déclara Ryan d'une voix qui lui sembla étrangement tendue.

Sur ces mots, il s'éloigna et disparut dans la forêt.

Une fois seule, elle se laissa tomber, mortifiée, sur une grosse pierre et se lamenta. Cela faisait deux fois qu'elle se ridiculisait aux yeux de Ryan. D'abord la veille, quand elle l'avait frôlé en sortant de la salle de bains, et maintenant, en se jetant à son cou pour l'embrasser. L'épuisement lui faisait perdre la tête… et le petit somme qu'elle venait de faire ne lui avait pas permis de récupérer autant qu'elle l'aurait voulu.

Là-dessus, elle décida de se changer, mais regretta de ne pas avoir de soutien-gorge : le T-shirt, en Stretch, moulait très avantageusement ses seins. Tant pis. Elle porterait le coupe-vent en permanence. De toute façon, Ryan ne voyait en elle qu'un témoin à protéger, il méprisait trop la femme qu'elle était pour la regarder ou l'admirer. En vérité, elle aurait pu se promener toute nue qu'il ne lui aurait pas accordé un seul regard.

Elle remit son coupe-vent, trop grand mais finalement bien douillet, et c'était l'essentiel. Non seulement l'air était plus vif, mais froid à moto.

Elle terminait de lacer ses chaussures de randonnée, quand Ryan revint avec la moto. Elle ignora la main qu'il lui tendait pour se relever seule : elle avait trop peur de voir de nouveau une expression de dégoût se peindre sur son visage quand il la toucherait. Elle avait eu assez d'humiliations pour la journée.

— Vous avez repéré quelque chose d'inquiétant ? demanda-t-elle, s'efforçant d'être aussi naturelle que possible.

— Non. Nous sommes en sécurité pour le moment. Nous allons nous enfoncer plus loin dans la forêt, nous écarter du sentier des Appalaches, afin d'éviter de croiser d'autres motards.

Sur ces mots, il lui tendit son casque et monta sur la moto. Elle allait s'installer derrière lui, mais il secoua la tête

— Non, Jessica. Je crains que vous ne vous assoupissiez et que vous ne tombiez. Vous allez donc vous asseoir devant moi.

Il la souleva sans lui laisser le temps de protester. De toute façon, le trouble l'avait rendue muette.

Il glissa son bras chaud autour de sa taille et la plaqua fermement contre lui. Elle déglutit, extrêmement gênée.

Ses cuisses musclées enserraient les siennes, et son postérieur se cala facilement entre ses jambes. Embarrassée par l'intimité de ce contact, elle tenta de se déplacer, mais il soupira avec agacement.

— Tenez-vous tranquille, pour l'amour du ciel !

Elle se figea, craignant de lui avoir peut-être fait mal, mais elle sentit son sexe en érection et rougit comme jamais.

Ryan démarra et serra les dents quand le rebond de sa

moto projeta plus intimement encore le postérieur de Jessica contre la partie la plus sensible de son anatomie. S'il voulait mener sa mission à bien, il devait se concentrer et ne pas laisser son esprit divaguer.

Il avait en effet caché la vérité à Jessica : il avait repéré un homme seul, habillé de noir et armé. Il ne chassait certainement pas le daim. Il voulait Jessica.

9

Jessica admirait la ténacité de Ryan : il ne semblait souffrir ni du manque de sommeil, ni de la faim, ni de la soif. Elle l'enviait… car même après son somme de tout à l'heure elle se sentait si fatiguée qu'elle était près de s'effondrer ou d'éclater en sanglots.

Ils continuèrent leur progression à moto pendant longtemps, peut-être une éternité, ne faisant que de rares pauses pour que Ryan puisse scruter les environs avec ses jumelles.

Chaque fois qu'il avait terminé son examen, il revenait, le visage tendu, et lui enjoignait de tout de suite remonter sur la moto pour continuer leur route. Il empruntait les pistes et sentiers les plus cahoteux, de préférence en sous-bois, et s'écartait des plus fréquentés.

— Pourquoi ? lui demanda-t-elle au bout d'un moment.

— Pour brouiller nos traces…

— Parce que vous avez des raisons de vous inquiéter ? insista-t-elle.

— Disons que je prends un maximum de précautions. C'est l'usage lors de mes missions.

Ses réponses pour le moins sibyllines n'étaient pas vraiment réconfortantes, mais elle n'avait d'autre choix que de lui faire confiance et de se féliciter qu'il soit aussi méticuleux.

Une rafale de vent froid la fit frissonner, et Ryan la serra contre lui. Il était tellement habitué à protéger autrui, se dit-elle, que ses gestes étaient sans doute automatiques, dictés par l'instinct. En tout cas, chaque fois qu'il resserrait son bras autour de sa taille ou lui parlait à l'oreille pour lui demander si tout allait bien, un délicieux frisson la parcourait, un frisson de désir, devait-elle reconnaître.

Elle en fut surprise : elle ne s'était jamais considérée comme une femme au tempérament passionné et s'enflammant vite. Mais les faits étaient là : elle avait envie de sentir la peau brûlante de Ryan, ses lèvres fermes et sa langue s'enroulant avec la sienne au rythme d'ébats ardents dont elle entrevoyait même les images.

Elle frémit de la tête aux pieds.

— Vous voulez une couverture ? lui demanda aussitôt Ryan.

Elle secoua la tête.

— Non, merci. Et vous ? Vous n'êtes pas fatigué ? Vous n'avez pas du tout dormi cette nuit…

— Ça ira. De toute façon, nous allons bientôt nous arrêter.

Apparemment, les anciens rangers de l'armée américaine avaient une perception du temps bien à eux, songea-t-elle un moment plus tard, car ils roulèrent encore quelques heures, jusqu'à ce que le soleil se couche sur les montagnes.

— Non, je ne vous torture pas !

Jessica cilla : Ryan la portait dans ses bras. Elle avait dû s'endormir quand, après un énième arrêt, il s'était éloigné pour observer encore une fois l'horizon.

— Pardon ? bredouilla-t-elle.

Elle noua les bras autour de sa nuque tandis qu'il franchissait un arbre mort.

— Vous avez parlé pendant votre sommeil, lui expliqua-t-il.

Seigneur, qu'avait-elle pu dire d'autre ? Elle espérait ne pas avoir avoué combien elle le trouvait désirable !

— Nous allons passer la nuit ici, dit-il en la déposant.

Elle regarda autour d'elle, surprise. Jusque-là concentrée sur Ryan, elle n'avait pas prêté attention aux environs.

— Dans cette grotte ?

— Vous vous attendiez à ce qu'on dorme dans un hôtel Hyatt ou Hilton, *city girl* ?

Elle lui adressa un regard contrarié.

— Pourquoi m'appelez-vous sans cesse *city girl* ? Vous aussi vous habitez New York !

— Non. Je ne me rends à New York que lorsque j'y suis obligé. Comme le jour de notre première rencontre.

Il s'interrompit et regarda autour de lui.

— Nous serons au chaud ici. En plus, il n'y a ni ours ni lion.

Elle allait répliquer, quand il retira son sac à dos et ressortit de la grotte.

— Où allez-vous ? le rappela-t-elle, le cœur serré.

Il fit volte-face, sourcils froncés.

— Je reviens. Pourquoi craignez-vous sans cesse que je ne vous abandonne ?

— Parce que je suis trop fatiguée pour être optimiste.

Elle prit une grande inspiration.

— Bon, allez-y, soupira-t-elle. Ça va aller.

Elle se força à sourire, certaine d'avoir l'air complètement stupide. Ryan revint auprès d'elle à la hâte

— Vous tremblez…, murmura-t-il, l'air étonné, en écartant une mèche qui lui retombait sur les yeux. Pourquoi donc avez-vous si peur ?

Il la serra dans ses bras. Surprise par son geste, elle se raidit, certaine qu'il allait vite se ressaisir et la lâcher. Mais, comme il n'en faisait rien, elle lâcha prise et serra les pans de son blouson, puis posa sa tête au creux de son épaule. Plusieurs minutes s'écoulèrent dans un profond silence. A l'évidence, Ryan attendait une explication.

— C'est stupide, je sais…, répondit-elle enfin. Cela remonte à ma petite enfance.

— Racontez-moi.

Sa voix tout contre son oreille était profonde. C'était un murmure rassurant et apaisant.

Envahie par les souvenirs, elle ferma les yeux.

— Je ne me souviens pas de tout. Il ne me reste que des impressions. La peur omniprésente. Des images… Des instantanés, plutôt. Mon père me conduisant au supermarché et m'intimant de l'attendre parce qu'il serait bientôt de retour. Moi l'attendant. L'attendant encore. Le gérant du magasin me conduisant dans son bureau et appelant la police.

— Votre père vous a abandonnée dans un magasin et n'est jamais revenu vous chercher ?

Elle acquiesça.

— Et votre mère ? Elle ne s'est pas inquiétée ?

Sa pitié blessa sa fierté, et elle s'arracha à son étreinte. Un rire sans joie lui échappa.

— Je n'ai pas envie d'en parler. Qu'importe… De toute façon, je me souviens à peine de mes parents… Parfois, je… je suis un peu nerveuse, c'est tout.

Elle soupira, recula en nouant ses bras autour de sa taille.

— Allez-y. Allez faire ce que vous devez faire. Moi, je…

Elle regarda autour d'elle.

— Moi, je vais déballer ce dont nous avons besoin pour la nuit.

Elle traversa la grotte et s'agenouilla devant le sac à dos.

— Jessica ? lança-t-il.

Elle l'ignora et ouvrit le sac à dos.

— Jessica ?

Son ton plus autoritaire lui déplut.

— Je ne vous abandonnerai pas !

Elle se détourna et lui adressa un sourire contraint.

— Ne faites donc pas de promesses que vous ne tiendrez pas. Tout le monde part et vous abandonne, en fin de compte. Vous le savez bien.

Elle s'attendait à une réplique de sa part, mais il se ravisa et sortit de la grotte.

*
* *

Quand il revint un moment plus tard avec des rameaux de sapin, il semblait circonspect, comme s'il avait craint de la retrouver en larmes.

Elle soupira, regrettant sa confession de tout à l'heure. Elle n'avait jamais eu l'intention de révéler quoi que ce soit sur sa petite enfance à Ryan.

Il déploya les rameaux sur le sol terreux.

— Que faites-vous ? s'enquit-elle.

— Un lit.

Il retira un sac de couchage du sac à dos et le disposa sur les rameaux, puis y déploya une couverture.

— Ça semble confortable, concéda-t-elle.

— Moins dur que le sol, en tous les cas. Et puis, les aiguilles de sapin sont un répulsif naturel : les insectes ne viendront pas vous embêter.

Elle ne confirma ni n'infirma sa peur des insectes. Qu'avait-il besoin d'en être avisé ?

— Et le second lit ?

— Nous n'avons qu'un sac de couchage et une couverture, donc nous n'avons qu'un lit.

Elle allait pour protester, mais d'un regard il la défia de le contredire.

— Inutile de discuter. Dans une heure, il fera nuit, et les températures vont chuter. Nous nous tiendrons chaud.

— On ne pourrait pas aussi faire un feu ? Vous avez sans doute un briquet dans votre sac à dos : c'est une véritable corne d'abondance.

Il lui adressa un sourire amusé, et sexy, trouva-t-elle.

— Une corne d'abondance ? Malheureusement non. J'ai bien un briquet, mais je ne veux pas courir le risque d'allumer un feu. A l'intérieur, c'est exclu, et à l'extérieur on pourrait en voir la lueur de loin. Et d'ailleurs, si nous nous sommes arrêtés, c'est pour ne pas qu'on se fasse repérer, en plus du bruit, par les phares.

Elle le scruta attentivement.

— On est à nos trousses, n'est-ce pas, Ryan ?

Il soupira.

— J'ai en effet vu un homme. Ne vous inquiétez pas, il est loin derrière nous : nous sommes en sécurité pour la nuit.

— Vous en êtes certain ?

— Autant que je peux l'être.

Il fouilla dans les poches de son sac à dos.

— Il y a une rivière non loin de là. Nous allons y faire un brin de toilette. Voilà qui devrait vous remonter le moral, non ?

Sur ces mots, il sortit une brosse à cheveux, du dentifrice et des brosses à dents. Il lui en tendit une. Elle la prit avec un sourire de plaisir.

— Qu'est-ce qu'on attend ? lança-t-elle. Allons-y tout de suite !

Il lui sourit pour seule réponse.

Quelques instants plus tard, elle se sentait revigorée. Elle n'aurait jamais pensé qu'une simple brosse à dents représentait un tel luxe. Plus jamais elle ne l'oublierait !

Une fois qu'ils furent revenus dans leur grotte, Ryan en ferma l'entrée tant bien que mal avec des rameaux de pin. Puis il ne retira que son coupe-vent et s'allongea sur leur lit de fortune. Il ferma les yeux, l'air ravi.

Jessica retira son coupe-vent, en regardant Ryan du coin de l'œil.

Il avait rouvert les yeux et fixait un regard ardent sur son buste. Se souvenant du T-shirt trop moulant en Stretch, elle croisa pudiquement les bras. Il haussa simplement les épaules et tira la couverture.

Après une hésitation, elle s'allongea à ses côtés, sur le dos. Elle était tendue comme une corde. Avait-elle imaginé le regard ardent que Ryan venait de porter sur elle ? Oui, sans doute ! En revanche, la chaleur qui l'avait inondée, à cet instant-là, restait bien réelle… Pour se distraire de ses pensées, et surtout de son désir de se jeter dans ses bras, elle prit la parole.

— Ryan ?

— Oui, prononça-t-il d'une voix ensommeillée.

— Parlez-moi de vous. Tout ce que je sais, c'est que vous protégez des citoyens en danger, que vous savez manier les armes et les motos.

Il rit. Troublée, elle contint de nouveau son désir de se blottir contre lui.

— A vous entendre, j'ai l'impression d'être un motard des Hells Angels. Ou Jackie Chan.

— Qui est Jackie Chan ?

Un silence sidéré accueillit sa question. Elle tourna la tête dans la direction de Ryan et, dans la pénombre, croisa son regard brillant tout proche.

— Comment ? Vous ne savez pas qui est Jackie Chan ?

— Désolée, répondit-elle, en essayant de ne pas s'attarder sur sa bouche.

— Je pensais que tout le monde le connaissait. C'est le Bruce Lee moderne.

— Ah… Bruce Lee ? reprit-elle pour le taquiner.

Il soupira, comme s'il se sentait personnellement offensé.

— Dites-moi au moins que vous connaissez John Wayne ?

— Bien entendu ! C'est cet artiste très drôle, qui a monté un spectacle de claquettes époustouflant à Las Vegas.

Un silence pesant envahit la grotte.

— Jessica ?

— Oui, Ryan ?

— Vous vous moquez de moi, n'est-ce pas ?

— C'est bien possible.

— Je fonce dans un incendie pour vous sauver la vie, et voilà comment vous me récompensez ? En dénigrant mes héros ? Triste monde…

Elle ne releva pas. Le souvenir de son chalet en feu lui faisait l'effet d'une douche glacée, et elle n'avait plus du tout envie de plaisanter. Elle roula sur le flanc et lui fit face. L'obscurité aidant, elle trouva le courage de poser la main sur son épaule, de caresser son bras jusqu'à ce qu'elle puisse entrecroiser ses doigts aux siens.

— Jessica ? s'enquit-il d'une voix étrangement tendue. Qu'est-ce que vous faites ?

— Je ne vous ai pas remercié de m'avoir sauvé la vie… J'aurais péri si vous n'étiez pas venu à mon secours la nuit dernière. Je n'arrive toujours pas à croire que vous ayez fait cela pour moi.

Sur ces mots, elle serra sa main, puis tâtonna jusqu'à frôler sa joue avec ses doigts.

Il se figea sous sa caresse, mais ne la repoussa pas. Encouragée, elle se souleva pour rapidement effleurer ses lèvres.

— Merci, Ryan…, souffla-t-elle.

Il ne réagit que longtemps après.

— Je vous en prie.

Sa voix semblait plus profonde que d'habitude, presque chaleureuse. Inexplicablement heureuse, elle se détendit et de nouveau s'enhardit.

— J'aimerais que vous me parliez de vous, Ryan.

— Vous voulez que je vous parle de mes états de service ?

— Trop long, j'imagine : attendez plutôt que j'ai un stylo pour en faire le relevé et les cataloguer.

Il rit.

— J'aimerais simplement savoir d'où vous venez, poursuivit-elle. Qui vous êtes.

— Je suis né et j'ai passé toute mon enfance dans un ranch du Colorado. J'ai trois frères et sœur, et j'ai passé plusieurs années dans l'armée américaine. Je l'ai quittée récemment pour devenir marshal. Je n'ai jamais été marié et je n'ai pas d'enfants.

— Pourquoi avez-vous quitté l'armée pour devenir marshal ?

— Tradition familiale. Dans ma famille, tout le monde est dans la police ou la justice. Je voulais d'abord servir mon pays et ensuite…

Il s'interrompit

— Je veux dire, quand j'ai eu le sentiment d'avoir terminé ma mission dans l'armée, je suis entré à l'United States Marshals Service, expliqua-t-il d'une voix tendue.

De toute évidence, comprit Jessica, il lui cachait les véritables raisons de son départ de l'armée. Mais elle n'insista pas.

— Parlez-moi de votre mère. De votre sœur ? Dans la police ou la justice ?

— Oui.

— Incroyable.

— Ma mère a autrefois travaillé comme opératrice pour le numéro d'urgence, le 911. Ma sœur, qui est l'aînée de la fratrie, a suivi la tradition : elle est détective, et elle serait furieuse si elle vous avait entendue exprimer votre surprise à l'idée qu'une femme puisse faire carrière dans la police.

— Je ne voulais pas… je n'essayais pas de…

— Je plaisantais, Jessica.

Il lui serra la main, et la chaleur de sa poigne puissante se dispersa dans tout son corps. Troublée, elle déglutit, avala de travers et toussa.

— Si toute la famille est dans la police, qui gère le ranch ? demanda-t-elle.

— Tous à notre tour. C'est surtout ma mère qui s'occupe de la comptabilité. Mon père, lui, embauche les saisonniers. Le ranch est dans notre famille depuis si longtemps : c'est une mécanique bien huilée.

— Je résume : vous êtes un cow-boy soldat, fan de John Wayne, qui déteste la vie en ville. C'est beaucoup et c'est peu à la fois.

— Demandez-moi ce que vous voulez. Je n'ai rien à cacher !

Il roula sur le flanc pour lui faire face.

— D'accord, acquiesça-t-elle. Je commence l'interrogatoire. Vous êtes allé à l'université ?

Il était à quelques centimètres d'elle, et son souffle tiède lui caressa la joue.

— Quelle drôle de question ! s'amusa-t-il. Vous voulez connaître mon pedigree ? Vous pensez que, parce que je parle souvent de l'armée, j'y suis entré sans passer par l'université ?

— Mais non, je croyais que…

— J'ai un diplôme d'université, mais je ne sais pas où… Quelque part ?

— *Quelque part* ?

— Vous croyez que j'en ai tapissé les murs de mon bureau pour exhiber ma formation universitaire à tout venant ?

— N'est-ce pas une tradition de réserver un pan de mur à ses diplômes ? Et ses étagères à ses trophées ?

— J'ai fait d'autres choix en matière de déco.

Sur ces mots, il resta longtemps silencieux.

— Dans mon bureau, il y a un panneau réservé à ce qui a vraiment eu de l'importance dans ma vie, reprit-il enfin à voix très basse. Des photos de mes hommes entre autres. Des marines vaillants qui ont péri.

Il soupira.

— J'ai perdu quatre hommes lors de ma dernière mission.

Sa tristesse lui serra le cœur.

— Je suis désolée.

Elle attendit qu'il s'explique, mais il garda le silence. Il n'en dirait pas davantage, conclut-elle.

— Ces simples photos ont donc à vos yeux plus d'importance que vos diplômes ?

Il soupira de nouveau, comme s'il regrettait son insistance.

— Oui. Ces photos me rappellent de ne pas être narcissique. Elles me rappellent aussi que, quelles que soient les expériences et épreuves qui m'ont forgé, tout peut arriver.

On n'est jamais sûr de rien dans la vie. Il suffit d'un rien pour que tout soit bouleversé.

— Je suis désolée, Ryan.

L'explosion à la voiture piégée lui revint à l'esprit. Elle ferma les yeux, regrettant de ne pouvoir en refouler le souvenir.

— Je suis également désolée d'être responsable de la mort de vos collègues.

Elle roula sur l'autre flanc, lui tournant le dos. Il passa son bras autour de sa taille.

— Non. Vous n'êtes pas responsable de cette explosion. Je n'aurais jamais dû vous accuser… C'est moi qui vous dois des excuses, Jessica.

Il tâtonna à la recherche de sa main, croisa ses doigts aux siens et les pressa. Elle resta immobile. Elle était étonnée. Emue. Puis son cœur explosa sous l'impulsion d'un profond désir qui balaya toutes ses autres émotions. Il ne s'agissait pas seulement de désir sensuel, mais aussi d'une aspiration auréolée par une subite exaltation. Elle désirait qu'il la protège par amour, pas par devoir. Elle regrettait de ne pas avoir, comme Ryan, une vraie famille avec des frères et des sœurs, une mère et un père qui lui vouaient une vraie affection et qui jamais ne la quitteraient.

Enfin, elle regrettait ses erreurs passées.

Que ne pouvait-elle revenir en arrière, pour agir autrement… mieux. Surtout, que ne pouvait-elle recevoir l'amour et l'estime de Ryan Jackson… Elle avait envie de prolonger leur intimité, mais plus rien ne lui venait à l'esprit.

— Merci, Ryan, finit-elle par lâcher. Et puis aussi… bonne nuit…

— Jessica, une dernière chose…

Il soupira.

— Je vais vous réveiller dès le point du jour. Je sais, vous êtes fatiguée et vous aimeriez dormir tout votre soûl, mais nous devons mettre le plus de distance possible, et très vite, entre cet homme et nous. Il faut seulement un peu de patience, mais je vous sortirai de là, je vous le promets.

Il lui serra la main. Elle la lui serra en retour et, longtemps, garda les yeux ouverts dans la nuit, songeant à ces derniers mots.

D'ordinaire, Ryan ne se donnait pas la peine de lui expliquer ses agissements. Ils étaient donc en plus grand danger qu'elle ne l'avait pensé.

Pourvu qu'il ne lui ait pas fait une vaine promesse, espéra-t-elle.

10

— Dites-moi, Jessica, qui est miss Beth ?

Jessica tourna les yeux vers Ryan, assis un peu plus loin et occupé à dépecer le lapin qu'il avait capturé pour leur petit déjeuner, après un réveil très matinal.

— Quand m'avez-vous entendue parler de miss Beth ? demanda-t-elle, stupéfaite.

— Dans votre sommeil.

Elle leva un sourcil inquiet.

— Ne vous faites pas de souci, reprit Ryan, vous n'avez pas révélé votre numéro de compte en banque ou de Sécurité sociale, ni les prénoms de vos anciens petits amis. Le seul mot que j'ai compris, c'est miss Beth.

Elle eut un rire bref.

— De toute façon, vous connaissez déjà mes numéros de compte en banque et de Sécurité sociale. Quant à la liste de mes petits amis… elle est tellement courte que c'est pathétique.

Ryan en eut l'air surpris, ce qui lui rappela subitement les soupçons qu'il avait formulés sur ses rapports avec DeGaullo : sans doute lui prêtait-il de nombreux amants ?

Il reposa le lapin et aiguisa les deux pointes d'une branche avec son canif.

— Alors ? Qui est miss Beth ?

Elle n'avait pas envie de lui répondre. Mais il insisterait, elle en était certaine. Elle obtempéra donc.

— Miss Beth m'a accueillie chez elle pendant quelques

années, et c'est l'une des rares personnes qui m'ont prise en affection.

— Elle vous manque ?

— Parfois, oui… Miss Beth m'a appris à cuisiner.

Elle sourit.

— Du moins, elle a essayé.

— Je trouve que vous avez préparé un petit déjeuner assez correct l'autre jour.

— Dites plutôt « original ». Je doute que vous aimiez le bacon carbonisé et les œufs trop cuits.

Il sourit et examina la pointe de sa branche.

— Miss Beth n'a pas réussi à faire de moi une bonne cuisinière, reprit-elle. En revanche, elle m'a donné beaucoup d'amour.

Puis elle sourit et ajouta :

— Elle m'a aussi appris à conduire, mais j'ai bousillé son embrayage : je ne sais conduire que des automatiques.

— Rappelez-moi de ne jamais vous laisser conduire ma Jeep ! la taquina-t-il. Combien de temps êtes-vous restée en famille d'accueil ?

Trop longtemps.

Elle leva la tête vers les montagnes qui s'étendaient à perte de vue. Elle n'avait pas eu une enfance et une adolescence heureuses. Elle n'avait jamais réussi à s'intégrer à ses familles d'accueil, parce qu'elle avait honte de son passé et peur de déplaire. Elle rebutait souvent son nouvel entourage qui la rejetait presque systématiquement.

— Combien de temps ? reprit-il, en l'étudiant.

Elle soupira.

— Je devais avoir cinq ou six ans quand j'ai été placée pour la première fois. Cela a duré jusqu'à ma majorité. Donc pendant douze ou treize ans.

— Vous n'avez jamais été adoptée ?

— Non. Il était clair que mes parents étaient des brebis

galeuses, comme on me l'a si souvent répété. Sinon, je serais restée dans le droit chemin, n'est-ce pas ?

Elle s'en voulait d'être amère, mais Ryan avait touché une corde sensible.

Combien de fois avait-elle été soulevée par l'espoir d'être adoptée ? Un espoir toujours déçu : l'histoire de ses parents biologiques avait un effet dissuasif sur les couples adoptifs potentiels.

Elle soupira, déterminée à ne pas céder à sa tristesse, mais des larmes lui échappèrent et l'aveuglèrent. Ryan s'approcha d'elle et la serra dans ses bras.

Elle ne se posa pas de question sur son attitude compassionnelle, si inhabituelle de sa part : son étreinte était bien trop réconfortante, elle était tellement avide d'affection. Elle se contenta de fermer les yeux, de l'étreindre à son tour, et appuya sa joue sur son torse.

Le silence les enveloppa longtemps.

Quand elle eut cessé de pleurer, il reprit la parole sans la lâcher.

— Parlez-moi de vos parents biologiques, lui demanda-t-il doucement.

— Il n'y a pas grand-chose à en dire, vous savez… Ma mère était une petite délinquante, et elle ne s'est jamais intéressée à moi. Quant à mon père, vous savez déjà qu'il m'a abandonnée dans un magasin. Il a été arrêté pour homicide involontaire, puis emprisonné. Je ne sais pas où est ma mère, je crois ne l'avoir jamais su.

Elle haussa les épaules.

— Vous voyez… J'ai les gènes de deux paumés. Les gens s'attendent toujours au pire avec moi, ils ont raison à bien des égards…

Et Ryan faisait partie de ses détracteurs, se rappela-t-elle soudain. C'était même le pire de tous. Aussi, elle s'arracha à son étreinte. Il ne la retint pas, mais fronça les sourcils, l'air de ne pas comprendre.

Au même instant, elle ne put retenir un grognement de son ventre, et Ryan sourit.

— Vous ne voulez pas manger de lapin, mais votre estomac a un autre avis sur la question !

Elle mourait de faim, mais la seule mention du lapin lui souleva le cœur. Elle n'aurait jamais survécu à l'âge des pionniers, et elle était soulagée d'être née à l'époque moderne des restaurants et des épiceries, et, mieux, des grandes surfaces.

— Votre lapin me coupe l'appétit.

— Courage. Vous vous sentirez beaucoup mieux après avoir mangé quelque chose de chaud.

— Je ne peux pas manger Panpan !

— Vous préféreriez manger Bambi ? Je peux vous trouver un daim, si vous le préférez le gibier !

Elle fit une grimace, il sourit. Il disposa des pierres en cercle, non loin des chênes, et y plaça son lapin dépecé et embroché. D'un coup de briquet, il enflamma les brindilles dessous.

Jessica l'observait. L'odeur de viande rôtie lui donna vite l'eau à la bouche, et ses réticences, à la perspective de dévorer Panpan, disparurent. De quand datait son dernier vrai repas, au fait ? De l'avant-veille, quand elle s'était restaurée des sandwichs qu'elle avait préparés avec Ryan, avant de reprendre le déballage de ses cartons.

— Pourquoi avez-vous allumé votre feu sous un arbre ? demanda-t-elle, pendant qu'il l'alimentait.

— Un petit feu et des brindilles sèches réduisent considérablement la fumée. Le feuillage la cache.

— Vous avez appris ces astuces lorsque vous étiez à l'armée ?

— Non, grâce à mon père. Il a toujours voulu que l'on soit capable de se débrouiller seuls dans des conditions extrêmes. Il nous emmenait souvent camper avec lui, pour nous inculquer des techniques de survie. Je devais avoir douze ou treize ans, la première fois. C'était une espèce de rite de passage, une tradition familiale obligée. J'ai été obligé de chasser pour subsister et de préparer nos repas. Je devais prouver que j'étais capable de survivre dans un environnement hostile sans l'abîmer ni le détruire, et sans non plus laisser de traces.

— C'était si important ?

— Oui et non. C'était comme un jeu dans un sens : il ne fallait pas que mes frères et sœur, partis à ma recherche, puissent me retrouver. Le but, c'était de faire face à n'importe quelle situation. Mon père voulait ainsi nous inculquer l'esprit d'indépendance et la force d'âme. Notre ranch est immense, et un gamin pouvait s'y perdre et errer pendant plusieurs jours. Nous devions pouvoir survivre si nous étions livrés à nous-mêmes dans ses immenses étendues.

Il sourit.

— Mon père nous a aussi appris à éviter les lions des montagnes, bien entendu.

Elle lui donna un petit coup de coude.

— Alors qui était le meilleur de vous tous ? Vous ?

— Non, ma sœur ! Elle m'a toujours battu à plates coutures.

Son regard se remplit tout à coup de la plus vive affection, nota Jessica. La tendresse qu'il vouait à sa sœur n'avait-elle pas été plus puissante que son propre désir de victoire ? Peut-être l'avait-il laissée gagner volontairement au jeu de la survie ? L'amour qu'il portait à sa famille, surtout à sa sœur et sa mère, la touchait vraiment beaucoup.

Ryan avait grandi entouré par l'amour de ses parents qui lui avaient inculqué de vraies valeurs. Voilà qui expliquait, dans un sens, sa solidité à toute épreuve.

Depuis le début, le sens du devoir et la nécessité de protéger expliquaient ses comportements : il surmontait la colère et le mépris qu'il éprouvait vis-à-vis d'elle. Assurer la protection d'autrui, c'était comme une seconde nature, même si c'était parfois en contradiction avec ses émotions.

Voilà pourquoi il avait défié son boss, comprit-elle, et risqué jusqu'à sa carrière pour la protéger. Il accomplissait une mission, un devoir en conformité avec l'éducation qu'il avait reçue, parce qu'il l'aimait ou simplement l'affectionnait… Désappointée par cette conclusion, elle soupira et traça une ligne dans la poussière de la pointe d'une brindille.

Ryan tourna le lapin sur sa broche et testa sa cuisson de la pointe du couteau.

— Votre sœur mangerait du lapin dans une situation pareille ? s'enquit-elle subitement.

— Elle en aurait capturé un et l'aurait dépecé sitôt que je lui aurais proposé une barre de céréales pour seul repas !

Jessica se mit à rire.

— Vous aimez vraiment votre famille, n'est-ce pas ?

— Oui ! répondit-il, l'air étonné. Ma famille, c'est toute ma vie !

Il parlait comme si c'était naturel, logique.

Peut-être était-il dans le vrai, après tout.

Elle, elle n'avait jamais eu de famille. Le commun des mortels pensait probablement comme Ryan. En tout cas, elle l'enviait, et enviait aussi l'amour et la fierté avec lesquels il parlait de ses proches.

Le lapin fut bientôt cuit, et elle saliva. Il en coupa un morceau et souffla dessus pour le refroidir.

— Vous mangiez des lapins, pour survivre, quand vous étiez en mission à l'armée ? lui demanda-t-elle.

— Non. Sauf si l'on manquait de rations ou si nous étions en territoire ennemi et n'avions pas d'autre moyen de subsistance. Lors de notre dernière mission, nous avons mangé du mouton.

— Des moutons sauvages ?

Il lui adressa ce petit sourire qui faisait bondir son cœur.

— Non. Disons que le monde était notre supermarché…

— J'en déduis que vous vous êtes servis. Que vous les avez volés ?

— Nous étions cernés par l'ennemi, je me voyais mal m'approcher d'un paysan et lui offrir quelques dollars en échange de son mouton. Mes hommes et moi, nous nous sommes en effet servis. Personne n'est mort de faim ou n'a perdu sa ferme à cause de nos larcins.

Il lui tendit un morceau de lapin.

— Allez-y, Jessie ! Je sais que vous mourez de faim. Le sacrifice de Panpan ne doit pas être vain !

A ce mot affectueux, qu'elle n'avait pas entendu depuis l'université, son cœur manqua un battement. Même Natalie sa meilleure amie ne l'avait jamais appelée Jessie, au motif qu'elle était bien trop sérieuse pour qu'on l'affuble de ce diminutif.

La voix de Ryan calme mais toutefois inquiète lui parvint

— Jessica ? Que se passe-t-il ?

Elle secoua la tête.

— Rien. J'ai faim, c'est tout.

Elle allait s'emparer du morceau qu'il lui tendait, à la pointe de son canif, mais il l'en détacha et le lui porta à la bouche. Avant qu'elle ne proteste, il le lui glissa entre les lèvres. Ce faisant, son pouce effleura sa lèvre inférieure. Elle sursauta, surprise par ce contact inattendu mais si sensuel. Puis le goût sauvage du lapin envahit son palais, ce qui lui fit pousser un gémissement de délice.

— C'est bien meilleur qu'une barre de céréales, pas vrai ? s'enquit-il, en coupant un nouveau morceau.

Elle le lui prit des mains avant qu'il ne se remette à lui donner la becquée.

— A qui le dites-vous !

Il la regardait manger avec délectation. Troublée, elle s'en étrangla. Il s'approcha alors et lui tapa dans le dos.

— Ça va ?

Elle s'écarta.

— Oui, ça va : cessez donc de me frapper !

Il leva les yeux au ciel et se restaura à son tour.

Leur modeste repas terminé, il jeta la carcasse et couvrit le feu avec de la terre. Au lieu de remettre son canif dans sa poche, il se baissa et lui saisit le pied.

— Qu'est-ce que vous faites ?

— Je n'ai qu'un Glock, mais je veux que vous soyez armée, en mesure de vous défendre.

Il pratiqua habilement une fente dans la languette de cuir sur le côté de sa chaussure, puis y glissa le canif.

Elle mit son système à l'épreuve, se pencha pour prendre le canif et le remit.

— Merci.

— Je vous en prie.

Il se redressa et lui prit la main pour qu'elle suive son mouvement.

— Venez, on va aller prendre ce bain, maintenant, lui lança-t-il avec un regard langoureux.

Si elle avait encore été en train de manger, nul doute qu'elle en aurait avalé de travers.

Cette nuit, elle n'avait pas vu la rivière, mais au grand jour elle se crut arrivée au paradis. Les oiseaux gazouillaient et, sous les rayons pénétrants du soleil, la surface de l'eau semblait plus brillante que si elle avait été parsemée de diamants. Des embruns créaient une brume enchanteresse qui rendait le lieu éthéré.

— C'est beau, murmura-t-elle, remplie de respect.

— D'une beauté à couper le souffle…

Etonnée par son ton ardent, elle tourna les yeux dans sa direction et croisa son regard. Elle se creusa la tête pour trouver une repartie spirituelle, mais toute inspiration, toute pensée semblaient l'avoir fuie.

Sans paraître remarquer son embarras, Ryan la conduisit au bord de la rivière. L'eau était claire et peu profonde.

Il posa son sac à dos sur la rive et en sortit des vêtements de rechange pour eux deux, ainsi que du shampoing et deux savonnettes.

— Dix minutes vous suffiront ?

Il lui tendit le shampoing, et elle sourit.

— Je pense.

Puis il s'éloigna.

— Où allez-vous ? s'enquit-elle.

— Vous voulez que je reste avec vous ?

Elle ne trouva rien à répondre, et elle était toujours figée quand Ryan, après un petit clin d'œil, disparut entre les arbres. Elle le suivit des yeux, déconcertée, puis se ressaisit, consciente de perdre un temps précieux, pour se dévêtir à la hâte.

Une fois nue, elle frissonna et considéra la rivière d'un air perplexe. La veille, en se lavant les dents, elle l'avait trouvée glacée. D'un autre côté, elle avait une telle envie de se laver des pieds à la tête que son hésitation fut brève : elle se jeta dans l'eau en serrant les dents, puis se lava les cheveux, parcourue de frissons incessants.

Quand elle sortit de la rivière, elle ne sentait plus l'extrémité de ses doigts. N'ayant pas de serviette, elle prit son T-shirt de la veille pour s'essuyer grossièrement en s'exposant au soleil. Malgré tout, toujours frigorifiée, elle s'habilla en un tournemain et mit le T-shirt et le jean de rechange que Ryan lui avait procurés. Moins tremblante au fur et à mesure qu'elle se réchauffait, elle prit place sur une roche en plein soleil pour que ses cheveux sèchent vite.

La voix de Ryan la fit sursauter.

— Je peux revenir ?

Elle le chercha des yeux, mais il demeura invisible.

— Oui ! J'ai terminé.

Il surgit de la forêt et s'assit à ses côtés, puis l'observa de la tête aux pieds et porta son regard à la hâte sur la rivière, qu'il fixa obstinément.

— Ryan ? demanda-t-elle, mue par une impulsion. J'ai

une question à vous poser… Enfin, je veux dire, j'aimerais savoir ce qui se passe…

— Expliquez-vous, répondit-il sans la regarder.

— Vous ne m'appelez plus *city girl*, vous m'avez même appelée Jessie ? Pourquoi ce revirement ?

— Cela vous déplaît ?

— Non, non ! Seulement, je ne comprends pas pourquoi vous utilisez ce diminutif affectueux alors que vous ne m'aimez pas ? Vous avez été très clair sur les sentiments que je vous inspirais, lors de notre première rencontre. Mais maintenant j'ai l'impression que… vous agissez comme si…

Elle se tut et secoua la tête en tournant les yeux vers lui.

Les cheveux de Ryan étaient mouillés, des gouttes d'eau coulaient sur son visage et son torse.

Elle tendit la main malgré elle pour les essuyer, mais il se raidit et elle laissa retomber sa main.

Puis, elle se leva.

— Voilà le Ryan dont j'ai l'habitude ! Un homme qui ne supporte pas ma proximité et mon contact. Ravie de vous revoir, Ryan !

Sur ces mots, elle s'éloigna et disparut dans la forêt.

Ryan la suivit des yeux, luttant contre son désir de la rappeler. Elle avait besoin d'être seule. Lui aussi : il devait faire le point.

Comment avait-elle pu penser qu'il ne supportait pas, selon ses propres mots, sa proximité et son contact ? Dans un sens, oui, il la méprisait et méprisait ses actes, mais il n'en subissait pas moins l'attrait du désir. Et, d'ailleurs, il avait passé la nuit dans les affres et avait même failli céder à ses élans. Le lever du jour lui avait fait recouvrer ses sens.

Il jeta un caillou dans l'eau. Il ne voulait pas désirer Jessica, pas plus qu'il ne voulait l'aimer, mais c'était plus fort que lui… Peut-être l'intriguait-elle ? Elle avait eu une enfance malheureuse, mais elle n'était pas aigrie, renfermée ou agressive. Au contraire, elle était tendre, sincère et avait du cœur. La preuve, elle avait été bouleversée par la mort des marshals qui l'avaient protégée.

Quel homme serait-il devenu s'il avait eu une enfance identique à celle de Jessica ? se demanda-t-il. Dans un sens, elle avait raison : il l'avait jugée sans savoir. Sans la connaître. C'était une erreur.

La nuit dernière, l'expression de sa reconnaissance, parce qu'il lui avait sauvé la vie, l'avait surpris, ému et, surtout, attristé : Jessica semblait penser qu'elle n'en valait pas la peine. Personne ne lui avait donc donné conscience de sa valeur et estime d'elle-même ?

Lui, moins que quiconque…

Il contempla le cours de la rivière pendant de longues minutes sans réussir à dissiper la confusion de ses pensées. Enfin, il se ressaisit : il ne devait pas laisser la jeune femme seule trop longtemps.

Ainsi rappelé à la réalité, il réfléchit à la suite des événements. Le terrain était devenu si accidenté, maintenant, que rouler à moto n'offrait plus guère d'avantages. Et puis, même en brouillant les pistes et en dépit de ses précautions, il n'arrivait pas à semer l'homme à leurs trousses. Ce matin, il avait de nouveau réussi à le localiser. Invisible ou non, l'individu était présent, et de plus en plus proche.

Comme s'il connaissait sa trajectoire.

11

Jessica réprima une moue d'agacement : Ryan essayait depuis quelques minutes de faire démarrer la moto.

— On n'a plus d'essence, lança-t-il finalement.

Il descendit de la moto puis la maintint pour que Jessica fasse de même.

Même moulue et ne sentant plus son postérieur, Jessica regretta qu'ils doivent l'abandonner. Ce véhicule était certes inconfortable, mais il leur avait permis de progresser assez vite. Et puis, elle était trop fatiguée et courbatue pour continuer à pied.

— Déjà ? s'étonna-t-elle.

— Le réservoir n'était pas rempli : il n'y avait pas assez d'essence dans le jerrican quand j'ai fait le plein, le jour de notre arrivée.

— Cette moto vous appartient ? Je croyais qu'on vous l'avait prêtée, le temps de votre mission. Après tout, on a bien mis un véhicule à ma disposition.

— Elle m'appartient, lâcha-t-il avec un soupir qui s'apparentait à un grognement.

Jessica lui sourit en signe de sympathie.

— On pourrait la pousser jusqu'à ce que l'on tombe sur une station-essence ?

— Je suis certain qu'il y en a une, au coin de la prochaine rue, juste à côté du supermarché, ironisa-t-il.

— Merci de me rappeler que je ne suis qu'une *city girl* ! La prochaine fois, Ryan, je vous jure que je vous frappe…

Il allait répliquer, mais elle lui coupa la parole.

— Là où vous savez…, ajouta-t-elle avec un regard éloquent.

Il se tut.

— On va donc la laisser ici ? reprit Jessica, les mains sur les hanches.

Ryan en eut l'air peiné.

— Au mieux, je peux revenir la chercher plus tard, murmura-t-il, enveloppant sa moto du regard.

Etonnée par le ton de sa voix, Jessica inclina la tête et observa la moto. De taille moyenne, noire avec des éléments en chrome, elle était banale et sans intérêt.

— C'est quelle marque ? demanda-t-elle par politesse.

— Harley-Davidson NightRod, répondit-il avec le plus grand respect. 1 250 cm^3, bicylindre en V à 60°, 4 temps, 2 ACT, quatre soupapes par cylindre et à injection d'essence. Réservoir de quatorze litres. C'est un crime de malmener une telle beauté sur ces pistes cahoteuses.

— C'est drôle, vous en parlez comme d'une femme…

Il lui adressa un regard ambigu qui la fit rougir.

— Bon, nous la prenons ou pas ? reprit-elle.

— Non, on la laisse.

Il roula son Harley-Davidson contre un arbre.

— Quand j'ai appelé Stuart, ce matin, il m'a parlé d'un chalet qui ne se trouvait pas très loin d'ici. Nous pouvons l'atteindre avant la nuit, si nous pressons le pas. Je suis certain que vous apprécierez de dormir, enfin, dans un lit !

Un chalet ! Un lit ! s'enthousiasma-t-elle.

Un rêve…

Cependant, elle ne résista pas au plaisir de le taquiner.

— Lit à baldaquin, j'espère ?

Il fronça les sourcils. Elle contint un sourire et esquissa un geste vers la moto.

— Vous êtes certain que vous allez l'abandonner ? Et si elle se sentait trop seule ?

— On ne vous a jamais dit que vous étiez énervante ?

— Non. Pourquoi ?

Il leva les yeux au ciel, ne répondit pas et s'éloigna sur le sentier. Jessica dut se hâter pour ne pas se laisser distancer. Elle était lasse, moulue, mais quand même en assez bonne forme physique, certainement grâce à ses cours de Zumba, qu'elle n'avait pas interrompus pendant l'instruction et le procès. Et puis, elle était soulagée de porter les chaussures de randonnée que Ryan avait subtilisées aux touristes. Sinon, elle n'aurait jamais pu entreprendre cette marche.

Mais, au bout d'un moment, Ryan finit par avoir pitié d'elle et ralentit ostensiblement le pas pour à son tour adapter son rythme au sien. Le sentier devint plus large, et ils marchèrent côte à côte. Ryan ralentit encore le pas pour ménager ses forces et lui expliqua un certain nombre de tactiques et stratégies de survie dans la nature.

Il lui posa aussi de nombreuses questions sur son passé et ses familles d'accueil.

Enfin, il l'interrogea sur sa formation, ses loisirs.

— J'ai notamment été bénévole dans une association de soutien scolaire aux enfants et adolescents en difficulté, lui apprit-elle.

Il en sembla surpris.

— Quelles ont été vos motivations ? s'enquit-il.

Elle hésita avant de répondre.

— Je ne sais pas... Peut-être parce que j'ai moi aussi été en difficulté ? Je comprenais ce que ces jeunes ressentaient. Leur malaise ou leurs peurs, après leur placement. Cette impression que votre vie vous échappe... De subir sans cesse des injustices. De ne rien contrôler. Je n'ai pas choisi mes parents, mais c'était mes parents... et j'ai dû l'accepter. Ces enfants doivent effectuer le même travail.

Il l'écoutait attentivement, et elle détourna le regard, un peu gênée.

— Cela m'a ouvert les yeux sur moi... Ces enfants, ces

adolescents m'ont donné quelque chose que je n'avais jamais eu, mais dont j'avais eu si longtemps envie.

— Quoi ?

— Un amour inconditionnel…, murmura-t-elle, la gorge serrée.

Sous le coup de l'émotion, elle accéléra subitement le pas. Depuis le début de leur fuite, elle s'ouvrait chaque jour davantage à Ryan. Des émotions de plus en plus extrêmes la tiraillaient.

Ryan la rejoignit sans peine et soutint son rythme.

Au bout d'un moment, il reprit la parole, cette fois pour lui parler de son propre passé. Il réussit à l'amuser en lui relatant les farces et frasques de ses frères. Elle se mit à rire de bon cœur.

— Je suis sûre que j'aimerais votre famille ! conclut-elle. Combien d'oncles et de tantes, de cousins et de cousines avez-vous donc ?

Il réfléchit.

— Je ne sais pas… Beaucoup, en tous les cas !

— C'est comment de grandir dans un ranch ? Vous y produisez du maïs ? Du tabac ?

— Non. Mes parents possèdent un haras, pas une ferme. Nous élevions des chevaux, et c'est toujours le cas d'ailleurs. C'est beaucoup de travail, mais nous sommes récompensés de nos efforts quand, l'été, mes parents organisent des camps de vacances pour enfants et adolescents en difficulté. Ma mère dit que c'est une thérapie par les chevaux. Mon père affirme quant à lui que c'est de l'amour à la dure ! Selon lui, la responsabilisation et le travail à bon escient peuvent rendre ces jeunes plus matures… J'adore les étés au ranch à cause de ces camps. Encore maintenant, j'y puise une immense satisfaction.

— Comme moi avec mon travail dans mon association ! Vous avez remarqué ? Nous avons un point commun !

Il sourit.

— Exact. Chaque été, je prends quelques semaines de congé pour donner un coup de main à mes parents. Je rentre aussi au ranch pour les fêtes de Noël.

— Entre nous, j'ai toujours rêvé d'avoir une grande famille, confia-t-elle avec mélancolie. Mais ça n'arrivera jamais…

— Pourquoi ? Vous pouvez fonder la vôtre.

Elle secoua la tête.

— Non. Je ne pourrais supporter l'idée de mettre ma famille en danger : je redouterais sans cesse que DeGaullo ne me retrouve, en dépit du programme WitSec, et attente à la vie de ceux que j'aime.

Un silence se fit. Consciente de la tension qui s'était installée entre eux, Jessica ralentit le pas et reprit la parole.

— J'ai faim, dit-elle d'une voix qu'elle espérait légère.

Sur ces mots, elle fronça le nez pour imiter un lapin.

— Panpan au menu ?

— Non, malheureusement, répondit-il. Une barre de céréales peut-être ?

— Miam ! fit-elle en se frottant le ventre avec de grands gestes exagérés.

Ils éclatèrent de rire.

L'après-midi touchait à sa fin lorsque Ryan décida de faire une halte. Harassée, Jessica se laissa tomber près d'un arbre auquel elle s'adossa tandis que Ryan sortait des barres de céréales et deux bouteilles d'eau de son sac à dos.

— A quand notre prochain lapin ? demanda-t-elle, en mordant dans sa barre de céréales.

— Dès que j'en aurai repéré un.

Il marqua une pause.

— Jusqu'à quel point avez-vous le goût de l'aventure ?

Elle lui adressa un regard méfiant.

— Pourquoi me posez-vous cette question ?

— Vous avez déjà mangé de l'écureuil ?

— Non ! Et je n'en ai pas envie ! Je préfère encore les

barres de céréales, merci beaucoup ! Il vous en reste encore pas mal ?

— Assez pour une journée… Mais ne vous inquiétez pas, je vous promets de ne pas vous laisser mourir de faim.

— A votre avis, combien de temps devrons-nous rester cachés dans ces montagnes ?

— C'est difficile à dire. J'envisage d'appeler mon boss, une fois que nous serons arrivés au refuge que Stuart m'a indiqué, pour connaître l'avancée de l'enquête. En tous les cas, réjouissez-vous. Ce refuge est aménagé : gaz et ballon d'eau chaude. En bref, vous pourrez prendre une douche.

Jessica avait bien chaud. Elle se sentait tellement mieux que ces derniers jours… Elle se pelotonna, bâilla, ouvrit les yeux et croisa soudain le regard bleu de Ryan.

Elle était allongée contre lui, ou plutôt blottie dans ses bras.

— Mais… que… que s'est-il passé ?

— Vous vous êtes endormie après notre repas frugal. Comme vous aviez froid, je vous ai serrée contre moi.

— Oh… ah oui… je vois… merci…

Elle rougit et allait se redresser quand il la retint par la taille.

— Non…

Frappée par l'intonation de sa voix, sexy, lente, Jessica ne bougea plus. Ryan leva les mains vers son visage qu'il lui dégagea. Elle ne pouvait plus se tromper : le désir faisait étinceler son regard et se transmettait à ses sens, lui serrant délicieusement le ventre.

Incontestablement, il le perçut : les yeux à demi fermés, il inclina la tête vers la sienne. Il allait l'embrasser, et elle en avait envie depuis si longtemps ! Elle mourait d'impatience de sentir ses lèvres sur les siennes : ce baiser serait-il aussi bon que dans ses rêves ? Elle lui passa un bras autour du cou, approcha son visage du sien et se perdit dans son odeur.

Subitement pourtant, Ryan poussa un cri, qui la força

à ouvrir les yeux. Il ne la regardait plus, il fixait quelque chose derrière elle. Il se leva aussitôt, l'aida à se relever.

— Mais… qu'est-ce qu'il y a ? demanda-t-elle, en titubant.

— Grimpez à cet arbre derrière vous ! Vite !

12

Jessica se hissa sur l'une des branches avec l'aide de Ryan, puis continua de monter. Les ours noirs étaient censés être pacifiques et timides, non ? En tout cas, personne n'avait daigné l'expliquer à celui qui les chargeait.

Heureusement, Ryan réussit à effrayer l'animal, qui disparut aussi vite qu'il avait surgi.

Jessica, désormais juchée sur la branche la plus haute, regarda vers le bas. Horreur ! Elle avait un affreux vertige. Elle serra frénétiquement le tronc entre ses bras

— Vous avez besoin d'aide ? s'enquit Ryan, inquiet.

— Non ! J'étais une vraie championne pour grimper aux arbres quand j'étais petite. J'étais la meilleure de l'orphelinat, même face aux garçons !

Elle se tut, puis poursuivit à regret.

— Je pouvais même redescendre toute seule.

— Si vous le dites…

— Ryan ? Pourquoi vous moquez-vous de moi ?

— Je n'oserais jamais me moquer de vous, vu le supplice que j'encourrais, le cas échéant.

Jessica posa son pied sur une branche plus bas.

— *Sugar.* Je n'arrive pas à croire que j'ai peur ! marmonna-t-elle.

— Vous avez dit quelque chose, Jessie ?

— Non, rien, mentit-elle.

— Très bien. Allez-y, se moqua-t-il.

Même de là où elle se trouvait, son ton ironique ne lui échappa pas. Serrant les dents, elle rassembla son courage et continua sa descente, mais si lentement que Ryan dut tout de même venir à sa rescousse.

Quelques instants plus tard, elle s'assit à ses côtés sur une souche, tremblant de tous ses membres. Ryan lui tendit une de leurs bouteilles d'eau.

— Cet ours reviendra ? l'interrogea-t-elle, en scrutant les alentours avec méfiance.

— Sans doute, mais nous ne serons plus là. La seule raison pour laquelle elle nous a chargés, c'est parce que nous l'avons surprise : elle s'est sentie piégée.

— *Elle* ?

— Si j'en crois la taille, c'était une femelle. Elles sont plus petites que les mâles. Vous vous êtes bien débrouillée en grimpant à cet arbre. Impressionnant.

— Impressionnant de lâcheté, oui ! Je suis toujours la première à fuir devant le danger !

— Premièrement, c'est moi qui vous ai obligée à monter. Deuxièmement, vous n'êtes pas une lâche.

Il avait prononcé ces mots en les détachant bien, le regard rivé au sien.

— Vous avez témoigné contre un criminel, un homme puissant, en étant consciente des risques que vous preniez. Je ne connais pas beaucoup de personnes qui auraient agi comme vous et accepté de quitter leur appartement, le confort de toute une vie et de renoncer jusqu'à leur identité et leur passé pour en endosser d'autres. Vous avez fait de votre mieux. La seule raison pour laquelle DeGaullo est toujours en liberté, c'est parce que l'un des jurés a violé le secret de l'instruction.

Sous le choc de ces propos, inattendus dans sa bouche, elle le dévisagea.

— Je… Merci.

— Je vous en prie.

Il but une gorgée d'eau.

— Il y a toutefois quelque chose qui m'intrigue, reprit-il.

— Quoi ?

— Je ne comprends pas comment vous en êtes arrivée à travailler pour lui. Vous êtes une femme sensée et intelligente. Que s'est-il passé au juste ?

Elle referma sa bouteille d'eau avec des mouvements rapides et brusques. Elle était énervée. A cause de la question de Ryan ? Ou parce qu'elle avait commis une énorme erreur en travaillant pour DeGaullo ? Elle n'aurait su dire.

— L'United States Marshals Service et le département de la Justice ont certainement un épais dossier sur moi, répliqua-t-elle. Vous ne l'avez pas consulté ?

— Ce que j'ai lu concernait principalement DeGaullo et ses activités criminelles : il me fallait évaluer sa dangerosité, ses relations ainsi que ses modus operandi. Je sais seulement que vous avez accepté un emploi dans l'une de ses sociétés après être sortie de l'université, et que vous avez travaillé chez lui pendant cinq ans.

— Je ne savais rien de DeGaullo lorsque j'ai accepté ce poste de comptable.

— Quand avez-vous découvert le genre d'homme que c'était ?

— Au bout de trois ou quatre ans. DeGaullo avait des sociétés en apparence légales, sous couvert d'un montage sophistiqué, et opaque bien entendu, de trusts et de sociétés écrans anonymes. Je n'ai rien soupçonné : je gérais l'argent une fois qu'il avait été blanchi, rapatrié au sein du circuit économique dit normal, et avait une apparence légale.

— Seulement une fois qu'il avait été blanchi ? Vous avez aussi participé aux deux opérations précédant le blanchiment, si j'ai bien compris.

Elle soupira.

— J'ai d'abord géré les capitaux blanchis et rapatriés mais, le temps passant, j'ai eu connaissance des deux autres opérations de blanchiment en amont : dissociation de l'argent du délit, dans un premier temps, disparition des traces pour faire échouer les poursuites dans un second temps. Quand j'ai compris de quoi il retournait, j'ai communiqué mon malaise à l'une de mes collègues.

— Natalie ?

— Oui. Natalie était ma meilleure amie, plutôt, ma seule vraie amie. Elle m'a tout expliqué. Elle m'a aussi parlé des autres comptables et experts comptables qui nous avaient précédées et avaient disparu quand elles, ou ils, avaient commencé à poser des questions, à se montrer trop curieux ou inquiets… J'ai eu si peur que je me suis fait porter pâle pendant deux jours pour réfléchir à ce que j'allais faire.

— C'est alors que vous avez pris contact avec le FBI ?

— Non. Si je l'avais fait à ce moment-là, je ne serais plus de ce monde. Natalie m'a expliqué que DeGaullo faisait suivre ses employés régulièrement et qu'il n'hésiterait pas à nous supprimer si nous éveillions ses soupçons. Au cours de mes deux jours de congé maladie, j'ai souvent regardé, discrètement, par la fenêtre : Natalie avait raison. On me surveillait. On nous surveillait… Je ne m'en étais jamais aperçue avant, parce que je n'y prêtais pas attention.

— Mais, même sachant que vous travailliez pour le compte d'un criminel, vous êtes restée.

C'était une affirmation. Elle se leva, il la retint.

— Je veux comprendre, Jessie !

— Je suis restée pendant encore un an, même en sachant que c'était un patron de la mafia ! Voilà. Vous êtes content ?

Elle s'éloigna. De nouveau, il la retint.

— Non ! Racontez-moi la suite.

Sa voix avait pris des intonations métalliques.

— Mais pourquoi ?

— Parce que j'ai besoin de mieux connaître la femme que j'ai sauvée des flammes.

— En m'accablant de questions ? En me forçant à revivre

ce passé alors que je dois l'oublier parce que je suis obligée de recommencer une nouvelle existence, ailleurs, sous une autre identité ? Ça n'est pas juste !

— La vie n'est pas juste, Jessica !

Elle poussa un soupir de frustration.

— Je n'ai plus grand-chose à raconter, reprit-elle. Natalie m'a intimée de revenir au bureau pour ma sécurité. Une absence trop longue aurait fini par éveiller les soupçons… Les hommes de DeGaullo n'ont pas relâché leur surveillance. Il s'est passé longtemps avant que je n'ose entrer en contact le FBI. A partir de là, les agents ont été ravis d'avoir quelqu'un dans la place ! Pendant des mois, le FBI m'a demandé de rassembler des éléments à charge contre DeGaullo. La nuit où Natalie a été tuée, le FBI m'a instamment demandé de faire profil bas et m'a aussi préparée à une exfiltration : DeGaullo avait découvert que des informations avaient été divulguées. Il savait que c'était l'un de ses comptables qui l'avait trahi, mais il ne savait pas qui… Je m'emparais de la dernière preuve destinée au FBI lorsque je l'ai entendu arriver.

Ryan resserra son bras autour d'elle.

— Continuez.

— J'avais instamment demandé à Natalie de rester avec moi au bureau, en dépit de l'heure tardive, sous prétexte que je devais terminer quelque chose d'important et de confidentiel. Nous nous soutenions mutuellement, désormais, mais je lui avais caché, essentiellement pour sa sécurité, que je travaillais pour le FBI et détournais des documents. Voyant DeGaullo, elle a cru qu'il revenait par hasard dans les bureaux. Quand DeGaullo l'a vue, il en a tout de suite déduit que c'était elle qui l'avait trahi : il l'a tuée de sang-froid… De là, le FBI m'a accordé la protection qui m'avait été promise. La suite, vous la connaissez.

Elle trembla. Ryan l'attira plus près de lui.

— Vous avez eu de la chance.

— Je ne veux plus jamais en parler.

Sur ces mots, elle se leva et reprit la route.

Ryan n'insista pas, et il marcha derrière elle sans plus parler. Elle en fut soulagée : elle ne voulait plus repenser à tout cela.

Lorsqu'ils arrivèrent devant une paroi rocheuse, il la prit par la main pour longer celle-ci, toujours en silence. Soudain, et à sa plus vive surprise, il l'enlaça avec élan et la serra fougueusement contre lui.

— Ryan ? Mais… que faites-vous ?

Il se pencha à son oreille.

— Souriez, Jessica. Faites comme si vous étiez folle amoureuse de moi !

Faire comme si ? Ça n'était pas nécessaire ! Elle perdait toute contenance maintenant qu'elle se trouvait ardemment pressée dans ses bras, elle respirait même plus vite. Redoutant qu'il n'entende les battements trop précipités de son cœur, elle tenta de s'écarter.

— Mais pourquoi ? Qu'est-ce qui vous prend, Ryan ? Je ne…

Il la musela d'un baiser. Stupéfaite, elle allait le lui rendre, quand il releva la tête et murmura à son oreille.

— Nouez vos jambes autour de mes reins !

Un élan de désir fusa aussitôt en elle, mais elle n'osa obtempérer immédiatement. Alors Ryan la souleva. Brûlante, impatiente, elle se pressa contre lui et gémit en sentant sa bouche brûlante dans son cou.

— Oh, Ryan…, souffla-t-elle.

— Chut, murmura-t-il. Il y a un homme à environ cinquante mètres, et il braque son arme sur nous.

Refroidie par ces propos, elle tenta de se dégager, mais il la retint et la plaqua contre lui.

— La seule raison pour laquelle il n'a pas encore tiré, c'est parce que nous lui offrons un spectacle très agréable et qu'il s'en régale. Il ne faut surtout pas le décevoir. C'est notre vie qui en dépend !

De nouveau, il l'embrassa dans le cou, et elle étouffa un cri. Il était collé contre elle, son sexe dur plaqué contre son ventre. Elle frissonna. Son sang bouillonnait à ses oreilles. Elle était partagée entre son désir de se presser contre lui et celui qu'il la lâche pour qu'ils puissent fuir à toutes jambes.

— Chuttt…, lui intima-t-il d'une voix de velours en lui mordillant sensuellement l'oreille.

Elle n'eut pas à feindre son excitation et se blottit dans ses bras.

— Attention, Jessie… il est possible que je finisse ce que nous venons de commencer plus tard, lui chuchota-t-il.

A ces derniers mots, presque une promesse, elle en oublia le tueur pour se serrer contre lui avec sensualité.

— Possible seulement ? Je préférerais que vous en soyez certain.

Elle lui mordilla le lobe de l'oreille pour faire bonne mesure et le tourmenter. Il chancela, reprit son équilibre.

— Tu me le paieras, tout à l'heure ! souffla-t-il.

C'était la première fois qu'il la tutoyait, nota-t-elle. Cela fit encore monter son désir.

— Quand je te lâcherai, reprit-il, tu resteras cachée jusqu'à mon retour.

De nouveau, il pressa son bas-ventre contre le sien. Elle noua aussi étroitement que possible ses jambes autour de ses reins. Il gémit.

Au même instant, un coup de feu s'éleva, et une balle se ficha dans le tronc d'un arbre. Le tueur sortit de sa cachette pour se précipiter à leur suite dans un grand bruit de brindilles écrasées.

Ryan déposa aussitôt Jessica à terre. Tous deux coururent derrière un épais fourré, où il lui remit son Glock et posa son sac à dos.

— Non ! Garde ton arme ! J'ai déjà ton canif ! lui dit-elle.

Ryan l'ignora : déjà, il s'éloignait. Il reprit le sentier, tandis que l'inconnu le visait et tirait.

Jessica plaqua sa main sur sa bouche pour ne pas crier. Elle avait compris la stratégie de Ryan : détourner l'attention du tueur sur lui. *Sugar.* S'il survivait, elle le tuerait d'avoir accepté un risque pareil !

Ryan plongea dans les fourrés pour ne pas se faire atteindre, mais en faisant le plus de bruit possible, afin d'attirer l'attention de leur agresseur sur lui. Ce dernier se lança aussitôt à sa poursuite sans cesser de tirer, mais le manquant toujours.

Au bout de quelques minutes, il fut assez loin de Jessica pour changer de tactique. Il se cacha et attendit, aux aguets. Son poursuivant s'arrêta et regarda autour de lui, brandissant son arme. Le chant d'un oiseau s'éleva au-dessus de leurs têtes. L'homme sursauta et tira. Ryan se rencogna derrière son tronc.

Lorsque le tueur fut tout proche, Ryan se jeta sur lui, puis assura son avantage en le plaquant au sol. Son adversaire, désarmé, essaya de ramasser son arme, en vain, mais il réussit toutefois à se relever et à prendre la fuite. Ryan se redressa à son tour et le prit en chasse. Le sentier descendait à pic, puis remontait. Aussi Ryan décida-t-il d'attendre l'homme au moment où il en remonterait : il le prendrait en embuscade.

Sitôt que l'inconnu passa à proximité, il se jeta sur lui. L'homme tomba, la tête la première, sur une grosse pierre et hurla. Puis ce fut le silence.

Il était mort.

Ryan jura : il ne pourrait plus lui extorquer la moindre information. Il lui tourna le visage et l'observa. Il ne faisait pas partie de l'United States Marshals Service. A son grand soulagement. Il n'aurait pas supporté la trahison d'un collègue.

Il lui prit son arme : le chargeur était vide. Puis, il lui

fouilla les poches et n'y trouva pas de munitions. Le tueur avait dû penser qu'il n'aurait pas besoin de recharger son arme et ne s'était donc pas donné la peine d'emporter des balles, qu'il avait évidemment laissées avec ses vivres. Mais où ?

Sans balles, l'arme était inutile, et Ryan la laissa. L'inconnu n'avait évidemment pas de papiers d'identité ou de portefeuille sur lui. Il ne portait pas non plus d'alliance et n'en avait pas la marque. Qui était-ce ? Un homme de DeGaullo ?

Ryan le prit en photo avec son Smartphone et envoya le portrait à Stuart, en lui enjoignant de découvrir son identité. Puis il éteignit son téléphone.

Mais il avait laissé Jessica seule trop longtemps, et l'inconnu avait peut-être des complices. Il se précipita. Pourvu qu'il n'ait pas commis une erreur fatale en l'abandonnant à son sort, songea-t-il avec angoisse.

13

Jessica avait décidé de passer à l'action : pas question de rester cachée pendant que Ryan risquait sa vie pour elle, désarmé en plus ! Elle sortait de derrière les fourrés quand sa voix s'éleva.

— Jessica ?

Le plus vif soulagement l'envahit, mais elle n'eut pas le temps de le lui exprimer : il reprit le sac à dos, lui saisit le bras et l'entraîna à sa suite. Il courait si vite qu'elle eut de la peine à soutenir son rythme.

Elle essaya, dans un halètement, de lui demander la raison de cette course effrénée, mais il lui intima le silence d'un mot.

De nombreuses minutes plus tard, enfin, il s'arrêta.

— Passez-moi mon arme, lui demanda-t-il.

Elle avait presque oublié l'avoir en main, bien que la serrant de toutes ses forces.

— Que se passe-t-il ? s'enquit-elle. Cet individu est toujours à nos trousses ?

— Non. Mais nous devons nous éloigner de ces lieux au plus vite, au cas où l'un de ses complices ait entendu l'échange de coups de feu et rapplique.

Sur ces mots, et sans lui laisser le temps de répliquer, il la reprit par la main et se remit à courir.

Ils coururent jusqu'à ce que Jessica souffre d'un point de côté si douloureux qu'elle ne fut plus en état de continuer.

Mais à peine eut-elle récupéré que Ryan poursuivit leur course éperdue. Par deux fois ensuite, ils durent faire des pauses forcées.

Ryan avait refusé de répondre à ses questions et sans cesse intimé de garder le silence. Il était anxieux, impatient et regardait en permanence autour d'eux avec inquiétude.

Jessica en arrivait presque à souhaiter d'être rattrapéepar leur poursuivant pour mettre fin à son supplice, mais au même moment Ryan s'arrêta pour de bon.

A bout de forces, à bout de souffle, elle se laissa tomber sur le sol. Son pouls pulsait jusque dans ses oreilles, et une telle nausée la souleva qu'elle se redressa et vomit.

Ryan se précipita.

— Je suis désolé, Jessica… je t'ai poussée jusqu'à la limite de tes forces.

Il lui tendit une bouteille d'eau et une barre de céréales. Mais ils allaient bientôt être à court de provisions, songea-t-elle. Aussi, elle hocha la tête négativement. Il insista, et elle partagea la barre en deux : elle n'accepta de manger sa part que lorsque Ryan eut accepté la sienne.

Au bout de quelques minutes, elle se sentit mieux, se releva mais cilla aussitôt : elle avait des ampoules aux pieds.

— Que s'est-il passé, au juste ? demanda-t-elle. Pourquoi avons-nous couru ?

— L'homme qui nous poursuivait est mort. Comme je ne savais pas s'il avait des complices, j'ai préféré que l'on s'éloigne au plus vite.

Jessica regarda autour d'elle avec crainte.

— Tu penses que nous sommes en sécurité, désormais ?

— Pour le moment, oui.

Pourtant, il paraissait toujours tendu.

— Pourquoi es-tu sortie de ta cachette ?

— Je me faisais du souci pour toi. J'avais entendu des coups de feu : j'ai pensé que tu aurais besoin de mon aide.

Il pâlit.

— Tu voulais *vraiment* venir à ma rescousse ?

Il porta une main tremblante à son front.

— Bon sang, c'était dangereux, Jessica. Tu aurais pu y laisser la vie ! Ne prends plus jamais de telles initiatives. Tu as compris ?

Il se tut et la regarda bien en face en attendant son assentiment. Mais elle fulminait : elle n'acceptait plus qu'il lui fasse la leçon et s'adresse à elle sur ce ton autoritaire.

Elle pressa son index sur son torse.

— Taylor Hunt, William Gavin, Joey Acres et Michael Rogers, énuméra-t-elle, lui frappant la poitrine avec son index à l'énoncé de chaque nom. Ce sont les quatre marshals qui sont morts en me protégeant. Je ne veux pas que tu sois le cinquième !

— Tu te souviens de leurs noms ? s'étonna-t-il.

— Evidemment ! Tu me prends pour qui ?

Elle fit volte-face et s'éloigna un peu en contenant sa colère.

— Jessie… attends !

Il la rattrapa et la prit par les épaules pour l'obliger à se retourner, mais elle résista.

— Jessie, j'ai eu si peur pour toi…

Il n'acheva pas et la serra avec impétuosité dans ses bras. Il recula sans hâte et prit son visage en coupe.

— Ne me fais plus jamais une peur pareille, tu m'entends !

Il plaqua un baiser passionné sur les lèvres, puis soupira.

— Je suis désolé de te presser, mais nous devons continuer à marcher si nous voulons atteindre le chalet avant la nuit. C'est impératif.

— Tu es certain qu'un garde forestier ne va pas faire irruption ? demanda Jessica en regardant partout dans le chalet.

Ryan sourit.

— Le cas échéant, je réussirai à gérer la situation… Il y a une bouteille de propane, et je viens d'allumer le chauffe-eau. Tu pourras bientôt prendre une douche. Pendant ce temps, je vais regarder ce que contient le garde-manger. A moins que tu ne préfères que je ne parte chasser, ramène un écureuil et en fasse un ragoût à ma façon ?

Elle frissonna d'horreur.

— Et pour nous chauffer ? s'enquit-elle, un brin inquiète.

— Je ferai un feu de cheminée. Va prendre ta douche. Quand tu auras terminé, il fera assez chaud, et j'aurai préparé le dîner.

— Le rêve de n'importe quelle femme ! Un gars bien sexy et bon cuisinier.

Dès que ses mots eurent jailli de ses lèvres, elle rougit, puis fila dans la salle de bains.

Ryan sourit à part lui, une fois que Jessica eut disparu. Sa propension à rougir le transportait. Il aimait ce léger rose, qui avivait son teint clair et s'étendait jusqu'à sa gorge.

Il jeta un regard au lit qui dominait la pièce, et son pouls battit plus vite à la pensée de le partager avec elle. Il s'efforça de refouler ses pensées et des désirs pourtant bien agréables. L'heure n'était pas à la bagatelle. En plus, Jessica était épuisée et avait besoin de sommeil. Ils ne resteraient dans ce chalet que quelques heures, jusqu'au point du jour, le temps de récupérer. Y demeurer plus longtemps, c'était courir de nouveau le risque de se faire rattraper par leurs autres poursuivants et de s'y faire piéger.

Là-dessus, il remit la batterie dans son Smartphone et appela Alex Trask. Comme à son habitude, ce dernier décrocha à la première sonnerie et l'apostropha sans qu'il se soit présenté.

— Pour l'amour du ciel, Ryan, où es-tu ? Je t'ai appelé une douzaine de fois ! Pourquoi est-ce que tu ne conduis pas le témoin…

— Qui a mis le feu au chalet de Jessica ? le coupa Ryan.

— Décidément tu ne renonces jamais…

— Réponds, sinon je raccroche.

— Ne raccroche pas ! Je ne sais pas qui l'a incendié, mais j'ai du nouveau. Aujourd'hui, la police locale a retrouvé le vrai Mike Higgins, le gérant de la société d'assurances : plutôt, c'est son corps qui a été retrouvé. Mais nous ne savons rien de plus.

— Tu n'as aucune autre piste ?

— Non. Rares sont les personnes qui ont accès à des informations sur la localisation d'un témoin protégé. Nous les recherchons, et nous procédons par élimination.

Ryan consulta sa montre. Il devait limiter son entretien pour qu'Alex ne réussisse pas à le géolocaliser.

— Tu m'as ordonné de remplacer Cole, le jour de l'attentat à la voiture piégée. Pourquoi ?

— Parce que Cole était souffrant ! répondit Alex. Et il fallait agir vite, à la suite de la nullité de procédure qui nous a tous surpris ! Pourquoi ne me fais-tu pas confiance ?

— Parce que, autrefois, ma confiance a été trahie par un homme avec qui j'ai collaboré pendant deux ans en Afghanistan. A la suite de quoi, quatre de mes hommes ont péri. Je ne te connais pas depuis longtemps, Alex. Alors je me méfie, d'autant que tu n'as pas agi conformément à la procédure en vigueur, dans cette affaire : pourquoi m'as-tu ordonné d'habiter dans le voisinage immédiat du témoin, et de rester assigné à sa protection jusqu'à nouvel ordre ? Pour autant que je sache, cela ne s'est jamais produit dans l'histoire de la protection des témoins.

— C'est venu de plus haut, Ryan ! Quand j'ai demandé des informations à mon supérieur, il m'a répondu que l'ordre émanait d'une grosse huile de Washington DC. Il pensait que la raison en était l'importance de cette affaire.

Alex éclata d'un rire rauque.

— C'est une réussite…

Ryan l'interrompit. D'instinct, il avait confiance en Alex, mais il voulait en avoir le cœur net.

— Le nom de cette grosse huile ?

— Alan Rivers.

Ryan n'avait jamais entendu ce nom.

— As-tu envoyé des hommes à nos trousses ? reprit-il.

— Tu sais bien que oui, et ce, dès que les vingt-quatre heures fatidiques se sont écoulées : ils sillonnent tout le Tennessee. Sans résultat pour le moment. Tu vas avoir de gros ennuis, parce que tu n'as pas ramené le témoin, Ryan. Je veux vous retrouver au plus vite.

Ryan consulta de nouveau sa montre : il s'attardait trop longtemps avec Alex. Il s'approcha des fenêtres dont il entrouvrit les rideaux pour regarder dehors.

— Tu ne sais pas où nous sommes, mais d'autres le savent. Aujourd'hui, un tueur nous a rattrapés. Il ne doit pas être seul.

— Comme tu es sain et sauf, j'imagine que tu as eu le dessus sur cet individu ?

— Il ne représente en effet plus aucune menace.

Alex soupira.

— Tu l'as identifié ?

— Non.

Toujours méfiant, il hésitait à lui envoyer la photo du tueur via son Smartphone.

— Dis-moi où tu es, insista Alex. Donne-moi ta position, je vais envoyer un hélico pour venir vous chercher.

— Pas tant que la taupe n'aura pas été identifiée.

— Bon sang, Ryan, vous êtes tous les deux en danger !

Ryan raccrocha sans répondre, puis il appuya sur une touche raccourci de son Smartphone.

— Stuart Lanier.

— Stuart, c'est Ryan. Tu as bien reçu la photo que je t'ai envoyée ?

— Oui. Mais je ne l'ai pas encore identifié. Un des gars de DeGaullo peut-être ?

— Peut-être. J'ai un autre nom à te livrer : Alan Rivers.

Stuart restant silencieux, Ryan jeta un œil à l'écran de son Smartphone pour s'assurer que la communication n'avait pas été coupée.

— Stuart ? Tu es toujours là ?

— Oui. Désolé… Rappelle-moi le nom que tu as prononcé ?

— Alan Rivers. C'est un haut fonctionnaire de Washington DC qui a donné à mon boss des ordres en contradiction avec les standards et procédures du programme de protection des témoins. Ça n'est peut-être rien, mais c'est une piste à creuser. Sinon, de ton côté, tu as du nouveau, concernant l'autre affaire qui m'occupe ?

— Pas grand-chose, mais ne te fais pas de souci. Nous allons bientôt l'élucider. Je m'occupe d'enquêter sur Rivers. Tu es où ?

— Dans le refuge dont tu m'as parlé. Je ne peux pas rester plus longtemps dans la montagne avec Jessica. C'est trop dangereux. Aussi, j'ai besoin que tu me rendes un service.

14

Jessica sortit de la salle de bains et pénétra dans le salon. Il y avait du feu dans la cheminée : c'était si agréable. Il faisait bien chaud dans le chalet. Et puis, une délicieuse odeur venait de la kitchenette où Ryan cuisinait.

Elle s'approcha de lui, pieds nus, mais les orteils recourbés, le vieux plancher étant encore froid.

— Ça sent bon ! Qu'est-ce que c'est ?

— Du ragoût de bœuf.

— Tu plaisantes ?

Il lui tendit sa cuillère, elle en huma le fumet. Aussitôt, l'eau lui vint à la bouche.

— Par pitié, ne me dis pas que c'est de l'écureuil.

— Non !

Elle se mordilla la lèvre.

— Du faon ? *Bambi* ?

Il lui adressa son sourire de biais qui lui était si familier maintenant.

— Je n'oserais pas, Jessie.

Il n'avait pas été catégorique, mais elle avait tellement faim qu'elle renonça à l'accabler plus longtemps de questions : elle mangerait ce ragoût quoi qu'il contienne.

— Je suppose que les gardes forestiers n'ont pas de *caffè mocha* dans leurs placards ?

— J'en ai vu dans la poubelle. Je doute qu'il en reste.

— Quels égoïstes ! Allez, sers-moi ton fameux ragoût d'écureuil : j'ai trop faim.

— Ça n'est pas de l'écureuil, c'est de la conserve.

— Ça m'est complètement égal. J'ai tellement faim que je mangerais même un écureuil !

Une fois qu'ils se furent restaurés, Ryan alla prendre une douche et Jessica fit la vaisselle, puis rangea la kitchenette. Elle remplit également leurs bouteilles d'eau du robinet, lava son T-shirt et le suspendit au-dessus du fourneau.

Enfin, elle se glissa sous la couette en T-shirt.

L'eau ne coulait plus depuis déjà un moment dans la salle de bains : Ryan ne tarderait plus…

Pourquoi était-elle nerveuse à ce point ? se demanda-t-elle. Ils allaient partager la même couche, comme la veille. Un vrai lit ou un matelas en rameaux de sapin, quelle différence ?

La porte de la salle de bains s'ouvrit. Ryan en sortit, une serviette de toilette lui ceignant les hanches. Jessica le suivit des yeux tandis qu'il traversait la pièce, les ors des flammes se reflétant sur son torse musclé et bronzé.

Ryan regarda de nouveau dehors, s'assura que les rideaux étaient bien fermés. Enfin, il mit son arme sous son oreiller et allait se glisser sous la couette, mais se figea et la regarda.

— Tu préfères que je dorme par terre ?

Elle éloigna le regard par pudeur, mais un peu étonnée par sa question : il était attiré par elle, c'était désormais une certitude, mais il lui proposait de dormir sur le plancher ? C'était incompréhensible.

— Non, bien entendu ! Nous avons déjà dormi ensemble !

— Mais tu as l'air gênée : tu es toute rouge…

Sur ces mots, il baissa les yeux sur sa gorge. Elle remonta alors la couette jusqu'à son menton, mais il reporta son regard sur son visage.

— Dormir ensemble dans un vrai lit, c'est… différent, je pense, bredouilla-t-elle. Tu dois penser que je suis prude !

— Non, je pense que tu rafraîchissante.

— Ah… Bon alors… heu… bonne nuit…

Il se glissa sous la couette et lui tourna le dos.

— Bonne nuit.

*
* *

Jessica se réveilla d'un coup, cilla et se tourna vers la fenêtre la plus proche. Les rideaux étaient si épais qu'elle n'aurait su dire si le jour était déjà levé. Elle tendit le bras pour allumer la lampe de chevet.

La voix de Ryan la fit tressaillir.

— Il fait toujours nuit.

Il était assis devant la cheminée, adossé au mur.

— Ryan ? Il y a un problème ?

— Nous allons reprendre la route au point du jour, dans quelques heures. Alors rendors-toi. Tout va bien.

— Pourquoi es-tu assis par terre ?

Il rit. Puis sa voix s'éleva, rauque dans le silence.

— Tu connais mal les hommes, n'est-ce pas ?

— Pourquoi cette question ?

— Parce que tu me demandes pourquoi je suis là, et pas dans le lit.

— Je n'ai pas beaucoup d'hommes à mon palmarès, mais je ne suis pas non plus une oie blanche !

Si elle rougissait davantage, elle allait prendre feu, se dit-elle, portant les mains à ses joues enflammées.

— Et tu ne comprends toujours pas pourquoi j'ai quitté le lit et ta proximité ?

Un trouble délicieux l'envahit : il était excité.

Il soupira et leva son genou pour lui cacher la vue de son boxer tendu par son sexe érigé.

— Ça n'est pas compliqué : je suis un homme vigoureux, et tu es une femme très attirante.

— Attirante ?

Il se leva d'un mouvement souple, s'approcha du lit. Il s'assit sur le bord, puis la dévisagea intensément.

— Tu es belle. Tu ne me crois pas ?

— Je suis une geek. Les hommes, surtout les hommes comme toi, ne me regardent même pas.

Tête baissée, elle froissait machinalement le drap. Il posa sa main sur les siennes.

— Des « hommes comme moi » ?

— Oh ! Ne fais pas semblant de ne pas comprendre ! Tu es très bel homme. Tu pourrais être mannequin pour un magazine si tu n'étais pas aussi musclé.

Il sourit en coin.

— Je ne peux pas avoir des muscles et être mannequin ? Tu brises mes rêves les plus secrets !

— Ne te moque pas de moi !

— Tu sais bien que je n'oserais pas.

— On ne pourrait pas oublier cette conversation ? J'ai envie de dormir.

— Menteuse…

Mais elle donna un coup dans son oreiller, éteignit la lumière et se glissa sous la couette sans le regarder.

— Bonne nuit, Ryan !

— Tu as de beaux yeux. Ils brillent quand tu ris et deviennent plus sombres quand tu es en colère.

Elle déglutit avec nervosité.

— Tu le penses vraiment ?

— Oui. Tu as aussi une très jolie bouche, des lèvres sexy, renflées et parfois boudeuses, le genre qui suscite les fantasmes les plus fous.

Il passa son pouce sur sa lèvre, elle trembla. Elle désirait tellement sentir ses mains sur tout son corps.

— Tu as la peau douce…, murmura-t-il, en laissant cette fois glisser ses doigts sur sa gorge.

Elle se mit à frissonner. Elle avait trop chaud, une tension douloureuse montait de son bas-ventre. Qu'il cesse de la torturer et qu'il passe aux actes au lieu de chanter ses louanges !

Il baissa la couette jusqu'à sa taille, passa sa main sous son T-shirt et lui caressa lentement les hanches, allumant à la pointe de ses doigts des brasiers incandescents. Il descendit plus bas, et elle retint son souffle : elle ne portait pas de petite culotte. Il rejeta alors la couette à ses pieds et dévoila ses cuisses.

— Tu as des jambes fines.

Elle soupira, tandis qu'il continuait ses caresses.

— Depuis le premier jour, j'imagine ces longues jambes nouées autour de mes reins pendant que je…

Il atteignit son entrecuisse.

— Ryan…, souffla-t-elle.

Elle ferma les poings et, de nouveau, soupira.

— Qu'est-ce que tu fais ?

— J'essaie de te convaincre que tu es magnifique. Les hommes qui ne l'ont pas remarqué sont fous ou aveugles.

Il se pencha, la prit dans ses bras et l'embrassa sur la bouche, puis laissa glisser ses mains sur ses reins.

— Je ne comprends pas qu'un homme ne t'ait pas déjà conquise…, reprit-il, plongeant ses mains sous son T-shirt pour caresser ses seins. Tu intimides sans doute mes pareils parce que, en plus d'être belle, tu es intelligente…

— Je… je ne t'intimide pas… ?

— Non. Je ne me laisse pas facilement intimider.

Il déploya ses mains sur son ventre, entre ses jambes.

— J'ai envie de toi, souffla-t-il d'une voix rauque, presque cassée.

— Moi aussi…, murmura-t-elle, en fermant les yeux et se cambrant pour mieux savourer ses caresses.

Jamais elle n'avait senti sa propre peau si sensible et si brûlante. C'était comme si toutes ses terminaisons nerveuses étaient reliées à ses seins et à son bas-ventre, comme si les caresses de Ryan avaient la puissance d'une décharge électrique. Toute gêne, toute pudeur avaient disparu. Ce qui lui importait, c'était qu'il se rapproche et lui fasse enfin l'amour.

La main de Ryan se figea. Elle poussa un petit soupir de déception et se pressa contre lui. Il se remit à lui prodiguer d'autres caresses et effleurements, avec une telle langueur et tant de douceur qu'elle crut mourir d'extase.

Mais son plaisir se mua en de la confusion quand il retira subitement sa main de dessous son T-shirt et recula. Un frisson l'agita, et elle se pencha pour remonter la couette.

— Un problème ?

— Avant d'aller plus loin, je ne veux aucun malentendu, expliqua Ryan. Une fois que tu seras en sécurité, tu reprendras le programme WitSec, et moi, mon boulot. Un jour, tu rencontreras l'homme de ta vie, qui sera prêt à partager ton existence : il acceptera de tout laisser pour vivre à tes côtés. Je ne suis pas cet homme : je ne veux pas, je ne peux pas abandonner mes parents, ma famille. Tu le comprends ?

Elle déglutit. Chaque mot lui faisait l'effet d'un coup de couteau en plein cœur, mais elle fit un effort pour le lui cacher. Elle ne voulait pas qu'il prenne conscience du mal qu'il lui causait. Il venait de lui confier, avec émerveillement, qu'elle était belle, il venait aussi de lui donner l'impression d'être un trésor, et voilà que tout à coup il lui avouait crûment qu'il ne voulait passer avec elle qu'une nuit sans lendemain.

Sa raison l'enjoignit de se refuser à lui : comment se donner à un homme qui ne l'aimait pas autant qu'elle l'aimait ? Au fait, l'aimait-elle ? Oui. Mais était-ce le véritable amour ? Elle n'en savait trop rien… C'était un peu tôt pour le savoir. Et puis, elle jugeait plus raisonnable de ne pas se fier à ses sentiments actuels : les circonstances étaient pour le moins inhabituelles. Même si, songea-t-elle, l'amour naissait parfois entre deux individus ayant vécu une tragédie ou des événements traumatiques : c'était un schéma classique…

Décidément, oui, elle devait le repousser, mais c'était au-dessus de ses forces. Elle ne pouvait pas plus le rejeter que reculer. Dès le moment où ils étaient entrés dans ce chalet et sitôt qu'elle avait vu le lit, elle avait su : ce soir, elle ferait l'amour avec Ryan Jackson et le désirerait de toute son âme. Si, par miracle, ils quittaient ces montagnes sains et saufs, elle ne voulait pas regretter pour le reste de sa vie d'avoir résisté à un désir aussi puissant.

Alors tant pis si ça n'était que l'aventure d'une nuit !

Elle ravala sa peine et sa fierté, et décida de s'adonner au plaisir.

Elle susurra à l'oreille de Ryan :

— Je comprends. Mais j'ai aussi envie de toi.

Il tressaillit.

— Je ne m'attendais pas à ce que tu consentes.

— Je sais.

— Tu en es sûre ? Je ne veux pas que tu aies des regrets.

— J'en suis sûre. Je sais que, entre nous, rien n'est possible. Je sais que tu ne peux pas t'engager avec une femme de mon genre.

— Mais… ça n'est pas ce que je voulais dire quand je…

— Ne t'inquiète pas : je comprends, le coupa-t-elle. Ta famille est plus importante. Je ne corresponds pas à l'image de la femme avec qui tu veux construire une relation et une famille… Nous sommes donc deux adultes consentants qui ont envie l'un de l'autre maintenant.

— Jessica…

— Après, nous reprendrons le cours de nos existences…

— Jessica…

— Je vivrai ailleurs, sous une nouvelle identité, et…

Il posa la main sur sa bouche.

— Tu parles toujours autant quand tu es nerveuse ? la taquina-t-il.

Elle acquiesça. Il caressa ses lèvres avec son pouce et, de nouveau, un brasier s'alluma dans son bas-ventre.

— Question subsidiaire : tu prends la pilule ?

— Non…

Elle fit un rapide calcul mental.

— Mais je pense que c'est sans risque.

— Tu penses ?

A vrai dire, elle en était certaine, mais pour le moment elle s'en moquait. Tout ce qu'elle voulait, c'était assouvir un désir qui ne lui laissait plus de repos et le satisfaire au moment où leurs corps s'épouseraient enfin.

Elle s'approcha, l'attira à elle et pressa ses lèvres sur les siennes, puis glissa ses mains sur son torse pour savourer sa force et sa puissance.

Il réagit par un gémissement et répondit passionnément à ses baisers, plongeant ses mains dans ses cheveux. Ses gestes étaient désormais dénués de tendresse : l'homme tendre et émerveillé avait cédé la place à la fougue d'un amant fou de désir.

Il lui retira précipitamment son T-shirt et le jeta. Il l'embrassa, la caressa jusqu'à ce qu'elle soit pantelante et à bout de forces.

Quand, enfin, il retira son boxer et s'étendit de tout son long sur elle, la plaquant sur le matelas, ce fut parfait… Comme si, toute sa vie, elle avait attendu que Ryan Jackson lui fasse l'amour.

Son sexe était érigé contre son bas-ventre, et elle tendit les mains pour le saisir, puis se délecta de le sentir frémir, brûlant et doux, puissant et dur sous ses doigts. Elle savoura l'afflux de sensations toutes plus délicieuses les unes que les autres que suscitait, en elle comme en lui, sa caresse sensuelle.

Avec un gémissement, il écarta sa main.

— Pas si vite…

Il reprit ses lèvres, retardant le moment de s'unir à elle. Et, enfin, il la posséda et couvrit son visage de baisers plus frénétiques au fur et à mesure que le rythme de leurs corps unis s'accélérait.

Elle l'étreignit de toutes ses forces et, de la pointe de ses ongles, laboura son dos jusqu'à ses reins, se délectant de la puissance de ses muscles. Aucun autre homme ne pouvait être aussi parfait et lui faire l'amour aussi parfaitement.

D'ailleurs, aucun autre homme ne prendrait jamais sa place dans son cœur… Lorsque cette pensée s'imposa, elle fut traversée par un plaisir fulgurant, jouit et cria sans retenue.

15

Ryan s'en voulait de devoir réveiller Jessica, mais ils n'avaient déjà que trop tardé : il était temps de quitter le chalet. Après sa confrontation avec le tueur à gages, la veille, il ne pouvait protéger Jessica plus longtemps dans ces montagnes, et ils devaient trouver refuge ailleurs.

Après avoir bouclé son sac à dos, il la réveilla donc en douceur.

Elle resta si ensommeillée qu'il dut la piloter dans la salle de bains. Quand l'eau coula et que Jessica lui sembla être sous la douche, il sortit du chalet et inspecta les environs.

A priori, personne ne les y avait suivis, mais il ne voulait pas baisser sa garde, après avoir frôlé la mort la veille.

Lorsqu'il revint à l'intérieur, Jessica sortait de la salle de bains. A sa vue, elle rougit et lui déroba son regard. Par pudeur ? Parce que, la réalité reprenant ses droits, elle regrettait leurs ébats de la nuit ? Il l'avait pourtant prévenue et ne lui avait laissé aucune illusion. Certes. Mais alors pourquoi se sentait-il si mal ce matin ?

Il refoula son sentiment de culpabilité, mais sitôt qu'ils reprirent leur marche, le silence aidant, il repensa à la nuit qu'ils avaient passée dans les bras l'un de l'autre. Il revit le plaisir qu'il avait pris, celui qu'elle lui avait donné, et à plusieurs reprises, car tous deux avaient été insatiables, jusqu'à ce que l'épuisement ait raison d'eux. Ils s'étaient endormis juste avant l'aube.

Quand il s'était réveillé, le jour se levait, et il s'était fait violence pour ne pas la reprendre dans ses bras et de nouveau lui faire l'amour. S'il n'avait pas cédé à son impulsion, c'était parce qu'il avait gardé leur priorité en tête : quitter ces montagnes, fuir devant l'ennemi.

Il serra les dents et s'efforça de se concentrer sur sa mission. En vérité, tout ce dont il avait besoin, c'était d'une douche glacée pour cesser de penser à son seul désir. Une obsession.

Jessica.

Jessica marchait derrière Ryan. Entre eux, plus rien n'était pareil, se répétait-elle. Du moins, en ce qui la concernait… S'ils quittaient ces montagnes sains et saufs, Ryan reprendrait son travail à l'United States Marshals Service et le cours de sa vie.

Sans regret.

Pas comme elle.

Il ne lui avait pas laissé le moindre espoir, la plus petite illusion. Sa famille comptait plus que tout au monde, elle l'avait compris bien avant qu'il ne lui en fasse la déclaration, quelques heures plus tôt. Elle ne pouvait se tromper sur l'amour qu'il éprouvait pour ses parents, ses frères et sœur…

En plus, ils ne se connaissaient pas depuis très longtemps : dans ces conditions, il ne pouvait déjà l'aimer, après l'avoir si longtemps méprisée, au point de tout quitter pour elle. Non, vraiment, elle ne pouvait lui reprocher sa franchise.

De son côté, en revanche, la situation était différente. Elle avait déjà tout quitté et n'avait jamais eu de famille dont elle aurait été obligée de faire le sacrifice. Si Ryan la choisissait, elle, par amour, il perdrait plus qu'elle n'avait jamais perdu…

A cet instant, Ryan souleva une branche pour lui faciliter

le passage et lui adressa son sourire sexy et si charmant, puis il reprit la tête de leur marche.

Elle soupira et refoula sa mélancolie. Il était plus sage de se concentrer sur leur progression et leur but. Elle ne devait pas se laisser distraire par ses illusions perdues et sa déception… Elle était toujours en danger, devait rester vigilante.

Ils marchèrent pendant toute la journée, jusqu'à ce qu'ils aient atteint une altitude plus élevée, où les températures étaient nettement plus fraîches.

— Le temps passe, s'alarma Ryan, et j'aimerais que nous arrivions sur l'autre versant au plus vite. Tu peux encore tenir le rythme ?

— Ça ira : je suis en pleine forme.

Il l'observa avec attention, comme s'il la soupçonnait de mentir. Elle se força à lui sourire pour lui masquer sa lassitude et sa détresse croissantes. Sa fatigue n'était rien en comparaison de son mal-être. Mais si jamais il devinait qu'elle était tombée amoureuse de lui, qu'elle se sentait désormais misérable et malheureuse, déjà nostalgique, il aurait pitié d'elle, et elle n'en supportait même pas la pensée.

Dans son sommeil, Jessica murmura quelques mots que Ryan ne comprit pas.

Ils s'étaient arrêtés pour manger. Et, après avoir fait un repas frugal de viande séchée et de crackers qu'il avait trouvés dans le chalet et emportés, Jessica avait posé la tête sur ses genoux et s'était endormie.

Comme elle était épuisée, il avait décidé de la laisser dormir avant de gagner le lieu de rendez-vous qu'il avait fixé avec Stuart, la veille au soir lors de leur arrivée dans le refuge.

De nouveau, Jessica murmura dans son sommeil.

— Qu'est-ce que tu dis, mon cœur ? s'enquit-il.

Puis il caressa son front.

— Réveille-toi, Jessie. Nous devons reprendre notre marche.

Elle soupira, ouvrit les yeux et se redressa péniblement.

— Pour aller où ? maugréa-t-elle.

Rassurant, il entrecroisa ses doigts aux siens et les lui serra.

— Pendant que tu prenais ta douche, hier soir, j'ai appelé mon ami Stuart : il va venir nous chercher. Nous devons continuer vers le nord, où nous rejoindrons une petite route. C'est là que nous nous sommes fixé rendez-vous.

— J'imagine que ce lieu n'est pas à cinq minutes de marche ?

Il effleura ses lèvres.

— Nous sommes encore loin du but, concéda-t-il.

— Alors, allons-y ! soupira-t-elle. Tout de suite.

— Prête à reprendre la route ?

— Non. Mais ai-je le choix ?

Le lieu de rendez-vous avec Stuart semblait se trouver au bout du monde, s'agaça Jessica.

Elle ne voulait même plus demander à Ryan quand ils l'atteindraient, tant elle redoutait sa réponse. Il marchait un peu plus lentement, sans doute pour la ménager, mais il gardait un rythme soutenu.

— Je vais sur la pointe du piton rocheux, juste là-bas, lui dit-il soudain, en le lui montrant. J'aimerais que tu restes à proximité.

Elle opina. Sa docilité l'étonnait elle-même. Lui avait-il jeté un sort ? Sans doute…

Frissonnant de fatigue, elle s'assit et ferma les yeux, tandis que Ryan s'éloignait et observait les environs avec ses jumelles.

Quand il revint et lui toucha l'épaule, elle tressaillit et ouvrit les yeux.

— *Sugar* ! Tu m'as fait une de ces peurs ! s'exclama-t-elle.

Il ne lui répondit pas et ne la taquina pas non plus. Il passa un bras autour de ses épaules.

— Que se passe-t-il ? demanda-t-elle, alarmée.

— Il y a un autre homme, lui révéla-t-il brusquement. Il progresse très vite, et ça n'est pas un simple touriste. Il est agile. Dangereux. Nous devons filer.

16

Ryan ne cessa de marcher que lorsqu'ils eurent atteint un amas de grosses roches. Il voulait mettre Jessica à l'abri pour aller à la rencontre de leur nouvel assaillant et l'affronter.

Il saisit le bras de Jessica et, ignorant ses protestations, lui montra les roches.

— Tu vas te cacher là. Je te laisse le sac à dos, dit-il en joignant le geste à la parole. Je reviens vite. Surtout, ne fais pas de bruit, ne bouge pas. Et puis, écoute-moi bien, Jessie… Mon Smartphone est dans mon sac à dos. Tu n'as qu'à y introduire la batterie. Si je ne suis pas de retour dans une demi-heure, tu appelles Stuart. Appuie sur le 1 : c'est la touche raccourci pour le joindre. Mon Smartphone a aussi un GPS intégré. Tu lui transmettras donc les coordonnées GPS d'ici, et il viendra te chercher.

— Comment ça : si tu n'es pas de retour ?

Elle semblait paniquée, et il détestait cela, mais il n'avait pas le temps de la rassurer.

— Tout ira bien. Appelle Stuart seulement si la situation tourne mal.

— Tu vas me laisser seule ?

Il se tendit un peu plus.

— Je n'ai pas le choix. Mais je reviens vite.

Il lui serra la main puis s'éloigna.

Restée seule, Jessica, à la fois furieuse et terriblement angoissée, se blottit derrière la plus grosse des roches. Que Ryan veuille la protéger, elle le comprenait tout à fait. Mais elle n'allait pas non plus rester là, à se tourner les pouces pendant qu'il était en danger !

Elle allait l'aider, qu'il le veuille ou non.

Ryan épongea son front en sueur et reprit position face à son assaillant dont la lèvre avait éclaté et saignait abondamment. Tous deux étaient littéralement rentrés en collision, et ni l'un ni l'autre n'avait eu l'occasion ou le temps de sortir son arme.

— Qui êtes-vous ? demanda Ryan à son adversaire, en lui décochant un coup dans la mâchoire qui le fit vaciller. Vous travaillez pour qui ?

L'inconnu le dévisagea avec une grimace et le chargea avec une telle violence que Ryan chancela. Mais il reprit son équilibre et bondit sur le tueur, nouant ses mains autour de sa gorge.

— Lâchez-le !

C'était la voix de Jessica. Ryan se figea.

Elle était toute proche et brandissait son canif.

L'homme eut un sourire mauvais et fit un pas dans sa direction.

— Recule ! hurla Ryan.

Mais c'était déjà trop tard. D'un geste aussi souple que rapide, l'homme venait de lui passer le bras autour du cou et sortait son arme.

Ryan resta immobile tandis que l'inconnu, sans lâcher Jessica, braquait son arme sur lui.

— Reculez ! lui ordonna le tueur, le regard empli de haine et de détermination.

Ryan obtempéra en évitant de regarder Jessica, pour ne pas être démobilisé par son regard sans doute terrorisé. Il avait besoin de se concentrer et de trouver le point faible de leur assaillant.

— N'approchez pas ! lui intima de nouveau ce dernier en pressant plus fort son bras contre la gorge de Jessica.

— Lâchez-la ! répéta Ryan, tout en levant les bras en signe de reddition.

L'homme parut détendre sa pression autour du cou de Jessica. Elle reprit son souffle. Ryan risqua alors un regard sur elle : elle était complètement paniquée.

— Qu'est-ce que vous voulez ? lança Ryan, pour gagner du temps.

En son for intérieur, il fulminait contre l'imprudence de Jessica. Quelle mouche l'avait piquée ?

L'inconnu gardait son arme braquée sur lui mais, tout à coup, poussa un hurlement terrible et leva le bras. Simultanément, un coup partit de son arme qu'il lâcha.

Jessica avait réussi à lui planter son canif, qu'elle n'avait pas lâché, dans l'avant-bras. La lame en émergeait, et le spectacle, si tragique soit-il, avait quelque chose de grotesque, songea Ryan.

Fou de douleur, l'homme maintint Jessica de l'autre bras et la plaqua au sol.

Ryan sortit alors son Glock, mais leur assaillant s'était déjà relevé et disparaissait dans la forêt en tenant son bras blessé.

Avant de le prendre en chasse, Ryan se précipita auprès de Jessica pour s'assurer qu'elle n'était pas blessée. Quand il fut rassuré sur son sort, il se redressa, tira dans la direction de la forêt et se lança à la poursuite de l'inconnu.

— Ryan ! l'appela Jessica.

Il se retourna et s'immobilisa : elle courait dans sa direction.

— Laisse-le ! lui intima-t-elle. Il est déjà loin, et la colère va te rendre imprudent ! En plus, il a peut-être un complice qui va te prendre en embuscade. Il vaut mieux disparaître et prendre de l'avance !

Ryan modéra sa rage : Jessica avait raison. Charger dans ces bois, en abandonnant Jessica momentanément à son sort et au risque de tomber dans un piège, était dangereux.

Il soupira.

— Qu'est-ce qui t'a pris de venir me rejoindre ? Il aurait pu te tuer ! Et si la lame avait dérapé…

Il ferma les yeux et prit une grande inspiration. Quand il les rouvrit, il n'avait toujours pas contrôlé sa colère.

— Ne recommence jamais, tu m'entends !

L'attirant à lui, il l'embrassa à perdre haleine pour se rassurer et décharger la violence de ses émotions. Puis, il la lâcha, haletant, à regret : il ne devait pas s'emporter ainsi.

— Je n'oublierai jamais la vision de cet homme te menaçant…

— Moi non plus, murmura-t-elle, tout aussi essoufflée. Je suis désolée de m'en être mêlée… Je pensais que tu aurais besoin de moi, mais j'ai seulement tout compliqué.

Il la serra ardemment dans ses bras.

— Si jamais tu te retrouves dans cette situation, je te supplie de ne pas utiliser un canif. Il y a des prises que je t'apprendrai… Mais plus jamais une seule initiative de ce genre ! Il faut vite retourner vers les roches, aller chercher mon sac à dos.

Soudain, il lui sourit.

— J'ai beau être furieux, tu es étonnante, Jessica !

Et il la prit par la main.

De longues heures plus tard, Jessica sortit de la forêt avec Ryan. Ils arrivèrent sur une piste assez large, destinée sans doute aux gardes forestiers. Une voiture noire était garée sur le bas-côté.

Ryan sortit son arme et la braqua vers la forêt, tout en poussant Jessica vers le véhicule.

— Monte ! Vite !

Simultanément, la portière de derrière s'ouvrit et un homme l'aida à monter, puis referma la portière.

— Vous devez être Jessica ? lui demanda l'inconnu. Stuart Lanier. Ravi de faire votre connaissance.

Elle le dévisagea, troublée.

— Nous nous sommes déjà rencontrés ? C'est bizarre, mais j'ai l'impression de vous avoir déjà vu quelque part…

Stuart Lanier lui passa la ceinture de sécurité.

— Vous flirtez déjà ? Inutile… je vous suis déjà tout acquis, ma belle.

Il lui adressa un clin d'œil avec un sourire qui, cependant, n'atteignait pas son regard. Puis, il sortit de la voiture pour se réinstaller derrière le volant tandis que Ryan ouvrait la portière côté passager.

— *Go !* lança celui-ci.

Jessica fut réveillée par le bruit des voix étouffées de Ryan et Stuart. Il faisait nuit, maintenant. La voiture cahotait sur la même petite route de montagne réservée aux véhicules tout-terrain des gardes forestiers.

— On y est presque, lui annonça Ryan.

— Où ? s'enquit-elle, en s'étirant et regardant par sa vitre de portière.

Il faisait si sombre qu'elle ne voyait goutte.

— Au motel.

Il sourit.

— Ça n'est pas le Hyatt, mais c'est mieux qu'une grotte…

— Du moment qu'il y a un lit et tout le confort moderne !

Sur ces mots, elle se pencha entre les sièges avant et observa Stuart.

— Vous êtes déjà venu à New York ?

Il haussa les sourcils et lui sourit.

— Vous essayez de nouveau de flirter ?

— *De nouveau* ? répéta Ryan, les regardant tour à tour.

— Jessica a l'impression de m'avoir déjà vu quelque part, expliqua Stuart.

— Si vraiment on s'est rencontrés, ça me reviendra, promit Jessica. Je n'oublie jamais un visage !

— Je doute que vous ayez déjà engagé un homme de

Security Services International ? C'est le nom de ma société de sécurité privée.

Jessica secoua la tête.

— Désolée. Je n'en ai jamais entendu parler.

— Je vous donnerai ma carte de visite tout à l'heure. Peut-être nous sommes-nous rencontrés en Afghanistan ? la taquina-t-il. Cela dit, si vous aviez compté parmi nos hommes de l'Army Special Forces, je suis presque certain que je l'aurais remarqué.

— Une équipe de douze rangers, précisa Ryan. Stuart faisait partie de mon unité : il était mon sergent du génie.

— Spécialiste des explosions, ajouta Stuart en lui adressant un regard charmeur.

Un silence tomba.

— Et maintenant ? Qu'allons-nous faire ? demanda Jessica.

— Stuart restera avec toi au motel pendant que, moi, j'irai à la pêche aux informations, dit Ryan.

— Non, répliqua-t-elle.

— Comment ça, non ? s'écria Ryan, incrédule.

Comme d'habitude, il ne supportait pas qu'on manque à son autorité, songea-t-elle.

— C'est ma faute si on se retrouve dans cette situation ! Je veux contribuer à l'effort général ! lança Jessica, consciente d'être grandiloquente.

— La dernière fois que tu as voulu contribuer, comme tu le dis, tu as failli être tuée !

— Mais en même temps je t'ai sauvé la vie.

— Je me serais volontiers passé de ton intervention au beau milieu de la bagarre ! répliqua Ryan.

Jessica croisa les bras.

— Je regrette que tu sois aussi orgueilleux. Il faudrait que tu apprennes à recevoir, pas seulement à donner !

Elle s'adressa ensuite à Stuart.

— A moins qu'il ne refuse de se faire aider par des femmes ?

— Il n'y a rien de mal à vouloir plutôt les protéger ! insista Ryan.

Elle leva les yeux au ciel.

— On fera comme j'ai dit ! reprit-il. De plus, Stuart et moi, on se connaît depuis des décennies. On forme une bonne équipe.

— Pas nous ?

Il lui déroba son regard.

— Je n'ai jamais dit une chose pareille, bougonna-t-il.

— Mais c'est ce que j'ai entendu.

Sur ces mots, elle croisa les bras, refrénant son désir de donner un petit coup de pied dans le siège passager.

— Ryan, tu devrais être plus indulgent avec Jessica, intervint Stuart, en lui adressant un sourire d'excuse dans le rétroviseur… N'oublie pas les épreuves par lesquelles elle est passée.

— Trêve de discussions ! Conduis-nous au motel ! coupa Ryan, l'air excédé. Et puis, ralentis, s'il te plaît. Je ne veux pas attirer l'attention de la police locale.

— Pas la peine de nous rendre dans un motel ! les interrompit tout à coup Jessica alors que Stuart prenait l'autoroute. C'est une perte de temps. Allons plutôt dans un magasin d'informatique. Tout ce qu'il me faut, c'est un ordinateur !

— Pourquoi ? s'enquit Ryan

— Je ne suis pas seulement comptable, je suis aussi un as de l'informatique ! Une geek, comme je te l'ai dit ! Pirate informatique à mes heures. C'est de cette façon que je suis entrée en contact avec le FBI : par le biais du site du département de la Justice. J'ai laissé des e-mails. Je ne pouvais pas utiliser mes messageries personnelle et professionnelle : l'équipe de sécurité de DeGaullo nous surveillait, vérifiait nos e-mails tous les jours.

Ryan pinça les lèvres. Cet aveu, dont il n'avait pas eu connaissance, lui déplaisait, comprit aussitôt Jessica. Cette subite méfiance la ramena alors aux premiers temps de leur relation et la mit très mal à l'aise.

— Cela n'explique pas pourquoi tu as besoin d'un magasin d'informatique, reprit Ryan plus froidement.

— Pour me procurer un ordinateur ! Je peux pirater le site du département de la Justice et, de là, le FBI et l'United States Marshals Service, puis consulter les fichiers du programme WitSec pour savoir qui a eu accès à mon dossier. L'un des noms t'évoquera peut-être quelque chose, et nous découvririons le traître ?

Ryan lui lança un regard dur, puis se détourna. Jessica déglutit, le cœur serré. En révélant qu'elle avait fait du piratage informatique, elle avait réduit à zéro tous les progrès qu'elle avait réalisés avec Ryan au cours de ces derniers jours. Il était pourtant son seul véritable allié, le seul en qui elle avait confiance…

— Vous pouvez vraiment savoir qui a eu accès aux fichiers du programme WitSec ? s'étonna Stuart.

— Oh oui !

Il haussa les sourcils.

— Alors vous devez être douée.

— Je viens de vous dire que j'étais un as de l'informatique ! répéta-t-elle.

— Vous pourriez peut-être travailler pour ma société ? Ça m'intéresserait.

— Le piratage informatique est puni par la loi, lâcha soudain Ryan sans les regarder.

Stuart haussa les épaules.

— Bon, je vais le formuler autrement : je pourrais avoir besoin d'un bon informaticien.

Il adressa un clin d'œil à Jessica et lui sourit.

Elle l'ignora et jeta un œil à Ryan : il avait toujours l'air tendu et glacial.

— Je vais vous laisser au motel, me procurer un ordinateur portable et vous le rapporter, conclut Stuart.

Il consulta l'heure sur le tableau de bord.

— Encore une petite heure de route, puis une nuit de repos jusqu'à l'ouverture des magasins : je serai de retour au motel demain vers 11 heures, midi au plus tard.

— D'accord, laissa tomber Ryan froidement.

17

Ryan lui ouvrit la porte de leur chambre et s'effaça devant elle. Il n'avait guère parlé depuis qu'elle avait mentionné ses dons de pirate informatique. Et, même s'il avait consenti, à contrecœur, au plan de Stuart, il n'avait pas donné son accord pour qu'elle pirate le site internet du département de la Justice.

Elle avança dans la pièce.

Leur chambre était petite, mais propre. Elle semblait même avoir récemment été rénovée, mais il y avait deux lits jumeaux. Ils n'avaient plus besoin de partager leur couche, et elle le regrettait. Elle en avait pris l'habitude au cours de ces deux dernières nuits, la toute dernière surtout... La pensée de dormir seule lui donnait un terrible sentiment de vide et de solitude. Pourtant, Ryan serait encore à proximité. Elle n'osait penser à ce qu'elle ressentirait au moment de leur séparation définitive et inévitable...

— Un problème ? lui demanda-t-il.

— Non. Rien. Je vais prendre une douche.

Il la suivit dans la salle de bains, où il posa le sac rempli de vêtements propres que Stuart leur avait apportés.

— Ah... Merci, fit-elle.

Il se détourna et sortit sans un mot.

Elle se posait tant de questions qu'elle n'apprécia pas sa douche autant qu'elle l'aurait souhaité. Etait-elle en sécurité dans ce motel ? Les y avait-on suivis ? Surtout une question, qui n'aurait pas dû être prioritaire mais supplantait toutes les autres, revenait avec insistance : sa liaison avec Ryan était-elle terminée avant même qu'ils ne se séparent pour toujours ?

Mais à quoi bon s'interroger sur le temps que durerait leur histoire ? Ryan avait été très clair : ils n'avaient aucun avenir ensemble. Pourtant, elle aurait donné tout, n'importe quoi, pour de nouveau voir le désir briller dans son regard et revivre leur complicité. Et de là, se leurrer pendant encore quelque temps en se disant qu'il tenait à elle…

Comme elle n'avait pas de chemise de nuit et voulait garder son seul T-shirt de rechange propre pour le lendemain, elle s'enveloppa dans une grande serviette et sortit de la salle de bains. Elle se glisserait entre les draps du lit le plus proche.

Dans leur chambre, Ryan lisait un journal qu'il avait pris dans le hall d'entrée. Il le baissa et la scruta des pieds à la tête. La froide indifférence qui durcissait ses prunelles bleues fut aussitôt remplacée par une flamme ardente. En dépit de son épaisse serviette de bain, Jessica se sentit comme nue.

Elle se glissa sous la couette et jeta sa serviette, de plus en plus mal à l'aise sous le regard fixe de Ryan.

— Il reste encore beaucoup d'eau chaude, lui dit-elle pour rompre le silence devenu gênant.

Il opina, déposa le journal sur la table de nuit et se rendit dans la salle de bains, refermant la porte avec fermeté.

Ryan laissa l'eau chaude couler sur son dos en repensant à la douche de la nuit de l'incendie, trois jours plus tôt. A ce moment-là, des images de Jessica traversaient son esprit, le brûlant plus que l'eau.

Déjà, il exécrait l'attirance qu'il éprouvait envers elle, parce qu'il la méprisait. Mais, maintenant, il en était arrivé au point où il ne pouvait pas la regarder sans ressentir des émotions incompréhensibles dont il redoutait les conséquences. Jamais une femme ne l'avait autant remué.

Après avoir entendu le récit des épreuves par lesquelles elle était passée, il s'était convaincu qu'elle avait, finalement, les mêmes valeurs que lui. Jessica avait travaillé pour un patron de la mafia par hasard, pas par choix. Elle avait pris contact avec le FBI pour que justice soit faite, même s'il avait fallu du temps pour qu'elle en trouve le courage.

Mais, tout à l'heure dans la voiture, il avait été consterné par son enthousiasme quand elle avait exprimé la possibilité de pirater le site du département de la Justice et de l'United States Marshals Service, puis avait ensuite tenté de les convaincre, lui et Stuart, d'accepter son plan.

Il serra les poings. Le respect envers la justice, la loi et l'ordre public lui avait été instillé dès l'enfance. Les enfreindre, c'était enfreindre des valeurs fondamentales. Jessica évoluait dans des zones de non-droit, cela lui déplaisait.

Il n'aimait pas du tout son idée, et il n'était pas sûr de consentir à la laisser pirater le site d'un organisme gouvernemental.

Il ferma le robinet et posa ses paumes sur le carrelage. La douche n'avait pas réussi à l'apaiser. Il avait beau être furieux contre Jessica, il la désirait plus qu'il n'avait jamais désiré aucune autre femme.

Elle était dans la pièce voisine. Une simple cloison les séparait l'un de l'autre, mais la distance à franchir pour la rejoindre semblait plus insurmontable que jamais.

Soucieux, il ceignit ses hanches d'une serviette de toilette, éteignit la lumière, puis revint dans leur chambre : Jessica s'y était déjà endormie.

Il en ressentit à la fois du soulagement et de la déception, tandis qu'il la contemplait : sa poitrine se soulevait au rythme de son souffle. Soudain, elle se tourna sur son autre flanc, et le drap glissa, révélant la naissance de sa gorge.

Il remonta le drap avec le plus de précaution possible, mais ne résista pas au désir de lui effleurer les lèvres. Là-dessus, il vérifia la porte de leur chambre : elle était verrouillée, et la chaise en bloquait bien la poignée.

Enfin, il posa son arme sur sa table de nuit et éteignit la lumière, résolu à ne pas penser à la belle jeune femme, si désirable, qui dormait dans l'autre lit.

Le vent soufflait une pluie diluvienne, tandis qu'elle descendait avec Ryan les escaliers du palais de justice. Le tonnerre retentissait, des éclairs sillonnaient le ciel et révélaient la silhouette du monospace noir qui les attendait. Ce monospace l'inquiétait inexplicablement, et elle le dit à Ryan, mais ses mots furent emportés par le vent.

Une violente explosion la plaqua au sol, et il la protégea de son corps. Elle essaya de crier, mais son poids l'en empêchait. Elle lutta pour s'en libérer.

— Jessica, réveille-toi ! Tout va bien !

Elle ouvrit les yeux et fixa, dans la plus grande confusion, l'homme, du moins la silhouette, qui se penchait sur elle, dans la nuit, et lui enserrait les poignets.

— Jessie, c'est moi : Ryan. Parle-moi !

— Ryan ?

Elle cilla, essayant d'adapter sa vision à la pénombre.

— C'est… toi ? Que… se passe-t-il ?

Il soupira et posa son front contre le sien, relâchant ses poignets.

— Tu as fait un cauchemar.

— Vraiment ?

— Tu l'as déjà oublié ?

Elle allait nier, mais le grondement du tonnerre s'éleva dehors, et elle se souvint, frissonnante.

— L'explosion à la voiture piégée devant le palais de justice…

Elle se remit à trembler convulsivement. Ryan roula sur le côté et posa son coude sur l'oreiller.

— Tu as envie de m'en parler ?

— Non.

— Veux-tu regarder la télévision pour te changer les idées ?

— Non… je veux seulement… je veux que tu restes près de moi, d'accord ?

Il sembla hésiter, sur le point de refuser. Mais il l'embrassa plus tendrement qu'il ne l'avait jamais embrassée, et s'allongea plus confortablement à ses côtés. Il était tout proche, elle était enveloppée par sa présence rassurante. Il prit sa main et entrecroisa les doigts avec les siens. Elle soupira, et son pouls s'accéléra. Toute l'énergie de son corps semblait converger et se concentrer sur la chaleur de sa main.

Le tonnerre s'éloigna, et il n'y eut plus que le souffle calme de Ryan.

— Ryan ? Tu dors ?

Il lui serra la main.

— Non. Et toi, Jessie ?

— Trop d'émotions, j'imagine. Et toi ?

Il hésita.

— Afflux d'émotions aussi : le souvenir d'une autre mission.

— Quand tu étais ranger ?

— Oui. La toute dernière.

Il caressa son bras d'une main absente.

— Et aussi la plus dramatique.

— Que s'est-il passé ?

Il esquissa un geste qu'elle ne comprit pas. Elle craignit qu'il ne se lève et regagne son lit. Au contraire, il l'attira contre lui et l'embrassa sur le front.

— Je n'ai pas le droit d'en parler, nos missions sont secrètes.

— Alors passe sur les détails logistiques et résume le reste.

Il poussa un gros soupir et l'enlaça.

— L'un de nos informateurs, Aamir, nous a trahis. Je

pensais que c'était mon ami. Nous collaborions depuis des années : il me fournissait des informations toujours fiables sur les activités terroristes de la région, du moins, jusqu'à notre dernière mission… Quatre hommes y ont trouvé la mort dans une embuscade : c'est alors que je me suis rendu compte que nous avions un traître dans nos rangs.

Il se tut. Elle caressa sa main, toujours sur sa taille, le poussant à lui faire confiance et continuer son récit.

— Stuart et moi, nous avons tendu un piège à Aamir en lui fournissant des informations erronées. Aamir a trahi ces informations, et nous sommes tombés dans une embuscade. Seulement, cette fois, nous étions organisés, parés, et personne n'y a perdu la vie ! Sauf Aamir. Il a été touché pendant l'échange de coups de feu qui s'en est suivi. Je lui ai porté secours, et j'ai essayé d'interrompre son hémorragie, mais c'était déjà trop tard. Avant de mourir, Aamir m'a confié qu'il ne m'avait jamais trahi.

— Tu ne l'as pas cru ?

— Non. Stuart et moi, nous étions les seuls à savoir que les informations que nous lui avions confiées étaient fausses !

Sur son bras, sa caresse avait la douceur d'une plume et la faisait frissonner. Mais sa caresse devint aussi plus insistante, allumant des traînées de feu à fleur de peau.

— Je lui faisais confiance, poursuivit-il. Je lui ai fait confiance pendant plus de deux ans, mais même au moment de mourir il a menti ! Encore maintenant, je n'arrive toujours pas à comprendre ! Avait-il des complices ? Sans doute. Stuart et moi, nous avons examiné les éléments en notre possession, essayé de remonter les filières. En vain. Mais je n'ai jamais lâché prise. Je dois découvrir toute la vérité, le vrai responsable : je le dois aux quatre marines qui ont perdu la vie. J'ai finalement confié cette enquête à la société de Stuart.

La douleur qui imprégnait sa voix était déchirante. Elle fit volte-face et le serra contre elle.

— Je suis désolée.

Il la regarda au fond des yeux, la pressa dans ses bras et, soudain, s'empara de ses lèvres avec une avidité qui la surprit. Mais elle répondit volontiers à ses baisers impétueux : l'amour seul pouvait mettre sur ses tourments un peu de baume.

— Tu vas dormir toute la journée ? lui demanda-t-il.

— Laisse-moi ! marmonna Jessica en refermant les yeux, puis rejetant la main de Ryan sur son épaule.

Elle détestait les gens qui étaient en forme dès le matin. Comment Ryan pouvait-il être aussi joyeux alors qu'ils étaient épuisés, après avoir fait l'amour jusqu'au petit matin ?

Il laissa retomber sa main, et elle sourit béatement, se pelotonnant sous ses couvertures pour de nouveau sombrer dans le sommeil. Mais Ryan poussa un gros soupir, comme s'il était très déçu.

— Quel dommage ! J'imagine que je vais devoir prendre seul ce délicieux petit déjeuner. Omelette au jambon et au fromage, pancake et bacon, jus d'orange fraîchement pressé…

Au même instant, l'odeur du bacon lui chatouilla les narines. Elle cligna les yeux : Ryan, assis sur le lit, agitait un morceau de bacon frit sous son nez. Elle s'en empara sans autre forme de procès et le mangea avec délectation.

— Un délice, confia-t-elle ensuite.

Ryan sourit.

— J'étais certain que tu aimerais avoir un petit déjeuner conventionnel après des barres de céréales et du lapin rôti.

Elle lui sourit à son tour et le fixa plus attentivement. Il s'était rasé : sa barbe de deux jours lui donnait l'air d'un aventurier, mais son visage glabre atteignait une perfection qui n'était pas non plus déplaisante.

— Je n'arrive pas à croire que tu me réveilles aussi tôt. Quelle heure est-il ?

— Je ne te savais pas aussi grognon de si bon matin.

— C'est parce que je suis fatiguée…, confia-t-elle en se redressant. Il faut dire, je n'ai pas beaucoup dormi, cette nuit.

Elle rougit, comme si elle avait exprimé quelque pensée concupiscente.

Un sourire sexy illumina le visage de Ryan. Il ne fit aucun commentaire, mais se leva pour prendre le plateau sur son lit et le posa devant elle.

— Des assiettes ? Des couverts ? Je suis confondue ! s'exclama-t-elle.

— Tu me remercieras plus tard, à ta façon…

Il lui adressa un regard salace qui la fit éclater de rire. Elle aimait sa légèreté, si rare.

Elle porta la fourchette à sa bouche et poussa un gémissement de bonheur.

— Tu ne manges pas ? lui demanda-t-elle ensuite.

— Je préfère te regarder : c'est plus amusant.

— Mais tu me gênes ! Mange !

— Alors si tu insistes…

Elle déplaça le plateau pour lui faire de la place sur le lit. Il prit un morceau de bacon dans son assiette et le porta à sa bouche

— Non, non, laisse-moi faire ! déclara-t-elle, mue par une inspiration.

Elle piqua un peu d'omelette avec sa fourchette et se pencha vers lui, approchant la fourchette de ses lèvres. Il s'empara de la bouchée avec délectation en fermant brièvement les yeux. Puis il s'humecta les lèvres avec gourmandise, cette fois en la regardant bien en face. Galvanisée par sa sensualité, elle répéta son geste par deux fois.

Puis ce fut au tour de Ryan de lui donner la becquée. Avec une grande douceur, il lui passa le pouce entre les lèvres, les entrouvrant sensuellement pour y introduire la fourchette. Elle ferma les yeux tandis que sa bouche se refermait sur la meilleure omelette qu'elle ait jamais dégustée, les rouvrit et croisa ses prunelles bleues, brillantes.

Brûlantes.

Il prit cette fois une tranche de bacon croustillant, qu'il lui tendit. Elle s'inclina lentement pour la happer. Quand il renouvela son geste, elle secoua la tête négativement

— Tu n'en veux plus ? demanda-t-il d'une voix rauque.

— Non.

— Et de l'omelette ?

— Non plus.

Il fixa sa bouche.

— Alors un morceau de pancake ?

— Pas davantage.

Il posa le plateau sur la table de nuit, sans la quitter des yeux

— Que veux-tu ?

— Toi. Je ne veux que toi.

— J'ai cru que tu ne finirais jamais par le dire.

Jessica ouvrit les yeux et étouffa un cri en voyant l'heure sur le réveil : il était plus de 11 heures ! Stuart avait dit qu'il reviendrait au plus tard à midi, et elle n'était pas prête. Elle roula sur le flanc tandis que Ryan se levait, nu, pour se rendre à la salle de bains. Il était à l'aise avec sa nudité, mais son corps était si parfait…, songea-t-elle, tandis qu'elle le suivait des yeux en frissonnant de volupté. C'était la première fois qu'elle le voyait nu dans la lumière du jour, et le spectacle si délectable de ses muscles la laissa rêveuse.

Quand il sortit de la salle de bains, elle le contempla de la tête aux pieds et sourit : il était de nouveau excité. Il lui adressa l'un de ses sourires désarmants.

— J'aimerais rester au lit avec toi pendant toute la journée, Jessie, mais nous avons beaucoup à faire. Cependant…

Il rejeta la couette. Elle poussa un cri de surprise quand il la souleva dans ses bras.

— Mais… qu'est-ce que tu fais ? demanda-t-elle en nouant ses bras autour de son cou à la hâte, ses seins contre son torse.

— J'adore quand tu rougis ! lâcha-t-il. Tu deviens toute rose… de la tête aux pieds !

Elle leva les yeux au ciel. Il éclata de rire et la porta dans la salle de bains où il la déposa après un bref baiser.

— Je te laisse seule cinq minutes, ensuite je viendrai prendre une douche.

— Cinq minutes ? Je ne peux pas me doucher aussi vite ! Il m'en faut au moins cinq pour me laver seulement les cheveux !

— A vrai dire, je n'ai pas l'intention de prendre ma douche seul, annonça-t-il avec un regard sans ambigüité sur son sexe toujours gonflé.

Sur ces mots, il referma la porte.

Jessica resta immobile, sidérée et troublée. Il envisageait vraiment de se doucher avec elle ? Au cours de ces derniers jours, elle avait fait plus de choses avec lui qu'elle n'en avait fait avec aucun autre homme, et jamais encore elle n'avait pris une douche à deux. Elle observa le bac, qui lui sembla bien étroit, et réfléchit.

La voix de Ryan soudain lui parvint.

— Plus que quatre minutes !

Elle ouvrit de grands yeux et commençait de se brosser les dents quand il ouvrit la porte.

— Délai écoulé !

— Mais… je n'ai pas fini…, balbutia-t-elle.

— Désolée, ma belle, mais je ne comprends pas un mot de ce que tu viens de me dire : ta bouche est pleine de dentifrice, la taquina-t-il, en tournant le robinet de la douche.

A peine se fut-elle rincé la bouche qu'il la prit par la main et la fit monter dans le bac.

— Ryan ! Il n'y a pas assez de place pour deux !

Il la plaqua contre lui et, quand son sexe dur se colla contre son ventre, elle se tut et s'offrit à ses mains et ses lèvres.

— Si. Je vais te montrer ce qu'on va faire, et comment.

Ce qu'il fit sans tarder.

18

Ryan referma son Smartphone, en retira la batterie, puis les rempocha.

— Stuart ne répond toujours pas ? s'enquit Jessica, inquiète.

— Non. Il a dû se passer quelque chose…

— Il est peut-être sur la route et a pris du retard ?

Ryan tourna les yeux vers le réveil sur la table de nuit, sourcils froncés. Enfin, il enfila le sac à dos.

— Tant pis. On y va ! Nous sommes restés ici trop longtemps. Nous devons trouver un autre motel.

— Il nous faut aussi une voiture…, reprit-elle en sortant.

— J'ai du liquide. Beaucoup. Nous allons appeler un taxi, mais de la réception du motel. Ensuite on avisera.

Ils n'avaient parcouru que quelques kilomètres en taxi quand Ryan demanda au chauffeur de prendre la prochaine sortie et de se garer sur le parking d'une société de location de voitures, à proximité.

Jessica l'attendit ensuite dans le taxi. Le temps lui parut bien long, et elle s'inquiétait de son absence prolongée quand une BMW noire aux vitres teintées s'approcha du taxi. Ryan en sortit. Il paya le chauffeur et ouvrit la portière de la BMW à Jessica.

— J'aimerais prendre le volant, si ça ne t'ennuie pas, dit-elle, en caressant le capot de la voiture.

— Pas moi. Tu m'as confié que tu ne savais conduire que les automatiques.

Elle en convint, surprise qu'il s'en souvienne. A peine avait-elle pris place qu'il démarra.

— Tu as payé cash, mais j'imagine aussi que tu as évité de montrer ton permis de conduire pour ne laisser aucune trace ? Comment t'es-tu débrouillé ?

— J'ai inventé une histoire.

— Ah. J'imagine que tu as eu une femme comme interlocutrice ?

— Oui. Pourquoi ?

— Tu as flirté avec elle.

Il leva les yeux au ciel, puis regarda dans le rétroviseur extérieur, accéléra et prit la bretelle d'accès à l'autoroute.

Ils roulèrent longtemps dans le silence. Ryan conduisait bien, elle ne se lassait pas de le regarder. Puis, comme ils passaient devant un centre commercial, elle ne put s'empêcher, avec gêne, de lui poser une question qui lui brûlait les lèvres.

— Allons-nous acheter un ordinateur ?

— Je ne suis pas certain que ça soit la meilleure solution. Trop risqué.

Elle était pourtant capable de pirater un ordinateur sans se faire repérer. Devant sa fin de non-recevoir, la frustration et la lassitude l'envahirent. Elle était fatiguée de fuir, d'avoir peur et d'être jugée.

Elle était aussi fatiguée que Ryan décide sans cesse à sa place.

— Tu as un plan ? demanda-t-elle, en frottant ses paumes sur son jean.

— Pas vraiment.

— Oui ou non ?

— Pourquoi, il y a un problème ?

— Tu n'as jamais songé que je pouvais avoir envie de prendre des décisions parce qu'il s'agit de mon avenir ? N'étions-nous pas convenus que je piraterais le site du département de la Justice et, de là, le site du FBI et de l'United States Marshals Service ?

— Je ne crois pas avoir donné mon accord.

— Tu n'as pas non plus été contre.

— C'était un plan de secours. Bon sang, Jessica, où est le problème ?

— Il n'y a pas de problème.

— Permets-moi d'en douter ! Je te connais bien.

— Vraiment ? Comme tu es présomptueux, Ryan ! Ça n'est pas parce qu'on a couché ensemble que tu me connais.

Il lui adressa un regard étincelant.

— Tu pourrais en venir au fait, au lieu de tourner autour du pot ?

— Tu ne me fais pas confiance, parce que je fais du piratage informatique, voilà ! s'exclama-t-elle.

— Non : je pense que c'est un plan voué à l'échec.

— Alors que proposes-tu ?

— De faire profil bas. Je vais essayer de rappeler Stuart plus tard, et on avisera. Il a peut-être une piste et pourra nous donner des informations de première main.

— Ah oui ? Tu es sûr de pouvoir faire confiance à Stuart ?

Il lui adressa un regard glacial.

— Pardon ? demanda-t-il d'une voix froide.

Elle déglutit : elle était manifestement allée trop loin.

— Rien…, se ravisa-t-elle. J'aurais mieux fait de me taire.

— Oh non ! Tu as commencé, donc tu vas aller jusqu'au bout de ta pensée. Pourquoi devrais-je me méfier de Stuart ? Au fait, et avant que tu ne répondes, nous avons grandi ensemble au Colorado et nous avons fréquenté le même lycée. Nous sommes allés à l'armée ensemble. Alors pourquoi, exactement, devrais-je me méfier de lui ?

Elle hésita un instant.

— C'est juste que… que c'est bizarre.

— Explique-toi ! insista-t-il.

— D'abord, il ne vient pas au rendez-vous convenu et il

ne t'appelle même pas… Ensuite… tu m'as dit que tu avais placé ta confiance dans un certain Ahmal…

— Aamir.

— Oui, Aamir. Tu le connaissais depuis de nombreuses années et il t'a trahi. Je ne suis pas une spécialiste de la question, loin s'en faut, mais j'ai toujours entendu dire que les hommes confessaient leurs péchés pour être en paix avec leur conscience avant de mourir. A quoi bon mentir quand la fin est proche, quand son propre salut est le plus important ? Tu ne trouves pas étrange que ton ami ait affirmé, jusqu'à son dernier soupir, qu'il ne t'avait pas trahi ? Tu as aussi dit que Stuart était le seul à être avisé du piège que vous aviez tendu à Aamir. Et puis, au fait, qui a tué Aamir ? Stuart ?

Ryan serra de nouveau les dents.

Elle n'avait pas besoin d'entendre sa réponse : c'était Stuart qui l'avait abattu.

— Pourquoi Stuart voudrait-il te tuer ? répliqua Ryan. Et d'ailleurs il aurait aisément pu te supprimer, lorsqu'il est venu nous chercher hier soir ! Ou ensuite au motel…

— M'abattre de sang-froid sous tes yeux ? Impossible, voyons ! Il a préféré envoyer des hommes à nos trousses. Lui, il gardait les mains propres, à défaut d'avoir la conscience propre !

A cet instant, Ryan donna un coup de volant et prit la sortie, ignorant les coups de Klaxon qui accompagnaient cette initiative risquée. Jessica n'eut que le temps de s'agripper à son siège. Elle avait été bien mal inspirée de lui exprimer le fond de sa pensée pendant qu'il conduisait, s'agaça-t-elle intérieurement.

Ryan prit une petite route, ralentit sur le bas-côté et coupa le moteur.

— Vas-y. Vide ton sac, mais après je ne veux plus en entendre parler !

Piquée au vif, Jessica se redressa. Sa patience avait des limites, et elle ne supportait plus tant d'arrogance.

— Très bien. Quand j'ai vu Stuart, hier, j'ai eu la conviction de l'avoir déjà rencontré, du moins, de l'avoir déjà vu. Je n'avais guère d'amis, mis à part Natalie, parce que je travaillais beaucoup. Je ne rencontrais que les collaborateurs de DeGaullo. Tu vois où je veux en venir ?

Ryan s'était empourpré, comme s'il était proche de l'explosion.

— Stuart est expert en explosifs, poursuivit-elle. Il a très bien pu en placer sous une voiture banalisée à proximité de sa cible : le monospace qui m'était destiné.

— Tu oses remettre en question la probité d'un ancien gradé de l'armée américaine ! Toi plus que tout autre !

— Oui, moi plus que tout autre : la comptable complice des activités de blanchiment d'un criminel. Mais tu connais mon histoire, mon passé, les choix que j'ai faits et pourquoi je les ai faits. Je pensais que nous n'en étions plus là ! Je pensais que tu comprenais, et que tu commençais à me faire confiance.

— Stuart n'est pas la taupe ! riposta Ryan.

— Oublie Stuart ! Pour le moment, je veux savoir si tu me fais confiance, oui ou non !

Ryan resta silencieux et, au bout d'un long moment, Jessica détourna la tête vers sa vitre de portière. Sa gorge était si serrée qu'elle pouvait à peine respirer. Toujours silencieux, Ryan démarra sur les chapeaux de roues et reprit la direction de l'autoroute.

Le silence s'installa. Jessica pestait intérieurement. Comment avait-elle pu donner son cœur à un homme qui la méprisait à ce point ?

Quand ils s'arrêtèrent pour faire le plein, elle ouvrit sa portière, mais il la retint.

— Où vas-tu ?

— Aux toilettes. J'ai le droit ?

Il observa le parking désert et repéra vite les toilettes des femmes, juste à côté de la petite épicerie en libre-service.

— Si tu n'es pas de retour dans cinq minutes, je te préviens, je pars à ta recherche.

Elle descendit de voiture et claqua sa portière.

Elle n'avait besoin que de trois minutes, mais s'octroya les cinq minutes qu'il lui avait données pour le faire enrager. Elle se lava les mains minutieusement et observa la petite aiguille qui avançait sur l'horloge murale. Enfin, elle étudia ses ongles et s'adossa au lavabo. Une autre minute s'écoula. Au même instant, la porte s'ouvrit sur Ryan. La voyant adossée au lavabo, il pinça les lèvres, et son regard s'assombrit.

Elle ne le croyait pas capable de porter la main sur elle, mais il était tellement blanc de colère qu'elle contint un frisson d'appréhension et se raidit, puis passa devant lui avec le plus de dignité possible. Ryan lui emboîta le pas sans dire un mot.

Quand elle fut remontée dans la voiture, il en claqua la portière avec force. Il démarra et sortit du parking pour reprendre leur route.

Une heure plus tard, il se gara dans le parking d'un hôtel. Ce n'était pas un hôtel cinq étoiles, mais un établissement tout de même plus moderne que le motel de la veille, se réjouit Jessica. Il s'élevait sur quatre étages et, contrairement aux motels, n'offrait aucun accès extérieur aux chambres.

Ryan l'obligea à rester à ses côtés pendant leur enregistrement à l'accueil, comme s'il redoutait qu'elle ne s'éloigne et qu'il ne la perde de vue. Ensuite, ils traversèrent le hall d'entrée et prirent l'ascenseur jusqu'au dernier étage.

Elle le suivit devant une chambre sur laquelle était inscrit : « Suite lune de miel ».

Elle lui adressa un haussement de sourcils interrogateur.

— Désolé, mais c'était la seule chambre disponible, expliqua-t-il. Il y a un séminaire à l'hôtel en ce moment…

La suite nuptiale comportait une kitchenette, un petit salon où trônait une télévision à écran plasma, et une immense chambre à coucher dominée par un lit gigantesque, avec un ciel de lit et des drapés de soie.

Jessica jeta un coup d'œil dans la salle de bains et ouvrit de grands yeux : il y avait un Jacuzzi.

— Si tu veux prendre un bain, profites-en, déclara Ryan. Pendant ce temps, je vais nous commander quelque chose à manger.

Jessica fut si heureuse à la pensée de se prélasser dans un Jacuzzi qu'elle en oublia un instant sa colère contre lui.

— Ça se voit tellement que j'ai envie de prendre un bain ?

— Tu as littéralement gémi de bonheur à la vue du Jacuzzi.

Elle lui sourit, mais il resta sombre. A l'évidence, leur relation en avait pris un coup depuis qu'elle avait parlé de Stuart.

Ryan posa son sac à dos par terre et sortit. Il allait fermer la porte quand elle le rappela.

— Ryan ?

Il hésita.

— Merci…

— Merci ? Pourquoi ?

Pour lui avoir donné un aperçu du véritable amour, car elle n'en aimerait jamais un autre. Elle avait eu la chance, dans son malheur, de ressentir cette puissante émotion une fois dans sa vie, et c'était mieux que rien.

— Merci de m'avoir protégée. Je te dois beaucoup. Plus que je ne pourrai jamais te donner en retour.

Une brève émotion passa dans les yeux de Ryan. De la tristesse ? Ou de la colère ? Elle n'aurait su le dire.

— Cesse de me remercier. Tu ne me dois rien.

Sur ces mots, il referma la porte.

Restée seule, Jessica soupira. Comment leur bonheur s'était-il aussi vite mué en une telle animosité ?

Après avoir rempli le Jacuzzi d'eau bien chaude et de bain moussant — elle avait vidé les petits flacons sur le rebord de la baignoire — elle se glissa dans l'eau avec un plaisir infini et des soupirs de contentement. Elle s'installa confortablement, essayant de se délasser.

Pendant quelques minutes, elle réussit à oublier que l'on cherchait à la tuer et fit même abstraction du regard contrarié et blessé de Ryan, lorsqu'elle avait évoqué ses soupçons concernant Stuart.

Mais, quand l'eau devint plus froide, elle revint à sa dure réalité. Son moment de volupté était terminé... Elle se levait quand on frappa à la porte. Elle n'eut que le temps de prendre un drap de bain et de s'y envelopper.

— Entrez.

Ryan ouvrit et s'adossa à l'embrasure de la porte, bras croisés. Son regard tomba sur la serviette, mais il le détourna vite. Les petites rides d'expression au coin de ses yeux étaient plus marquées qu'à l'ordinaire, nota-t-elle.

— On va suivre ton plan, dit-il enfin d'une voix froide.

19

Sur ces mots, Ryan sortit de la salle de bains.

Pourquoi avait-il changé d'avis ? se demanda Jessica. D'après son regard soucieux et creusé, il devait avoir à son tour des doutes sur Stuart. Dans un sens, elle espérait se tromper, mais c'était peu probable.

Autrefois, Ryan avait été trahi, et manifestement il l'avait été de nouveau, en plus par un ami de longue date, un compagnon d'armes : elle n'osait penser à ce qu'il ressentait.

Une fois qu'elle fut prête, elle sortit de la salle de bains, mais le petit salon et la chambre étaient déserts : Ryan était sorti sur la terrasse arborée. Mains dans les poches, il observait le parking plus bas. Et un ordinateur portable trônait sur la table basse du salon.

Elle décida, dans un premier temps, de rejoindre Ryan sur la terrasse. Il se détourna et posa ses mains sur la balustrade.

— Non ! Rentre tout de suite ! ordonna-t-il au moment où elle allait en franchir le seuil. Reste à l'intérieur et loin de la fenêtre. Je ne veux prendre aucun risque.

— Moi non plus : si tu es avec moi, tu es aussi en danger. Rentre.

Elle croisa les bras et le défia. Le regard noir, il obtempéra.

— J'ai appelé le room-service pendant que tu prenais ton bain. On nous a servi un repas, il y a quelques minutes.

Il se rendit dans la kitchenette et revint dans le salon avec un plateau bien garni qu'il déposa sur la table basse à côté de l'ordinateur.

De délicieux arômes emplirent la pièce, et Jessica en eut

l'eau à la bouche. Ryan avait commandé un steak épais, des asperges et des frites croustillantes, son menu favori. Des larmes lui montèrent aux yeux. Elle le lui avait décrit lorsqu'ils étaient en montagne, mais elle avait cru parler dans le vide. Ce qu'elle avait sous les yeux lui prouvait le contraire.

— Tu t'en es donc souvenu…, murmura-t-elle.

Il haussa les épaules et déposa son assiette devant elle, puis s'installa sur le canapé. Il prit ensuite la télécommande pour regarder une chaîne d'informations en continu et attaqua son repas.

Jessica mangea en silence, accordant à peine son attention aux images qui défilaient. Ryan feignait de s'y intéresser : son regard absent le trahissait, observa-t-elle.

Mais, soudain, le journaliste fit le point sur l'explosion qui avait eu lieu devant le palais de justice à l'issue du procès de DeGaullo. Des sources inconnues avaient établi un lien entre cette explosion à la voiture piégée et l'incendie qui était survenu dans un chalet du Tennessee, quelques jours plus tôt. L'édition du *New York Times*, retrouvée sur la pelouse devant cette maison, datait de la fin du procès et comportait la photo de DeGaullo en première page : il était donc avéré que Jessica Delaney était la cible visée.

Vu l'activité de la police et des équipes de pisteurs secouristes dans le parc national des Smoky Mountains, le journaliste émettait la possibilité que DeGaullo, du moins ses tueurs à gages, était aux trousses de Jessica, et qu'elle avait fui dans les montagnes avec le marshal assigné à sa protection. Des rumeurs couraient selon lesquelles ce dernier avait été un ranger de l'armée.

— Autant pour le secret absolu exigé par le programme WitSec ! marmonna Ryan, furieux.

Jessica repoussa son assiette, le cœur serré.

— Comment les journalistes sont-ils au courant ?

— Aucune idée, gronda Ryan.

Il tourna les yeux vers elle.

— Tu n'as pas beaucoup mangé ?

Elle baissa les yeux sur son assiette.

— Toi non plus.

Il haussa les épaules pour seule réponse et prit, sur la table basse, le journal gracieusement offert par l'hôtel.

Jessica poussa un soupir de frustration et alluma l'ordinateur pour mettre son plan à exécution.

Pirater le site du département de la Justice fut aussi facile que la première fois.

— Ça y est, je suis dans la place ! lança-t-elle.

Quelques minutes plus tard, elle piratait le site du FBI et de l'United States Marshals Service, et une heure plus tard, continuant d'exploiter les vulnérabilités et failles du système, cherchait des dossiers ou fichiers à son nom.

Ryan avait déposé leur plateau dans le couloir de l'hôtel pour qu'ils ne soient plus dérangés. Il arpentait la suite et, parfois, jetait un coup d'œil dans le parking par les rideaux joints, comme s'il guettait une menace.

Une heure encore s'écoula.

— Ça va durer longtemps ? demanda-t-il, l'air frustré par l'attente.

— C'est difficile à dire… La sécurité du site de l'United States Marshals Service est meilleure que celle du FBI. Cela dépend du nombre de vulnérabilités des sous-domaines…

— Cela se compte en minutes, en heures ou en jours ?

En quelques minutes sans doute, songea Jessica. Mais elle préféra le lui cacher, pour éviter qu'il fasse pression plus longtemps.

— Environ une heure.

— Dans ces conditions, je vais prendre une douche.

Il se rendit dans la salle de bains et laissa les portes ouvertes. Sans doute était-ce par prudence, au cas où quelque événement inhabituel surviendrait… Mais Jessica ne voulait pas être distraite par le bruit de l'eau et les élans de son imagination, ou, mieux, par le souvenir de leur douche ensemble…

Elle alla donc fermer la porte du salon et se remit au travail. Enfin, elle fit sauter le dernier verrou et accéda à son dossier. Elle compila la liste de tous les utilisateurs qui l'avaient consulté. A sa grande surprise, la liste était assez longue. Elle procéda ensuite par élimination, ignora les utilisateurs qui y avaient eu accès après leur fuite dans les montagnes et s'intéressa plutôt à ceux qui l'avaient consulté avant l'incendie de son chalet du Tennessee.

Elle recoupa la liste des noms avec ceux des marshals de l'United States Marshals Service et les élimina. La taupe n'en faisait certainement pas partie : le patron de Ryan avait eu le temps d'enquêter sur eux, à moins, bien entendu, que le patron de Ryan ne soit la taupe en personne. Mais elle l'avait aussi éliminé en tant que suspect. Elle continua à recouper d'autres fichiers.

Il ne lui resta bientôt que quatre noms, qu'elle ne connaissait pas. Elle les sauvegarda sur un fichier Word, quitta le site en faisant attention à ne pas laisser de traces de son intrusion et effectua une enquête sur le premier nom en ayant recours à un moteur de recherche. C'était devenu si facile de glaner des informations sur les gens par le biais d'internet, surtout avec les réseaux sociaux, pensa Jessica. Elle était sidérée par le nombre de renseignements que les gens mettaient en ligne, sans se rendre compte qu'ils se rendaient vulnérables.

La porte s'ouvrit. Ryan s'approcha et se laissa tomber sur le canapé. Ses cheveux noirs mouillés bouclaient un peu. Il portait une chemise du même bleu foncé que ses yeux.

Jessica se força à reporter son attention sur son ordinateur.

— Tu as trouvé quelque chose ? lui demanda-t-il en jetant un coup d'œil sur l'écran.

— Oui. Quatre inconnus qui n'ont aucun lien avec le

FBI, l'United States Marshals Service ou le département de la Justice ont eu accès à mon dossier.

Elle lui montra le fichier Word avec les noms et les informations leur correspondant qu'elle avait glanées sur internet.

— J'ai des éléments de leur biographie, ainsi que leur dernière adresse connue.

Elle fit glisser le curseur afin que Ryan puisse les lire aisément.

— Je n'ai rien découvert sur les trois premiers. En tous les cas, rien n'a éveillé mon attention en particulier.

Ryan regardait l'écran.

— Trois noms inconnus… Et le quatrième ?

Elle fit glisser son curseur.

— Il s'appelle Dominic Ward. C'est le…

— Directeur de la CIA.

— Tu le connais ?

— Non, mais je sais qui c'est. Il a travaillé avec mon supérieur lorsque j'étais dans l'armée.

Jessica étudia la photo en noir et blanc de Ward, qu'elle avait trouvée dans un article de journal.

— Pourquoi le directeur de la CIA s'intéresserait-il à un témoin protégé ? s'interrogea-t-elle.

— Je ne vois en effet aucune raison qui rende sa curiosité légitime. Fais une recherche sur un autre nom : Alan Rivers.

— Qui ?

— Alan Rivers. Alex affirme que les ordres te concernant émanent de lui.

Jessica obtempéra. Sur son écran s'affichèrent de nombreux résultats.

— Oh, mon Dieu, Rivers est le sous-directeur de la CIA.

Ses mains se mirent à trembler.

— Mais… pourquoi la CIA veut me supprimer ?

— Je ne sais pas. Dans tous les cas, on part tout de suite !

Jessica referma l'ordinateur tandis que Ryan jetait leurs affaires dans le sac à dos.

— Où allons-nous, Ryan ?

— Au QG du FBI. L'affaire dépasse désormais mes compétences : nous allons faire part de nos découvertes au FBI.

Jessica se figea.

— Tu es devenu complètement fou ! Le FBI va savoir que j'ai fait du piratage informatique ! Tu peux perdre ton boulot, voire plus encore ! Ils peuvent t'arrêter ! Et moi aussi ! Nous ne devons rien dire !

Il lui posa les mains sur la taille pour l'écarter de son passage. Jessica ravala sa frustration et le suivit.

— Ryan ! Tu ne peux pas te rendre au FBI et simplement dire : « Bonjour, j'ai piraté le site du département de la Justice, de l'United States Marshals Service et du FBI, et j'ai trouvé des éléments vraiment très intéressants ! »

— On n'a pas le choix, Jessie.

Il repassa devant elle. Jessica le suivait toujours, poings serrés.

— Arrête un peu ! Il faut qu'on s'accorde sur une stratégie ! Il doit bien y avoir un autre moyen d'informer le FBI sans mettre ta carrière en jeu !

— Quoi par exemple ?

— Cacher au FBI que j'ai piraté son site pour commencer !

— Alors comment leur révéler que le directeur et le sous-directeur de la CIA sont impliqués ? Nous n'avons aucune preuve.

— C'est toi qui as l'habitude des missions secrètes ! Tu ne peux pas trouver quelque chose qui nous évite de dire la vérité ?

— C'est ton plan ? Mentir au FBI ? Non. Désolé. Je ne suis pas ce genre d'homme. Je ne choisis jamais les solutions de facilité, j'assume toujours les conséquences de mes actes.

— Parce que tu penses que je suis le genre de femme qui peut mentir impunément pour sauver sa peau ? Que je n'assume pas les responsabilités de mes actes ?

Il haussa les épaules.

— A priori, oui.

— Je vois. Eh bien, c'est clair… De toute façon, tu n'as jamais caché le mépris que je t'inspirais !

— Ce n'est pas ce que je voulais dire !

— Epargne-moi tes excuses, nous n'en avons pas le temps, le coupa-t-elle froidement. Il faut nous accorder sur notre tactique. Des gens importants, plus puissants que Richard DeGaullo, veulent me tuer !

— Et c'est pourquoi nous allons au FBI.

— Je t'ai déjà dit que je n'étais pas d'accord.

— Je ne crois pas t'avoir demandé ton avis !

Elle tapa du pied et Ryan écarquilla les yeux, surpris par sa réaction.

— Je ne supporte plus que tu me donnes des ordres, Ryan ! C'est de ma vie qu'on parle, pour le moment, et dans une certaine mesure de la tienne et de ta carrière ! Ta famille ne voudrait pas que tu la gâches et sois privé de ta liberté par obstination ! Nous devons trouver un autre plan !

Il se raidit, bouillant de colère.

— Laisse ma famille en dehors de cette histoire !

— J'accepte que l'on révèle ce que nous avons découvert au FBI, mais sans révéler mon piratage informatique ! Et puis, serons-nous en sécurité si nous nous rendons au FBI ? La CIA nous pourchasse et le FBI aussi, qui sait ? Comment savoir à qui nous pouvons faire confiance ?

Ryan la fixa du regard, indécis : il semblait flancher.

— Continue, dit-il enfin.

Encouragée, elle poursuivit.

— Les seules personnes auxquelles nous pouvons faire confiance pour le moment se trouvent dans cette pièce : toi et moi. Avant d'être sûrs de savoir qui d'autre est impliqué, ou pas, nous devons ne compter que sur nous.

— Comment ?

— Eh bien… je pensais que tu aurais une idée…

Il eut une ébauche de sourire.

— Tu veux dire, j'ai de nouveau le droit de faire acte d'autorité, maintenant que j'ai prêté l'oreille à ton opinion ?

— Très drôle.

Il reprit son sérieux et resta pensif.

— Très bien. Allons-y.

— Attends… Quel est ton plan ?

Il prit son sac à dos et ouvrit la porte.

— Washington DC.

Elle se figea.

— Mais… je pensais que tu envisageais une autre solution ?

Il leva les sourcils.

— C'est le cas : nous n'allons pas au FBI.

20

Ryan était adossé au mur derrière la porte du bureau de Dominic Ward, au deuxième étage de son opulente demeure. Il avait fallu du temps, presque une heure, ainsi que toute sa concentration pour passer au travers d'un système de sécurité particulièrement sophistiqué. Il avait réussi à déconnecter l'alarme sans encombre et à s'introduire dans la résidence sans se faire repérer.

Il était maintenant dans la place, et ses efforts, ainsi que sa longue attente, étaient sur le point d'être récompensés : un bruit de pas se rapprochait. Ward ouvrit la porte et entra. L'après-midi tirait à sa fin, sa journée de travail était terminée, mais il portait toujours son costume trois pièces.

Il traversa son bureau en consultant les documents qu'il tenait à la main.

Ryan referma la porte qu'il avait laissée ouverte. Ward fit volte-face, surpris, et leva les sourcils à la vue du Glock que Ryan braquait sur lui.

— Qu'est-ce que vous voulez ? Qui êtes-vous ? demanda-t-il avec plus d'étonnement que de peur.

— Vous parler.

— Avec une arme ?

— Je ne vous fais pas confiance.

— Je vois. Cela vous ennuie si je m'assois ? demanda-t-il ensuite.

— Non. Mais asseyez-vous plutôt là.

De son arme, Ryan lui montra les fauteuils en cuir.

Ward posa ses papiers sur la table basse et prit place en face de Ryan, qui posa son arme sur sa cuisse, mais la garda braquée vers la porte. Ward porta une main à son veston, mais Ryan leva son Glock aussitôt, et Ward se figea.

— Je voulais juste déboutonner ma veste, l'informa celui-ci.

— Lentement.

— Je suis Dominic Ward, directeur de la CIA, mais vous le savez sans doute déjà. Et vous ? Qui êtes-vous ?

— Ryan Jackson. Le marshal assigné à la protection de Jessica Delaney.

La réaction de Ward fut à la hauteur de ses espérances. Stupéfait, il se pencha vers l'avant avec une lueur d'intérêt dans les yeux.

— Le ranger de l'armée devenu marshal et en fuite dans le Tennessee ?

— C'est une façon de dire les choses. Comment le directeur de la CIA est-il au courant de tels détails ?

— Oh ! Je vous en prie : cette histoire est à la une de tous les journaux.

Ryan dévisagea Ward. Il ne semblait pas être le genre d'homme à traiter avec DeGaullo, mais les apparences étaient souvent trompeuses, non ?

Ryan sortit de sa poche le document que Jessica et lui avaient imprimé dans le hall de l'hôtel de Washington DC où ils étaient descendus, et le posa sur la table basse.

Ward le prit sans plus paraître se soucier du Glock.

— Une liste ?

— Oui. Vous y trouverez les dates et les heures où vous avez consulté le dossier de Jessica Delaney sur le site de l'United States Marshals Service. Vous et le sous-directeur de la CIA, vous êtes en contact avec DeGaullo. DeGaullo détient sans doute quelque dossier gênant sur vous et sur vos activités. En échange de son silence, vous avez accepté de l'aider à éliminer la seule personne qui a eu le courage de témoigner contre lui.

Ward semblait de nouveau sidéré.

— Je vous prie de me présenter des preuves formelles de vos accusations, marshal Jackson ! Parce que je vous garantis qu'il n'en existe pas !

— Ces informations mentionnées sur ce papier constituent une preuve suffisante. Si vous ne travaillez pas avec DeGaullo, pourquoi consulter le dossier d'un témoin protégé ?

Ward reprit le feuillet et le parcourut avec attention. Son visage s'assombrit soudain. Il se leva, mais Ryan lui fit signe de se rasseoir.

Ward lui adressa un regard rempli de frustration.

— Il faut que je vérifie mon agenda, et il est sur mon bureau.

— Pourquoi ?

— Pour assurer ma défense ! Je vous jure que je n'ai jamais rencontré DeGaullo de ma vie et que je n'ai rien à voir avec cette histoire. Je peux le prouver. Mon agenda, je vous prie

Il tendit la main comme s'il attendait que Ryan le lui donne.

— Je l'apporte, déclara Jessica en sortant de sa cachette, derrière le bureau de bois de cerisier.

— Nous étions convenus que tu resterais cachée ! s'exclama Ryan, contrarié.

— Je sais… Je suis désolée, mais je n'en pouvais plus de rester accroupie…

Ward sourit à Jessica quand elle s'approcha.

— Je présume que vous êtes la tristement célèbre Jessica Delaney ?

— Tristement célèbre… On peut le dire…

Ryan lui fit signe de poser l'agenda sur la table basse et de se placer derrière lui.

— Puis-je ? demanda Ward en tendant la main vers son agenda.

Ryan hocha la tête, et Ward s'en empara, en tourna les pages et posa le doigt sur une date.

— Voilà le jour où mon traitement de chimiothérapie a commencé. Les jours signalés par une croix rouge indiquent chaque séance. Après chacune d'entre elles, je suis resté souffrant quelques jours. En tant que directeur de la CIA, j'ai de nombreux avantages, dont celui d'avoir une infirmière à demeure et à plein temps. Mon infirmière vous confirmera sans l'ombre d'une hésitation que je ne me suis pas approché d'un ordinateur pendant, et après, mes séances de chimiothérapie.

Ryan l'observa attentivement. Dominic Ward avait le teint pâle, presque plombé. Il était chauve, et ses cheveux commençaient à repousser.

Il prit l'agenda et vérifia les dates avec celles qui se trouvaient sur le document qu'il avait imprimé. Dominic Ward disait la vérité.

— Dans ces conditions, comment expliquez-vous que votre nom apparaisse ?

— Il n'y a qu'une seule personne qui a pu consulter les fichiers confidentiels du département de la Justice et de l'United States Marshals Service, déclara Dominic Ward.

— La personne qui vous remplace quand vous êtes en traitement, comprit Ryan. Qui est-ce ?

Du coin de l'œil, il observait en même temps Jessica. Elle s'approchait d'une étagère.

— C'est Alan Rivers, le sous-directeur, déclara Ward avec un soupir. J'ai recommencé à travailler récemment, mais de mon domicile. Alan Rivers a son propre mot de passe, mais il a dû utiliser le mien pour se couvrir, au cas où quelque chose serait découvert.

A ces mots, un éclair de colère jaillit dans ses yeux.

Sur ces entrefaites, Jessica revint auprès de Ryan et se pencha pour murmurer à son oreille.

— Il faut que je te montre quelque chose.

— Pas tout de suite !

Mais elle insista et lui montra une photo. Ryan fronça les sourcils à sa vue. Reportant son attention sur Ward, il continua.

— Montre-la à notre hôte.

Jessica la tourna dans la direction de Ward

— Qui sont ces hommes sur la photo ? s'enquit Ryan.

— C'est moi, sur la gauche. Alan Rivers, le sous-directeur de la CIA, est à côté de moi

— Ce Rivers, reprit Ryan, c'est l'homme qui a attaqué Jessica, dans les montagnes. Elle lui a donné un coup de couteau.

— Eh bien…, conclut Ward, je pense que vous avez la réponse à vos questions : c'est Rivers qui est en affaires avec DeGaullo.

— Cet homme-là aussi nous a pourchassés dans les montages, poursuivit Ryan en montrant un individu tout à fait à droite du petit groupe, précisément l'homme qu'il avait lui-même tué. Le connaissez-vous ?

Ward cilla.

— Non. Je ne me souviens pas de tous les noms des personnes se trouvant sur ce cliché. Ce que je sais, c'est qu'ils travaillent pour la même société de sécurité privée qui nous aide sur le plan logistique, lorsque nous avons des missions à l'étranger.

Un terrible pressentiment s'empara de Ryan. Il retint son souffle.

— Quel est le nom de cette société ?

— *Security Services International*, répondit Ward.

C'était la société de Stuart.

Jessica étouffa un cri. Ryan ferma brièvement les yeux. *De nouveau trahi.* Par son plus vieil ami, son complice depuis l'école primaire. A cause de lui, quatre marines étaient morts, puis quatre marshals assignés à la protection de Jessica. Et Aamir, son informateur…

— Tu avais raison, souffla-t-il en se tournant vers Jessica.

— Je suis désolée, Ryan, soupira celle-ci.

Il lui serra la main.

— Vous avez dit que cette société de sécurité privée fournissait un soutien logistique aux forces armées détachées à l'étranger ? reprit-il à l'attention de Dominic Ward.

— Oui, dans les endroits sensibles du globe. Cette société propose des prestations dites de conseil militaire privé : formation de formateurs, déminage, logistique, assistance sanitaire, installation d'infrastructures, mise à disposition du personnel de surveillance. C'est très précieux, tant pour les missions secrètes d'infiltration que pour le transport et l'approvisionnement à nos armées. Cette société existe depuis peu, et c'est Rivers qui me l'a recommandée. Il en avait rencontré le fondateur en Afghanistan, avant qu'il ne la crée. Ce dernier avait une bonne connaissance du terrain et était donc un allié précieux.

Jessica reposa la photo sur la table.

— Je ne comprends pas ce que je viens faire dans toute cette histoire en fin de compte ? Quel est le rapport entre DeGaullo et la société de Stuart ? Pourquoi Rivers veut-il me tuer ?

Ryan inspira profondément et se leva. Il lui posa les mains sur les épaules.

— Ça n'est pas toi la cible, Jessie, tu ne l'as jamais été. C'est moi.

— Toi ?

— Quand l'enquête relative à la mort de mes hommes a échoué, j'ai fait appel à la société de Stuart pour qu'elle prenne le relais. Stuart… le traître, l'auteur de l'embuscade où ces quatre marines ont péri. Il savait que je ne lâcherais jamais prise, et il redoutait que ma quête de vérité ne révèle sa trahison, ce qui aurait suscité une enquête sur sa société de sécurité privée dédiée au conseil militaire, et sans doute coupable de transactions douteuses ainsi que de détournements de fonds. Ses activités de prestataire de sécurité et de conseil militaire privé auraient dès lors été en péril.

Il se tut un instant.

— Stuart et Rivers sont complices. Ils t'ont utilisée comme appât, Jessica. Ils voulaient me supprimer pour que je cesse de représenter une menace. La responsabilité de ta mort aurait été rejetée sur DeGaullo, et la mienne aurait été classée en dommage collatéral. Ainsi, ils auraient pu continuer impunément leurs activités.

— Si je comprends bien, intervint Jessica, l'explosion à la voiture piégée au palais de justice…

— Elle m'était destinée : Rivers a demandé à Alex Trask de m'assigner à ta protection à la dernière minute, mais Rivers connaît mal le fonctionnement du programme WitSec. Il ne s'est pas rendu compte que tout avait déjà été minutieusement organisé pour ton transfert, et que mon boss m'avait seulement demandé de te faire signer le protocole du programme WitSec. Rivers pensait, et espérait, que je monterais avec toi dans le monospace…

Il marqua une nouvelle pause.

— Je suis désolé, Jessica. Je t'ai reproché la mort de ces marshals, mais c'est moi le seul responsable depuis le début. J'aurais dû te faire confiance… Mon Dieu, je ne savais pas…

Elle posa un doigt sur sa bouche.

— Chut… Non, ça n'est pas ta faute, Ryan. Ce sont Stuart et Rivers les seuls responsables.

— Je ne suis pas certain de bien comprendre la situation, les interrompit Ward.

— Stuart Lanier est le fondateur et le gérant de la société de sécurité privée dont vous avez parlé tantôt, lui expliqua Ryan. L'armée américaine a désormais besoin de partenaires externes, en matière de sécurité, de protection de ses convois, etc., et contractualise avec des sociétés de sécurité privée. Ces contractants possèdent un personnel d'anciens militaires qui a beaucoup plus d'expérience que les jeunes recrues déployées sur le terrain… Tels les hommes qui travaillent pour Stuart Lanier. Certains figurent sur cette photo : ils nous ont pourchassés dans les montagnes. Je suis certain que, depuis la création de cette société, Stuart et Rivers détournent impunément l'argent du département de la Défense pour des petits arrangements sur le terrain.

— Je vais immédiatement mettre tous les moyens dont je dispose à votre disposition ! s'exclama Ward, les traits durcis.

Ryan continua à l'adresse de Jessica.

— Quand tu as prétendu avoir déjà vu Stuart, j'ai commencé à avoir des soupçons, mais je ne voulais pas y croire… Et lorsque tu as mentionné tes propres doutes, qui renforçaient les miens, je n'ai pu les supporter et me résoudre à penser qu'un ami d'enfance, un compagnon d'armes, ait pu me trahir.

Jessica lui passa le bras autour de la taille.

— Je me souviens où je l'ai vu, maintenant : je l'ai croisé en sortant du palais de justice avec les marshals, le jour de l'explosion. J'ai été étonnée que ces derniers le laissent nous approcher : d'habitude, les marshals étaient beaucoup plus méfiants.

— C'est parce qu'ils connaissaient Stuart. Ils savaient que c'était l'un de mes amis.

Ward se leva.

— Je vais appeler mes collaborateurs les plus proches et exiger que le département de la Justice soit immédiatement prévenu de la situation. D'après vos témoignages, j'obtiendrai sans mal un mandat d'arrêt contre Stuart Lanier et Rivers.

Il prit son téléphone, pressa sur les boutons à plusieurs reprises, puis regarda Ryan,l'air incrédule.

— Aucune tonalité !

Au même instant, les lumières s'éteignirent. Ils étaient plongés dans l'obscurité.

21

Jessica se posa aussitôt une foule de questions. Stuart avait-il retrouvé leurs traces ? Peut-être les avait-il espionnés après les avoir déposés au motel ? Rivers, sans doute impatient de tenir sa revanche, était-il avec Stuart ?

Elle chercha Ryan du regard pour se rassurer, mais il était sinistre.

Il lui tendit son Smartphone.

— Appelle tout de suite le 911. Explique qu'un meurtrier s'est introduit dans le domicile privé du directeur de la CIA, et qu'il a besoin d'aide.

Il s'éloignait, mais elle le retint.

— Ne pars pas ! Attends plutôt l'arrivée de la police.

Il revint vers elle. Son visage s'adoucit, il posa ses mains sur ses épaules.

— Je ne t'abandonne pas, Jessie. Je veux juste identifier notre ennemi et mettre toutes les chances de notre côté. Pour ta sécurité et celle de Ward.

Elle se dégagea avec irritation.

— Je ne me fais pas de souci pour *moi*, Ryan, mais pour toi. Pour ta sécurité ! Tu ne préfères pas attendre les renforts ?

Au même instant, un fracas de verre cassé s'éleva.

— Nous ne pouvons pas attendre la police ! coupa Ryan.

Il regarda dans la direction de Ward, qui était resté silencieux.

— Vous avez une arme ?

— Non. Je ne veux pas courir le risque que mes petits-enfants la découvrent, et qu'un accident survienne.

Il soupira.

— Avant votre intrusion, je pensais que mon système de sécurité était absolument sûr…

Jessica prit le visage de Ryan en coupe et l'obligea à la regarder.

— Et si c'est Stuart qui tente de nous piéger ?

Ryan leva un sourcil et eut l'air aussi arrogant que lors de leur première rencontre au palais de justice.

— Je n'ai pas peur de Stuart ! C'est moi qui l'ai entraîné et lui ai appris tout ce qu'il sait.

Il tourna les yeux vers Ward.

— Aidez-moi à déplacer ce secrétaire : vous bloquerez la porte de votre bureau, une fois que je serai sorti.

Pendant ce temps, Jessica composa le numéro d'urgence à toute vitesse, puis expliqua la situation à l'opérateur.

Sur ces mots, Ryan se glissa dans le couloir, son arme en main. Pourquoi était-il aussi têtu ? Pourquoi refusait-il toujours de l'aide ? s'agaça Jessica, pendant que Ward déplaçait le bureau.

Un autre bruit s'éleva du rez-de-chaussée, suivi par une explosion. Jessica frissonna. C'était comme l'attentat à la voiture piégée. Elle était au bord du malaise.

Une odeur d'essence lui parvint alors. La fumée envahissait la pièce.

— La maison est en feu ! s'écria-t-elle à l'opérateur.

Puis, elle jeta le Smartphone et se tourna vers Ward.

— Aidez-moi à déplacer le secrétaire pour dégager l'accès à la porte ! Vite !

Une fois qu'ils y eurent réussi, ils sortirent en courant. Mais les flammes s'élevaient du rez-de-chaussée, et ils furent obligés de reculer. Ils étaient piégés : déjà, l'escalier se consumait. Les flammes léchaient la rampe et gagnaient rapidement l'étage.

— Jessie !

Ryan l'appelait depuis l'entrée en marbre, le seul endroit encore épargné par les flammes.

— Ryan !

— Où est Ward ?

— Avec moi !

— Ward ? Il y a un autre escalier ? s'écria Ryan en s'écartant pour éviter un pan de mur qui s'effondrait.

— Non ! C'est le seul ! répondit Ward.

Il toussait et pâlissait de plus en plus, remarqua Jessica.

— Prenez des rideaux, des draps, tout ce que vous trouverez et passez par la fenêtre, leur ordonna Ryan. Vite ! La maison va bientôt être entièrement en feu et s'effondrer.

— Non ! hurla Jessica en secouant la tête. Je ne pars pas sans toi !

Un coup de feu s'éleva du rez-de-chaussée. Ryan plongea et roula sur le sol de marbre. Ward prit Jessica par la main et remonta le couloir.

— Ryan ! s'écria Jessica en se dégageant.

Elle se tourna vers le rez-de-chaussée désormais envahi par la fumée. Ryan avait disparu.

— Ryan !

Ward lui reprit la main.

— Il y a une lucarne dans la chambre du fond. Nous allons passer par le toit du garage. Vite !

Les flammes étaient parvenues en haut de l'escalier et entamaient le tapis du couloir. Le feu gagna un guéridon de coin : le vase qui y était posé explosa.

Jessica toussa, et face à la chaleur, insupportable, recula. Comment Ryan allait-il survivre ? Avait-il été touché par le coup de feu ? Gisait-il, mort, au rez-de-chaussée ? A cette pensée, des larmes brûlantes inondèrent ses joues.

— Miss Delaney ! Il faut y aller ! s'écria Ward en tirant sur sa main avec insistance.

— Il doit y avoir une autre issue… Nous pouvons peut-être descendre en utilisant la rampe…

— Si nous restons plus longtemps dans cette fournaise, nous allons mourir !

— Allez-y sans moi !

Elle repartait vers l'escalier, mais il l'en empêcha.

— Je ne vous laisserai pas accomplir une folie pareille, miss Delaney !

Il riva un regard implacable au sien. Elle n'avait plus le choix, comprit-elle.

Elle se détourna une dernière fois vers l'escalier en feu, cillant à travers ses larmes. Ryan lui avait prouvé à maintes reprises qu'il était capable de surmonter toutes les épreuves. Mais cette fois elle était terrifiée : la chance allait-elle abandonner Ryan ?

Ryan se baissa sous le rideau de fumée, son arme braquée devant lui tandis qu'il cherchait le tireur pyromane embusqué : certainement seul, mais bien organisé. Si lui-même était encore vivant, c'était uniquement grâce au marbre qui l'avait protégé des flammes…

Il regarda dans la direction de ce qui avait été l'escalier en songeant à Jessica. La jeune femme lui avait déjà prouvé qu'elle était une battante, et elle réussirait à sortir de ce brasier saine et sauve.

Il voulait y croire. Il le devait.

Soudain, une silhouette se profila sur sa droite, et il n'eut que le temps de se baisser pour éviter un nouveau tir nourri.

Une fois sur le toit du garage, Ward se laissa glisser, et Jessica le suivit immédiatement. Il atterrit dans les buissons, et Jessica, incapable de se freiner, tomba sur lui. Elle s'en tira avec des contusions bénignes, mais Ward était incapable de se relever. Il devait avoir la cheville cassée ou foulée. Elle l'aida à se redresser, le soutint pour s'éloigner. Il ahanait. Peut-être avait-il également quelques côtes cassées, songea Jessica. Elle l'aida à s'asseoir dans l'herbe et à s'adosser à un arbre. Puis, elle regarda dans la direction de la maison, prête à repartir, mais Ward la retint.

— Vous ne retournerez pas dans ce brasier : c'est trop dangereux !

Au même instant, de nouveaux coups de feu s'élevèrent de la demeure.

— Ryan est en vie, et il se bat ! s'écria-t-elle. Il faut que j'aille à son secours !

Elle se précipitait, mais de nouveau Ward la retint avec une force surprenante.

— Le marshal Jackson ne serait pas d'accord, et vous le savez parfaitement.

Elle soupira. Ryan était obstiné, arrogant, et il refusait toujours l'aide d'autrui. Aller le retrouver compliquerait plus la situation qu'elle ne la faciliterait. Mais elle ne pouvait pas rester bras ballants, à regarder cette maison se consumer, en espérant qu'il revienne sain et sauf.

— Lâchez-moi ou je vais être obligée de vous faire mal !

Ward sourit.

— Oh ! je doute que vous…

Elle lui envoya un coup de pied à l'entrejambe. Ward poussa un cri et la lâcha.

— Désolée ! marmonna-t-elle en courant vers la maison.

De la porte d'entrée il ne restait plus rien, et au-delà il n'y avait que des flammes et une épaisse fumée. Mais Ryan était toujours là, elle devait le retrouver.

L'incendie n'avait pas encore gagné l'arrière de la maison ! pensa-t-elle soudain. S'accrochant à cet ultime espoir, elle s'y précipita. La fumée s'échappait par les fenêtres et les portes, mais il n'y avait pas de flammes.

Elle tenta d'ouvrir les portes de derrière, mais elles étaient fermées à clé. Elle souleva un pot de grès dans le patio et le jeta sur l'une des portes. Le pot vola en éclats, avec la terre et les fleurs, mais le battant resta intact.

Exaspérée, elle chercha de nouveau un objet lourd susceptible de défoncer la porte, mais il n'y avait que des pots trop gros, trop pesants, impossibles à soulever.

En désespoir de cause, elle continua son tour de la maison. Enfin apparut une porte avec des petits carreaux de verre. Elle était verrouillée, comme les autres, mais Jessica réussit à casser les carreaux, qui tombèrent à l'intérieur.

Elle passa le bras par l'ouverture qu'elle venait de pratiquer et parvint à ouvrir. Une fois à l'intérieur, elle courut, parvint dans la cuisine et, de là, enfila un petit couloir où la chaleur et une pluie de braises la firent aussitôt reculer. Elle se baissa et, s'efforçant de garder son équilibre, revint à croupetons dans les pièces du fond encore épargnées par les flammes. Le sol en marbre y agissait comme un coupe-feu, mais la fumée, dense, formait déjà une espèce de brouillard qui la fit tousser et s'étrangler. Elle saisit l'encolure de son T-shirt et s'en servit pour se protéger le visage.

Des voix s'élevèrent sur sa droite. Elle avança dans leur direction et se retrouva dans ce qui avait été le salon-salle à manger. Ryan et Stuart étaient à quelques mètres l'un de l'autre. Elle se baissa aussitôt derrière le canapé et, de là, observa les deux hommes qui se faisaient face.

Stuart, de dos, braquait son arme sur Ryan qui n'était pas armé.

Où était son Glock ? Là, sur le sol, pas très loin, découvrit-elle. Stuart avait sans doute surpris Ryan et l'avait désarmé. Bon sang, si Ryan n'avait pas été aussi arrogant, il les aurait suivis et serait maintenant en sûreté…

Au loin s'élevèrent des sirènes. Les pompiers et la police arrivaient enfin sur les lieux, mais peut-être était-ce déjà trop tard ? Jessica serra les poings d'impuissance et de colère. Elle ne pouvait ramasser le Glock sans se faire repérer par Stuart. Alors peut-être distraire l'attention de Stuart, afin de laisser à Ryan la possibilité de reprendre son arme ? Elle était prête à tenter le tout pour le tout pour sauver la vie de Ryan…

La voix de Ryan s'éleva.

— Pourquoi ne m'as-tu pas tué quand tu es venu à notre secours dans la montagne ?

— Trop risqué. Maintenant, ce sera plus facile, sous couvert de l'incendie de la résidence du directeur de la CIA, réputé pour avoir des ennemis.

— Je vois. Ton modus operandi, c'est rejeter les responsabilités sur autrui. Tu es devenu un traître et un criminel par ambition. Pour l'argent, n'est-ce pas ?

— Je n'ai pas eu le choix, avoua Stuart. J'étais sur le point de perdre ma maison. De tout perdre.

— Déjà à l'époque, l'interrompit Ryan, d'une voix empreinte d'amertume et de regrets, tu projetais de devenir contractant externe du département de la Défense pour détourner de l'argent. Tout aurait dû se dérouler sans anicroche, jusqu'à ce que tu sabotes l'une de nos missions. Quatre marines ont été tués !

— Ils avaient surpris une conversation avec Rivers. Ils connaissaient mes projets de fonder une société de sécurité privée pour nous enrichir. Je n'ai pas eu le choix.

— Et Aamir ? Avait-il le choix ?

— Non plus. Aamir avait compris la situation. Il était sur le point de tout te révéler : je devais l'en empêcher.

— Et tu m'as laissé croire que c'était lui le traître.

Jessica sortit de derrière le canapé à croupetons. Encore quelques mètres à franchir.

— Pourquoi as-tu voulu remonter la filière ? renchérit Stuart. T'obstiner dans une quête absurde de vérité ? Tu es la dernière personne que je veux blesser. Tu es comme mon frère.

Ryan fit un pas menaçant dans sa direction.

— Non, Stuart ! Tu n'es pas un frère.

Il fit un autre pas, à l'évidence sans redouter l'arme que Stuart braquait sur lui.

— Cela t'indiffère que Jessica Delaney ait pu mourir à cause de ton stratagème machiavélique ? Combien de vies et de sacrifices encore, pour couvrir tes détournements délictueux ?

Ryan s'avança encore et se baissa un peu, comme s'il était prêt à bondir sur Stuart.

— Stop ! cria tout à coup Stuart en reculant lui aussi. Reste où tu es !

Ryan provoquait Stuart, comprit Jessica : elle devait agir avant qu'il ne soit trop tard. Elle s'avança encore, puis se redressa, à quelques mètres derrière Stuart.

A sa vue, Ryan ouvrit de grands yeux, puis les étrécit et se raidit. Il était certainement furieux qu'elle se soit mise délibérément en danger. Tant pis ! Elle le lui devait.

Autrefois, lorsque DeGaullo avait assassiné Natalie, elle était restée cachée. Cette fois, elle ne serait pas lâche. Elle préférait mourir que savoir qu'elle avait eu peur de risquer sa vie pour sauver celle de Ryan.

Les flammes léchaient les murs du salon et atteignaient désormais cette partie de la résidence, jusque-là protégée et épargnée. Le papier peint s'enflammait comme une torche, et en quelques secondes c'est tout un mur qui fut en feu. Les flammes ourlaient les fenêtres, les vitres explosèrent.

Stuart se baissa et mit ses bras sur sa tête pour se protéger, Ryan bondit.

Stuart, piégé, poussa un juron et tira. Ryan se figea aussitôt en levant les mains en signe de reddition. Le visage tendu, il fixa le bras de la chaise où la balle s'était logée.

Stuart serra son arme d'une main ferme et la braqua sur le torse de Ryan.

— Pardonne-moi, je n'ai pas le choix…, murmura Stuart d'une voix rauque.

Jessica poussa alors un cri perçant, se précipita et abattit son bras sur la main de Stuart au moment où il tirait. La balle toucha le plafond, et Jessica, déséquilibrée, trébucha. Mais son manège avait laissé à Ryan le temps de ramasser son Glock.

Elle allait s'écarter, mais Stuart la rattrapa, la posta devant lui pour s'en servir de bouclier, au moment où Ryan braquait à son tour son Glock sur lui.

Jessica dut affronter le regard rempli de désapprobation de Ryan.

— Tu n'as pas retenu la leçon, après la confrontation avec Rivers ? lui dit-il d'une voix à la fois exaspérée et glaciale.

Frappée par sa colère et son mépris, elle se figea, mais comprit presque aussitôt, sur un signe de tête imperceptible de sa part, sa manœuvre : il l'attaquait de front pour distraire l'attention de Stuart. Elle serra les paupières en signe d'approbation, mais Stuart posa le canon de son arme sur son front.

— Lâche ton arme, Ryan !

Stuart se dirigea vers les fenêtres désormais sans vitres. Les flammes passaient au travers.

Le rire de Ryan s'éleva.

— Tu crois vraiment que je me soucie de ce qui peut lui arriver ? C'est une criminelle, la complice d'un parrain de la mafia. Jessica Delaney me dégoûte !

Ryan essayait de gagner du temps, elle le savait, mais elle n'en reçut pas moins ses paroles de plein fouet. Il était si convaincant…

Stuart hésita, puis braqua de nouveau son arme sur Ryan.

— Maintenant, Jessica ! cria Ryan.

Elle se dégagea, Ryan tira deux fois et toucha Stuart qui s'écroula. Puis il la prit par le bras, passa par la fenêtre et ne s'arrêta de courir que lorsqu'il eut atteint la pelouse, loin de l'incendie.

Il se laissa tomber à genoux, pris de quintes de toux,

puis serra Jessica dans ses bras et appuya sa joue sur le sommet de sa tête.

— Ward a-t-il réussi à sortir ? demanda-t-il d'une voix rauque.

Jessica reprenait son souffle avec difficulté. Elle était toujours sous le choc des propos qu'il avait adressés à Stuart.

— Je pense qu'il s'est cassé des côtes, et s'est cassé ou foulé la cheville, quand nous avons sauté du toit, mais il…

Il recula et la tint à bout de bras pour l'observer.

— Sauté du toit ?

Il ferma les yeux et, de nouveau, la serra dans ses bras.

— Mais pourquoi es-tu revenue ? Tu aurais dû m'attendre.

— Pendant que tu risquais ta vie ? Non !

Il la tint à bout de bras et la dévisagea. Son visage était tendu, il tremblait de tout son corps. Il était à la fois désespéré et en colère.

Soudain, une voix ferme s'éleva.

— Lâchez votre arme !

Ryan sursauta et se détourna.

— Lâchez-la tout de suite !

Des camions de pompiers et des voitures de police, dont les gyrophares rouge et bleu tournaient, étaient stationnés devant la maison en feu.

— Je suis un officier de la police fédérale, expliqua Ryan en levant les mains et pointant son arme en l'air.

— Lâchez votre arme, répéta le policier.

Ryan obtempéra.

Tandis que son collègue le tenait en joue, il s'approcha et s'empara de son Glock, puis obligea Jessica à s'écarter.

— Tout va bien, madame ?

— Qu'est-ce que vous faites ? Ryan est marshal ! s'exclama-t-elle, outrée.

Une autre voix s'éleva.

— Rangez vos armes, messieurs.

Un homme en costume s'approchait.

— Je me porte garant du marshal Ryan Jackson.

Les policiers lui adressèrent un bref hochement de tête et obtempérèrent.

L'homme en costume aida Ryan à se relever.

— Sacré chaos, Jackson !

Ryan lui sourit.

— Jessie, je te présente mon boss : Alex Trask.

A ce diminutif, Alex fronça les sourcils, mais il lui sourit en lui tendant la main.

— C'est un honneur de finalement vous rencontrer, miss Delaney.

— Un honneur ? fit écho Jessica, en lui serrant la main.

— Vous êtes la seule personne qui a eu le courage de témoigner contre DeGaullo.

Il sourit de nouveau.

— En plus, vous êtes sans doute la seule personne au monde à avoir donné un coup de pied dans les parties intimes du directeur de la CIA sans courir le risque de vous retrouver sous le coup d'un mandat d'arrêt.

Elle rougit sous le regard incrédule de Ryan.

— Je ne veux pas en savoir davantage ! dit-il.

Deux autres hommes s'approchaient.

— Miss Delaney, reprit Alex, je vous présente les marshals qui vont vous conduire dans un lieu sécurisé pendant que je ferai une séance de débriefing avec le marshal Jackson.

— Attends, Alex, coupa Ryan, tu peux nous laisser une minute ?

Alex eut l'air dubitatif, mais il donna son accord.

— Fais vite. Je veux que miss Delaney trouve refuge dans un lieu sécurisé avant que DeGaullo n'ait vent de la situation actuelle. Et puis, toi et moi, nous devons avoir une discussion sérieuse relative à la nécessité d'obéir aux ordres de ses supérieurs.

Alex, les marshals et les deux policiers retournèrent vers la maison où une douzaine de policiers formaient un cordon de sécurité tandis que les pompiers continuaient d'éteindre l'incendie.

Ryan avait le visage si sombre que Jessica eut le cœur serré.

— Maintenant que nous savons qui était la taupe, il faut que tu reprennes le programme WitSec. Alex va te trouver une nouvelle identité et un nouveau lieu. Tu vas devoir de nouveau tout recommencer de zéro.

Jessica croisa les mains afin que Ryan ne les voie pas trembler.

— Ce sont donc des adieux ?

— Oui. Tu savais bien que ça finirait de cette façon.

— Ça changerait quelque chose si je te disais que je t'aime ?

Il cilla et détourna le regard. Elle déglutit, les larmes lui montant aux yeux.

— Eh bien, j'imagine que cela répond à ta question, reprit-il en soupirant. Je suis désolé, Jessie…

Il allait la prendre dans ses bras, mais elle recula. Si jamais il la touchait maintenant, son cœur exploserait.

— Tu pensais vraiment ce que tu as dit à Stuart sur moi, tout à l'heure ?

Il fronça les sourcils.

— Qu'est-ce que… ?

Puis il se souvint et ouvrit de grands yeux.

— Mais bien sûr que non ! C'était une diversion, pour déstabiliser Stuart.

De nouveau, il chercha à la prendre dans ses bras, mais elle s'écarta.

Il poussa un soupir.

— Je t'aime beaucoup, Jessie. Je m'étais trompé sur toi, j'ai découvert qui tu étais vraiment. Malheureusement, cela ne change rien…

Il soupira.

— J'aime ma famille. Je ne peux pas rompre tout contact

avec elle pour rentrer avec toi dans le programme WitSec. Ma famille, c'est ma vie.

Pas toi...

Les mots flottèrent entre eux, aussi pesants que si Ryan les avait prononcés à haute voix.

— Je crois que tout est dit, conclut Jessica, amère.

Le regard de Ryan était rempli de regret et de tristesse.

— Jessie...

Alex l'appela et leur intima de mettre un terme aux adieux.

— Vas-y..., déclara-t-elle. Nous n'avons plus rien à nous dire.

Elle se força à lui sourire et lui tendit la main, lui cachant soigneusement sa douleur.

— Merci de m'avoir protégée. Je te dois la vie, Ryan.

Une lueur de colère fusa dans son regard, et il ignora sa main tendue.

Jessica la laissa retomber. Ryan poussa un gros soupir.

— Ne me remercie pas... Tu m'as sauvé la vie, tout à l'heure. Voilà une expérience qui rend humble... J'ai toujours lutté seul, sans demander ni accepter d'aide. Tu as failli périr dans l'incendie de la demeure de Ward, parce que j'ai été trop obstiné pour t'écouter et attendre les secours, ou pour vous sortir, toi et Ward, de la maison au lieu d'y rester. J'avais refusé ton aide, tu es revenue m'aider. La prochaine fois, je ne serai plus aussi arrogant, au point de ne pas accepter la main tendue.

Elle lui adressa un demi-sourire.

— J'espère qu'il n'y aura pas de prochaine fois... Il vaut mieux que tu y ailles, maintenant. Ton boss trépigne. Ne te fais pas de souci pour moi. Je comprends, et tout ira bien.

Ryan tourna les yeux vers Alex, puis son regard revint sur elle.

— *Tu comprends* ? Que veux-tu dire ?

— La famille, c'est toute ta vie. Au moment d'entrer dans le programme WitSec, je me souviens d'avoir pensé que, si j'avais eu une famille, je n'aurais peut-être pas pu l'abandonner. Alors je comprends ta décision et tes choix.

Il ferma les paupières, et une expression de souffrance déforma ses traits.

Quand il rouvrit les yeux et la dévisagea, il avait un regard infiniment triste.

— Je regrette que ça ne soit pas différent, murmura-t-il.

Il s'avança et effleura ses lèvres.

— Tu es une femme extraordinaire. Tout ira bien, Jessica Delaney.

Puis il se détourna et sortit, littéralement, de sa vie.

22

Alan Rivers avait été arrêté, inculpé, et l'United States Marshals Service avait attribué à Jessica une nouvelle identité et un nouvel endroit où vivre.

C'était un chalet adossé à une chaîne de montagnes. Si elle avait eu le choix, elle n'aurait jamais choisi le Nevada comme lieu de résidence, parce qu'elle avait sans cesse sous les yeux les Rocheuses du Colorado natal de Ryan. Elle doutait de supporter longtemps le rappel du souvenir de l'homme qu'elle avait aimé et perdu chaque fois qu'elle les contemplait.

Mais depuis son installation dans le Nevada, qui remontait à un mois, elle avait appris à apprécier sa solitude et son isolement. Seule, elle n'avait pas à subir la pression des questions et à répondre avec les mensonges qu'elle avait appris par cœur. Seule, elle n'avait pas à subir les regards étonnés ou curieux, quand subitement le souvenir de Ryan l'envahissait et la faisait pleurer.

Elle sortit du chalet, boutonna bien sa veste pour se protéger du froid. Il allait bientôt neiger, le sol gelé craquait sous ses pas tandis qu'elle commençait sa promenade matinale.

Le bruit d'une moto l'alerta, et elle se déporta sur le bas-côté. Peu après, la moto s'arrêta à sa hauteur.

Le conducteur, en jean et veste de cuir, coupa le moteur. Avant même qu'il ne retire son casque, elle sut, et son cœur bondit dans sa poitrine : c'était Ryan.

Maudit soit Alex Trask qui lui avait dévoilé son nouveau lieu de résidence.

— Salut, Jessie.

La tendresse avec laquelle il avait prononcé ces mots la troubla. C'était bon de le revoir, mais ces retrouvailles imprévues n'allaient-elles pas la faire rechuter et souffrir ? Elle ne supporterait pas qu'il sorte de nouveau de sa vie. Aussi devait-elle lui en refuser l'accès d'emblée.

— Que fais-tu ici ? demanda-t-elle d'une voix qu'elle voulut froide et désincarnée. C'est Alex qui t'envoie pour s'assurer que je ne reprenne pas mes activités criminelles ?

Il soupira.

— Je suppose que j'ai mérité cet accueil peu enthousiaste… Non, ça n'est pas Alex qui m'envoie. Je ne suis plus marshal. Je suis venu à titre personnel.

Son pouls se mit à battre plus vite, mais elle étouffa l'espoir qui s'élevait en elle. Elle ne pouvait pas s'offrir le luxe d'espérer.

— C'est contre toutes les règles du programme WitSec ?

— J'ai corrompu un ancien collègue, reconnut-il avec un demi-sourire qui fit bondir son cœur. En fait, tu serais surprise de ce que le département de la Justice est capable de faire pour couvrir un fiasco, protéger sa réputation et ses financements.

Il lui tendit la main.

— Viens. Il faut que je te montre quelque chose.

Elle recula.

— Non !

Il lui tendit un casque, sans se laisser démonter.

— Viens avec moi !

— Pourquoi ?

Il sourit.

— Parce que, autrefois, je suis entré dans une maison en feu pour te sauver la vie, et que tu me le dois bien ?

— Je pourrais dire la même chose.

— Touché. Bon, je ne vais pas te forcer la main, mais soit tu viens avec moi et tu me laisses parler, soit je m'installe sous tes fenêtres et je chante pendant toute la nuit. Tu ne fermeras pas l'œil, je te le garantis, parce que je chante comme une casserole.

Elle prit le casque, contrariée de lui céder.

— Je préfère m'épargner ce supplice.

— Je m'en doutais. Merci, dit-il, en l'embrassant sur les lèvres.

Elle baissa la tête, interrompant ce baiser qui, si bref avait-il été, la fit frémir de la tête aux pieds.

Il l'aida à mettre son casque, caressa au passage ses boucles blondes qui retombaient sur son front et les lui dégagea.

— J'aimais mieux ta couleur naturelle.

— C'est ma couleur naturelle. Je me suis teinte en brune quand j'ai accepté d'entrer dans le programme WitSec.

Elle monta sur la moto derrière lui.

— J'imagine que je m'y habituerai..., lâcha-t-il d'une voix légère.

Son cœur manqua un battement, elle s'interrogea sur le sens de ces paroles.

Après avoir roulé une bonne dizaine de minutes, Ryan s'arrêta devant un immense chalet ancien et rénové qui s'élevait sur deux étages.

— Nous y sommes, lança-t-il en coupant le moteur.

Jessica descendit de la moto et se dirigea vers l'entrée du chalet, sans prendre la main que Ryan lui tendait.

— Je vais te faire visiter, proposa-t-il, en la prenant finalement par le bras.

Il ne la lâcha que lorsqu'ils furent dans le salon-salle à manger, une pièce au design simple et épuré. Des chaises s'alignaient le long d'un mur devant de longues tables en chêne.

— C'est là que les enfants apprendront l'informatique.

— Mais, Ryan, pourquoi...

— Attends d'avoir vu les chambres !

Ils sortirent par-derrière.

— Les chambres ? répéta-t-elle, le souffle court, essayant de comprendre.

— Oui ! Là.

Il lui montra un chalet plus petit, assez long et étroit. Ils y entrèrent. A l'intérieur, des lits s'alignaient.

— Qu'est-ce que c'est ? demanda-t-elle.

— Un camp de vacances.

Elle regarda autour d'elle, surprise.

— Un camp pour adolescents en difficulté, pour les enfants en quête de parents adoptifs, ou de familles d'accueil.

Il lui prit le menton, l'obligeant à le regarder.

— Personne ne peut grandir sans famille. Ce camp sera comme une famille.

— Mais… qui va diriger ce camp ?

— Moi.

Elle trembla et déglutit.

Ryan semblait attendre ses commentaires, mais face à son silence il poussa un gros soupir, la prit par la main et, de nouveau, l'entraîna à sa suite.

— Moins vite ! fit-elle.

Il ralentit le pas, mais l'entraîna jusqu'aux dépendances, en fait des écuries.

— Au printemps prochain, je vais acheter à mon père une vingtaine de chevaux aux enchères. Evidemment, il ne saura pas qui est l'acheteur. Quand le camp ouvrira ses portes, chaque enfant devra s'occuper d'un cheval. Ils ne mangeront que lorsque les chevaux auront mangé, se baigneront quand ils auront peigné et brossé leurs chevaux. Ils apprendront à s'occuper d'autrui et le travail bien fait, seul ou en équipe.

Il continua à évoquer ses projets, et elle l'écouta attentivement. Mais toutes les pensées possibles et imaginables s'entrechoquaient dans sa tête. Il n'y avait qu'une seule raison pour laquelle Ryan envisageait d'acheter des chevaux à son père sans qu'il le sache. Et cette raison ne s'accordait pas avec ce qu'il lui avait dit, lors de leur séparation.

— Je sais que tu n'aimes pas cuisiner, mais ça n'est pas un problème, je vais embaucher…, conclut Ryan en la conduisant dans la cuisine.

— Arrête !

Elle dégagea sa main et recula.

— Pourquoi fais-tu tout cela ? Qu'est-ce que cela signifie ?

Il s'approcha d'elle.

— Tu m'as tellement manqué, Jessie.

— Ne m'appelle pas Jessie ! Tu as rompu avec moi, il y a plusieurs semaines.

— Je ne voulais pas te faire de mal…, murmura-t-il.

— Tu m'en as fait ! Et tu m'en fais encore ! Tu continues de me briser le cœur…

— Comment puis-je te briser le cœur maintenant que je suis là, près de toi ?

Elle continuait de reculer.

— Ryan, écoute… je ne comprends rien à ce qui se passe… J'ai… j'ai la tête à l'envers !

Il s'approcha.

— C'est simple pourtant : je t'aime, Jessica.

Elle secoua la tête.

— Mais non ! Tu aimes ta famille. Tu as affirmé que c'était toute ta vie ! Et tu n'aurais pas dû…

— Tu sais ce que j'ai fait après notre séparation ? la coupa-t-il.

— Je m'en fiche !

— Je suis retourné dans le ranch de mes parents. Pour t'oublier.

Des larmes brûlantes inondèrent le visage de Jessica. Voilà, ça y était : il allait lui faire du mal !

— Mais tu n'es pas le genre de femme que l'on oublie facilement, Jessie… J'étais au ranch, j'étais avec mes parents, en famille, mais il me manquait le plus important : toi.

Elle cessa de pleurer et le dévisagea avec méfiance.

Il passe son index sur sa joue mouillée et pressa sa main sur son cœur.

— Ce sont les dernières larmes de tristesse que je veux te voir verser !

Il sourit.

— J'ai fait la paix avec ma famille, Jessie. Nous nous sommes dit au revoir, mes parents m'ont donné leur bénédiction… J'aime mes parents, mes frères et ma sœur, je les aimerai toujours, mais il y a la famille où l'on naît, et puis il y a celle que l'on choisit de construire.

Il lui prit le menton et la regarda droit dans les yeux.

— C'est toi que j'ai choisi. C'est avec toi que je veux fonder une famille.

— Non ! Je ne veux pas que tu te sacrifies pour moi ! Bientôt, tu m'en voudras et tu me détesteras. Et ta carrière ? Les traditions familiales ? Tu ne peux pas tout laisser pour moi.

— Pourquoi pas ? répondit-il, l'air soudain contrarié. Tu penses que tu ne vaux pas le sacrifice ?

Elle éloigna le regard.

— Ne me dis plus jamais une chose pareille ! s'exclama-t-il. A mes yeux, tu es plus précieuse que tout au monde. Rien ni personne ne peut être plus important que toi ! Tu m'aimes ?

Son cœur se serra. Elle secoua la tête.

— Moi je t'aime, Jessie. Je veux vivre avec toi. Je ne sais pas comment le dire autrement, mais tu dois me croire.

— Ryan… Ça n'est pas l'amour, le problème. Je…

Puis elle soupira.

— Oui ! Je t'aime ! Oh, comme je t'aime…

Il se détendit. Son visage s'adoucit.

— Je t'aime, reprit-elle. Mais ça n'est pas… tu ne peux pas être heureux.

— Tu penses que je ne serai pas heureux, en dirigeant un camp pour enfants et adolescents en difficulté ?

— Non !

— Tu te souviens, je t'ai parlé des camps que mes parents organisaient, chaque été au ranch ? Alors viens, je vais te montrer autre chose !

— Tu ne me conduiras nulle part ! Tu es toujours aussi autoritaire, et c'est insupportable !

Il sourit.

— Je sais, je dois me bonifier. Après toi, dit-il, en s'effaçant devant elle.

Le dos raide, elle monta l'escalier, sans comprendre où il voulait en venir. Il passa devant elle et ouvrit une porte, tout au bout du couloir, et de nouveau s'effaça pour qu'elle le précède.

Ils étaient dans une grande pièce où se trouvaient deux bureaux, des armoires de rangement et des cartons. Ryan la regarda avec insistance, mais elle ne comprenait pas où il voulait en venir.

— Qu'est-ce que tu veux me montrer ?

— Regarde le panneau sur le mur. Que vois-tu ?

Elle s'en approcha.

— Des photos, des tonnes de photos.

— Tu ne me facilites pas la situation… Regarde de plus près.

C'étaient des photos d'enfants qui nettoyaient les stalles et s'occupaient de leurs chevaux. L'un des adolescents, un garçon aux cheveux bruns coupés court et aux yeux très bleus, presque noirs, attira plus particulièrement son attention. C'était Ryan. Il aidait l'un des petits garçons. La joie sur son visage était perceptible, même sur ce cliché déjà jauni.

— Regarde celle-là, lui demanda Ryan en lui montrant une autre photo.

Elle obtempéra. C'était de nouveau lui avec d'autres enfants. Des larmes lui montèrent aux yeux.

— Ai-je l'air malheureux ?

Elle secoua la tête.

— Non. Au contraire.

Elle passa l'index sur son visage souriant sur les photos, puis avisa, sur un autre cliché, un couple dont les yeux étaient de la même couleur que ceux de Ryan.

— Mon père et ma mère…, précisa-t-il. Et là, mes frères. Et là, ma sœur.

Il s'approcha d'elle et essuya ses larmes.

— Je n'ai pas renoncé à mes rêves, Jessie… J'ai parlé de toi à mes parents, à mes frères, ma sœur. Ils t'aiment parce qu'ils savent que je t'aime, et ils savent aussi que tu me rendras heureux. Ces photos, où tu les vois sourire, je les ai prises après leur avoir appris que j'allais entrer dans le programme WitSec pour passer le reste de ma vie avec toi. Ils sont heureux pour toi et pour nous…

Il lui prit la main et la pressa contre son cœur.

— Ma famille sera toujours avec moi, là. Mais tu es ma future famille, maintenant.

Jessica ne put retenir un sanglot. Elle ferma les yeux et porta son poing à la bouche.

— Ouvre les yeux, Jessie !

Il l'embrassa sur le bout de son nez, puis sur ses yeux et sur le front.

— S'il te plaît…, murmura-t-il.

Elle obtempéra et cilla à travers ses larmes.

Il lui dégagea le visage.

— Je t'aime, Jessie. Je ne t'abandonnerai jamais. Peut-être m'éloignerai-je, mais ça ne sera jamais longtemps, et je reviendrai toujours…

Elle referma les yeux, puis secoua la tête.

— Dis-moi que je peux espérer un avenir avec toi, Jessie, mon amour…

Elle ouvrit les yeux, tremblante, serra le poing et lui donna un petit coup dans le bras.

Il leva les sourcils, surpris.

— Jessie ?

— Règle numéro un ! Ne jamais me laisser seule trop longtemps, sinon… sinon… tu ne peux même pas imaginer le sort que je te réserverai !

Il plissa les yeux.

— Tu te moques de moi, n'est-ce pas ?

Elle sourit, pour la première fois depuis qu'il était sorti de sa vie.

— Même pas en rêve ! Tais-toi maintenant, et embrasse-moi, Ryan.

Il rit et obtempéra sans se faire plus prier.

MALLORY KANE

La mission de sa vie

BLACK *ROSE*

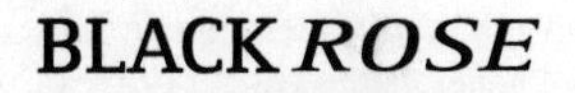

Titre original : THE SHARPSHOOTER'S SECRET SON

Traduction française de BLANCHE VERNEY

83-85, boulevard Vincent-Auriol, 75646 PARIS CEDEX 13.
Service Lectrices — Tél. : 01 45 82 47 47
www.harlequin.fr

1

Cela ne s'appelait pas une ville fantôme pour rien…, songea Deke.

Il avait beau être un spécialiste de la récupération de personnes en territoire hostile et n'avoir plus peur de grand-chose, les ombres qui montaient dans le soir le mettaient mal à l'aise. Elles semblaient s'avancer au-dessus de lui, menaçantes comme des griffes à travers l'espace vide et poussiéreux qui avait été jadis la rue principale de Cleancutt, Wyoming. Il essayait bien de dissiper le désagréable pressentiment qui s'était emparé de lui, mais sans y parvenir. Après tout, il n'accomplissait pas une mission de routine en tâchant de récupérer, au nez et à la barbe d'ennemis, un quelconque anonyme.

Non, il recherchait son ex-femme…

Il jeta un coup d'œil au GPS intégré à son téléphone portable, puis à l'immeuble d'un étage, dont les lettres H O T étaient à peine lisibles sur l'enseigne au-dessus de la porte. Le E et le L avaient disparu.

C'était bien là qu'Aaron Gold, son collègue de l'agence Black Hills Search & Rescue, était parvenu à localiser le dernier appel émis par le portable de Mindy.

Mindy… Elle ne méritait certainement pas un tel sort, ni à peu près rien de ce qui lui était arrivé depuis qu'il l'avait rencontrée.

Il soupira : Mindy avait manqué de chance en tombant sur lui. C'était malheureusement aussi simple que ça.

Il approcha avec précaution du bâtiment, résistant à

l'envie de passer sa main sur sa nuque, où ses cheveux venaient de se hérisser.

Quelqu'un l'observait, et ce n'était guère surprenant…

Il savait même qui. C'était celui qui avait enlevé Mindy ou, du moins, qui en avait donné l'ordre.

Novus Ordo, le tristement célèbre terroriste international qui s'était déjà attaqué à un autre membre du BHSAR, Matt Parker.

— Nous tenons ta femme, avait dit la voix artificiellement maquillée, au téléphone.

Deke avait immédiatement tressailli, comme si une sirène stridente avait retenti à ses oreilles. Son estomac s'était douloureusement crispé. Pourtant, s'était-il dit, il fallait prendre les choses avec calme et même répondre avec ironie, pour que les ravisseurs ne puissent évaluer la force du coup qu'ils venaient de lui porter en enlevant Mindy.

— C'est mon ex, avait-il grogné d'une voix qu'il espérait ferme et dénuée de toute émotion. Ne vous gênez surtout pas pour moi…

— Je ne plaisante pas, Cunningham, avait répliqué la voix d'un ton irrité. Elle est entre nos mains et on la tuera si tu ne suis pas exactement les instructions que je vais te donner.

— La seule chose que tu as entre les mains, c'est son téléphone portable, l'ami…

Le ravisseur avait mordu à l'hameçon : il avait passé le téléphone à Mindy.

— Ne paye pas ! avait-elle eu le temps de lui dire précipitamment, avant que l'appareil ne lui soit probablement arraché des mains. C'est un piège !

Quel courage ! avait-il pensé. Ça ne l'avait pas surpris, d'ailleurs. Mais, sous la fermeté des mots de son ex-femme, il avait perçu la peur. Une terreur profonde, que jamais auparavant il n'avait entendue dans sa voix. Cela l'avait terrifié à son tour, plus que tout ce qu'avait pu lui dire le ravisseur.

Quelque chose n'allait pas, quelque chose d'autre, de plus grave que l'enlèvement lui-même. Bien sûr, n'importe qui à la place de Mindy aurait été mort de peur. Mais, justement, son ex-femme n'était pas n'importe qui. Depuis qu'il la connaissait — c'est-à-dire depuis vingt ans —, elle s'était toujours tirée indemne de toutes les situations.

Sauf de leur mariage…

La voix nerveuse, tendue, de Mindy résonnait encore à ses oreilles tandis qu'il montait les marches délabrées menant au seul hôtel de Cleancutt.

Il connaissait bien les villes fantômes de la région, dont il avait entendu parler toute sa vie… Il y avait à peu près quatre-vingts ans de cela, Cleancutt et ses voisines, jusque-là de simples camps de toile, s'étaient mises à s'agrandir et à prospérer. La crise de l'exploitation minière, durant les années 1950, avait brutalement mis fin à tout cela. Désertées par leurs habitants, ces villes s'étaient toutes endormies dans le silence.

Soudain, son portable vibra dans sa poche. Il l'en tira en regardant autour de lui, histoire de vérifier que son correspondant n'était pas lui-même en train de l'observer, attendant qu'il décroche. Mais c'était le numéro de sa patronne, Irina Castle, qui s'affichait sur le petit écran numérique. Il pressa sur le bouton de communication, sans parler.

— Deke, où êtes-vous ? lui demanda tout de suite Irina.

— Je suis occupé, lui répondit-il calmement.

— J'en étais sûre, vous êtes parti tout seul à la recherche de Mindy. Je vous avais pourtant dit d'attendre que j'arrange une réunion avec Aaron Schiff…

— Pas question de mêler le FBI à cela, Irina. C'est trop dangereux. Je préfère m'en occuper moi-même. Et puis, vous connaissez les exigences des ravisseurs : ils menacent de se venger sur Mindy si j'amène des renforts.

— Et, vous, vous n'êtes pas le seul dans le service à

connaître votre métier. Nous avons d'autres spécialistes que vous et qui ne prennent pas de risques inconsidérés, eux !

— Celui que je prends est tout à fait calculé.

Irina poussa un soupir agacé.

— Vous avez même défendu à Aaron Gold de me dire où vous êtes !

— Le cloisonnement est la règle, vous le savez. J'ai fait ça pour votre bien et celui de Mindy. D'ailleurs, il n'y a personne de plus entraîné que moi pour ce genre de mission.

Il espérait rassurer sa patronne, mais, manifestement, en vain. Elle garda le silence un moment.

Songeait-elle à son mari ? se demanda Deke. Rook Castle avait été assassiné par … Novus Ordo, deux ans plus tôt.

— J'ai communiqué à Aaron et à Rafe le plan précis et le timing de l'opération, reprit-il finalement. Ils savent ce qu'ils ont à faire. Il faut me faire un peu confiance, Irina.

— J'ai tout à fait confiance en vous, mais je n'aime pas être mise à l'écart. Et cette histoire m'inquiète, elle vous touche de trop près…

Il soupira.

— J'aurais dû savoir à quoi m'en tenir, lorsque Matt nous a dit qu'il avait été constamment suivi, à son retour du Mahjidastan. Il était clair que Novus Ordo allait s'attaquer ensuite à moi. Il a trouvé le moyen le plus efficace de le faire : Mindy.

Il se plongea un instant dans ses pensées. Novus Ordo voulait assurément savoir pourquoi Irina avait rappelé Matt Parker du Mahjidastan et annoncé à tous ses collaborateurs qu'elle mettait fin aux recherches entreprises pour retrouver son mari, ou ce qu'il en restait.

— Tout ça n'est pas votre faute, Deke…

— Vous croyez ? Ce n'est pas mon avis. J'aurais dû me préoccuper de Mindy, la faire protéger…

Il n'en dit pas plus, la gorge serrée par le remords. Il avait laissé capturer son ex-femme. Il fallait la récupérer à présent.

— Allons, ne vous en faites pas, Irina. Rafe et Aaron vous tiendront informée. Ils ont leurs instructions, et la première d'entre elles, c'est de vous protéger.

Il s'interrompit un instant, puis reprit :

— Surtout, ne sortez pas sans protection rapprochée. Quelqu'un doit toujours savoir où vous êtes et ce que vous faites.

— On dirait que vous ne faites confiance à personne parmi nous, releva sa patronne.

— Depuis que mon hélicoptère a été saboté, je n'ai effectivement confiance qu'en vous et en moi.

— Vous avez parlé de votre timing. Je peux au moins le connaître ?

— Ce que je peux au moins vous dire, c'est que j'ai prévu d'exfiltrer Mindy en vingt-quatre heures.

— Et s'il y a davantage de difficultés que prévu ?

— Ma limite est à soixante-douze heures.

Il aurait bien aimé connaître, aussi, celle de Novus Ordo…

— C'est bon, Deke, souffla Irina. Faites bien attention à vous.

Il raccrocha, mais hésita un instant avant de remettre le portable dans sa poche.

Deux jours auparavant, le BHSAR, en agissant en coopération avec le FBI, avait découvert le corps de l'homme qui avait essayé d'enlever Matt Parker. On avait trouvé sur lui des éléments le reliant au réseau terroriste de Novus Ordo. Celui-ci n'avait eu besoin que de deux heures pour découvrir qu'Irina avait rappelé Matt aux Etats-Unis, et à peine plus pour faire saboter l'hélicoptère de Deke dans son hangar. Il n'y avait qu'une seule explication possible à une telle rapidité de réaction et d'exécution.

Novus Ordo avait été renseigné par quelqu'un qui avait ses entrées au BHSAR. Il y avait donc un traître parmi eux.

Deke s'était occupé personnellement de choisir les hommes

qui devaient protéger Irina. Il aurait bien aimé, au moins, avoir une parfaite confiance en eux.

La main un peu tremblante, il pianota sur son portable un numéro qu'il n'aurait jamais cru devoir composer un jour. Il écouta le message enregistré, puis parla posément et raccrocha.

Avait-il bien agi ? s'inquiéta-t-il aussitôt. Deux ans plus tôt, il avait fait une promesse à son meilleur ami, Rook Castle. Il venait de la rompre. Mais il n'avait pas le choix. Il était temps de ressusciter les morts.

Il escalada avec précaution les marches branlantes et plaqua son épaule contre la porte vermoulue de l'hôtel abandonné. Elle craqua bruyamment. Puis, tenant son arme devant lui, il écouta attentivement. Rien, pas même un rat ou le bourdonnement d'un insecte.

Il s'attendait depuis longtemps à ce que Novus Ordo essaie de s'attaquer à lui. C'était dans l'ordre des choses. Mais il n'aurait jamais imaginé que le terroriste menacerait Mindy. Après tout, bon Dieu, ils étaient divorcés depuis deux ans !

Mindy était sa seule faiblesse. Novus Ordo le savait et en jouait contre lui. C'était particulièrement inquiétant.

Les années qu'il avait passées à l'US Air Force avaient fait de lui un homme d'action. Il pouvait tuer une mouche posée sur la casquette d'un général à deux cents mètres, de plus loin que cela, même, s'il voulait. Dans les forces spéciales, on lui avait appris qu'il n'y avait rien au monde à quoi il ne pouvait faire face.

Il plaqua un peu plus son oreille contre la porte à demi dégondée. Quelle chausse-trape Novus Ordo avait-il préparée pour lui ? se demanda-t-il.

Il aurait bien aimé une confrontation face à face, mais ce n'était pas le genre de Novus Ordo. Le terroriste était trop secret pour cela. On ne l'avait jamais vu que le visage dissimulé par un masque de chirurgie. Il y avait une raison à cela, excellente, mais bien peu nombreux étaient les gens qui la connaissaient…

Oui, songea Deke, Novus Ordo lui tendait un piège, et il fonçait dedans la tête la première. Mais le terroriste avait brandi devant lui le seul chiffon rouge auquel il ne pouvait résister : son ex-femme.

Il assura sa prise sur la crosse de son pistolet Sig-Sauer et prit une profonde inspiration.

C'était parti…

Il entrebâilla légèrement la porte, juste assez pour se glisser à l'intérieur. Le hall de réception de l'hôtel ressemblait à ceux des westerns que son père regardait à la télévision, une bouteille de mauvaise vodka à portée de main.

Deke se faufila en jetant un œil au comptoir ouvragé de la réception et au grand escalier. Du verre brisé crissait sous ses bottes, vestiges d'un lustre en cristal.

A l'extrémité de son champ de vision, quelque chose bougea, et il se tourna vivement, le doigt sur la détente.

Ce n'était qu'un raton laveur. Le petit animal détala à travers la pièce, ses griffes cliquetant sur le plancher comme le staccato d'une vieille machine à écrire. Que fuyait-il ?

Deke fit un pas, puis un autre, en direction de la grande pièce qui s'ouvrait sous une sorte d'arche. Probablement la salle à manger…

De lourds doubles rideaux étaient encore en place aux fenêtres et masquaient presque toute la lumière de cette fin d'après-midi. L'odeur douceâtre de la pourriture lui monta aux narines. Il retint son souffle, concentré pour ne pas éternuer, et se déplaça dans la pièce. Il lui fallait encore entrouvrir un rideau.

Un éclair rouge, une détonation… C'était trop tard.

Quelque chose, peut-être un éclat de bois, se planta dans sa joue. Il fit face, prêt à ouvrir le feu à son tour. Mais la pièce se mit à tourner autour de lui et les ombres, à se déformer.

Il essaya de tirer, mais il ne parvenait pas à appuyer sur la détente, et ses jambes ne le portaient plus.

Soudain, tout bascula autour de lui. Puis ce fut le noir.

Bon Dieu, qu'il détestait attendre ! Il aimait être celui qui passait des coups de fil et donnait les ordres.

Il se mit à marcher de long en large devant la fenêtre panoramique qui s'ouvrait sur le grandiose paysage des Black Hills, jusqu'au moment où il ne put plus en supporter la vue. Il actionna alors le store électrique. Il détestait ces sinistres montagnes et les avait suffisamment vues pour sa vie entière !

Le téléphone mobile prépayé qu'il avait caché dans sa trousse de toilette se mit à sonner.

Enfin !

— Tout est en place, ici, lui annonça son correspondant.

— Ici, rien ne bouge.

— Il le faudrait, pourtant, et vite…

— Je fais ce que je peux. Tu as la moindre idée du niveau de sécurité, autour d'ici ? Ça a au moins triplé depuis…

— Je crois que je suis près du but.

— Tu crois ? Tu ferais mieux d'en être sûr. C'est notre seule chance… Tu te rappelles ce qui arrivera si tu me fais faux bond ?

— A quoi bon, tout cela ? Ce serait tellement plus simple d'y aller et d'agir.

— Tu mets en cause mes méthodes ? Tu n'es pas indispensable, tu sais… Personne ne l'est.

Deke entrouvrit un œil, puis le referma. Quelque chose de doux se frottait contre lui. Il avait la bouche sèche et se sentait vaguement nauséeux. Sous l'odeur de pourriture douceâtre qui l'enveloppait, il en percevait une autre, aussi agréable que familière. Il essaya bien de sortir de sa torpeur.

Mais il avait les jambes en coton, et ses paupières étaient très lourdes. Il voulut se tourner, mais il était trop épuisé pour y parvenir.

De nouveau, quelque chose l'effleura. Cette fois, il l'identifia mieux : c'était un corps féminin. « Elle » marmonnait quelque chose.

— Mindy, mon cœur, murmura-t-il à son tour. Pousse-toi un peu, tu veux ?

Soudain, la réalité, comme une lame effilée, le frappa. Tout ça n'était pas normal. Pour le moment, sa langue ne lui obéissait pas. Aussi se contenta-t-il de pousser quelques grognements inintelligibles.

Elle y répondit par des sons tout aussi peu articulés que les siens.

Que voulait-elle dire ? Est-ce qu'il rêvait ? Peut-être bien, après tout.

— Mindy, murmura-t-il de nouveau. Tu sais ce qui va t'arriver si tu ne te pousses pas…

Il s'attendait à l'entendre rire, à sentir ses baisers sur ses lèvres, et il se tourna ou, plutôt, il tenta de le faire.

Mais il ne parvint pas à bouger…

Evidemment, il n'était pas au lit avec Mindy…

Alors où diable était-il ?

De nouveau, un éclair de lucidité s'abattit sur lui… Une flamme, l'odeur de la poudre. L'éclat de bois dans sa joue, ou la fléchette, ou autre chose encore…

Il se força à ouvrir les yeux. L'obscurité était totale.

Son cœur se mit à battre plus vite. L'entraînement des forces spéciales reprit le dessus.

Il avait été drogué. C'était sûr.

Les mâchoires serrées, il essaya de rassembler ses idées.

La poudre, la sensation de piqûre… C'était cela : un pistolet ou un fusil à fléchettes anesthésiantes.

Il se mordit la langue, douloureusement, pour se forcer à

se réveiller. Se laisser droguer pouvait être fatal en mission, tout comme la fatigue ou la torture. Il devait donc vérifier qu'il était encore suffisamment valide.

Cela consistait à répondre à quelques questions.

Hémorragie ? Pas de sensation de chaleur humide sur la peau ou, au contraire, de substance collante et sèche…

Fracture ? Il bougea ses jambes et ses bras. Non. Pas de fracture.

Environnement immédiat ? Endroit sombre et humide.

Position ? Attaché, les mains dans le dos et bâillonné. Il passa une langue sèche contre le tissu qu'on lui avait fourré dans la bouche. Puis il tenta de remuer de nouveau ses jambes et grimaça de douleur. Des crampes, à cause des liens sur les chevilles.

Evaluation de la situation ? La partie n'était pas encore gagnée. Que fichait-il ici, attaché et drogué ?

Un son étouffé retentit pourtant jusqu'à son cerveau.

Mindy ! C'était cela. Il était venu la sauver parce que Novus Ordo l'avait enlevée pour le faire chanter, lui.

Elle était tout contre lui, un peu trop même, pour son confort personnel… Son épaule touchait la sienne. A en juger par son immobilité relative et ses grognements, elle devait être attachée et bâillonnée, elle aussi.

Deke aurait bien voulu la réconforter, mais c'était impossible avec son bâillon. Il fallait d'abord essayer de s'en débarrasser. Il tenta de se frotter la bouche, puis le menton contre sa propre épaule. Mais, les mains attachées dans le dos, ce n'était pas évident. Il fallait bien des contorsions pour y parvenir.

La peau de son cou était complètement irritée quand il put enfin cracher le bâillon. Sa gorge était si sèche qu'il ne parvenait pas à avaler sa salive.

— Mindy, ça va ? coassa-t-il.

Elle lui répondit par un grognement agacé.

— Attends une seconde…

Il se tortilla jusqu'à se retrouver au-dessus de l'épaule de son ex-femme.

Encore une assez mauvaise idée… L'odeur du bain moussant à la mandarine qu'elle utilisait toujours monta à ses narines, faisant affluer ses souvenirs.

Il pencha la tête et, de son nez, donna un petit coup sur la joue de Mindy pour tenter d'expulser le bâillon.

Douceur, chaleur, fermeté… et mandarine. Cela avait au moins l'avantage qu'il ne se sentait plus du tout la bouche sèche. Au contraire, le parfum familier de Mindy le faisait saliver… Les dents serrées, il poussa un soupir de frustration. Le sexe n'avait jamais été un problème entre eux…

Ni une solution, d'ailleurs…

Mindy se raidit, elle, de tout son corps, comme pour lui rappeler sèchement que le bon vieux temps était derrière eux et que la situation présente incitait au sérieux. Pourtant, elle n'essaya pas de s'écarter, de se dérober. Mieux, elle pencha la tête pour lui faciliter la tâche.

Parvenant enfin à prendre un bout de tissu entre ses dents, il tira jusqu'à ce qu'il puisse libérer Mindy du bâillon. Il essaya vaillamment d'ignorer le frôlement de ses cheveux contre sa joue, puis le bref rapprochement de leurs lèvres.

Quand il finit par se redresser, il se sentait les idées plus claires, bien que l'endroit où ils se trouvaient était aussi obscur que la cale d'un bombardier au milieu de la nuit. La seule lumière provenait d'un tout petit soupirail, très haut au-dessus d'eux.

— Ils nous ont mis à la cave, grogna-t-il tout haut.

Elle poussa un nouveau gémissement et se tortilla.

— Mindy, ça va ?

C'était à peine s'il pouvait discerner son visage dans l'obscurité, moins encore sa silhouette car elle portait des vêtements sombres.

— Ils t'ont fait du mal ?

Elle secoua la tête.

— Non. A part manquer de me casser les bras quand ils me les ont attachés derrière le dos.

Sa voix habituellement chaude et profonde était rauque. … Et sexy en diable…

Deke se maudit intérieurement. C'était bien le moment, après deux ans de séparation, de penser à cela !

— Au fait, merci de m'entraîner dans tes petites aventures…, lâcha-t-elle avec ironie, entre deux quintes de toux.

… Et tu n'as pas encore tout vu, ma belle ! songea-t-il. Il poussa un soupir agacé.

— Voilà, tu remets ça !

— N'essaie pas de me faire croire que cela n'a aucun rapport avec tes missions.

— Tu crois vraiment que je te mettrais délibérément en danger ?

— Je crois que tu en fais trop, ou que tu en as trop fait, comme d'habitude. Je te l'ai dit des centaines de fois : tu cours après un mirage, avec tes sauvetages. On ne sauve jamais personne et, même si tu le pouvais, ça ne te rassurerait pas…

Il fit la grimace. C'était un éternel débat entre eux, et il voulait bien être pendu s'il la laissait l'entraîner de nouveau sur ce terrain largement miné. Alors il lui fit un grand sourire : elle pouvait toujours parler !

Mais, dans le regard qu'ils échangèrent, quelque chose le troubla. Il décelait une vraie terreur, dans ses yeux vert olive. La même qu'il avait entendue dans sa voix, au téléphone. Instantanément, il perdit toute confiance en lui.

— Mindy, tu es sûre que ça va ? Tu n'en as pas l'air…

Elle fixa un point, quelque part derrière lui, et passa la langue sur ses lèvres pour les humidifier.

Oh non, s'abjura-t-il mentalement. *Pas ça. Ne pense pas à ça !*

Mais il y pensa tout de même… Toutes ces choses extraordinaires que Mindy pouvait faire avec sa langue, dont la moindre n'était pas de savoir lui fermer la bouche en quelques arguments bien sentis.

— Ça va, souffla-t-elle en l'effleurant de nouveau.

Il n'avait pas de mal à imaginer ce qu'elle pouvait ressentir. Elle devait avoir la gorge et la bouche aussi sèches que lui.

— Comment est-ce arrivé ? demanda-t-il. Comment as-tu été enlevée ?

— J'ai reçu un coup de fil. On m'a dit que quelque chose, un paquet que je devais recevoir, avait été livré à une mauvaise adresse et que je devais aller le rechercher… Lorsque je me suis rendue à l'endroit indiqué, ils m'ont capturée.

— Bon sang, Mindy, répliqua-t-il. Combien de fois t'ai-je dit de te montrer prudente ! C'est dangereux !

— Ça l'est, en effet, coassa-t-elle. A cause de ton dangereux métier ! Idiote que je suis. Depuis que nous avons divorcé, j'espérais que le danger qui te colle à la peau finirait par épargner un peu la mienne ! Et puis, c'était une voix de femme, jeune. Elle m'a dit qu'elle aussi elle…

Mindy s'interrompit net.

— Elle aussi, quoi ? insista Deke.

Après un quart de seconde de réflexion et une sorte de mouvement de la tête, comme pour chasser une idée embarrassante, Mindy répondit :

— Elle aussi était dans le même cas. On ne lui avait pas livré son colis, déposé au même endroit que le mien. Elle m'a demandé si je pouvais le prendre pour elle, parce qu'elle était malade…

— Bon sang, Mindy, c'est un piège évident. Comment as-tu pu te laisser abuser par un leurre pareil ?

— Laisse-moi finir, lui répliqua-t-elle sèchement. Elle m'a dit qu'Irina était l'expéditrice.

Les cheveux de Deke se dressèrent une fois de plus sur sa tête. C'était une preuve supplémentaire que Norvus Ordo avait délibérément visé Mindy. Ce n'était pas une surprise, évidemment, mais il était désagréable de se le voir confirmer.

— J'aurais dû être plus méfiante, c'est vrai, parce qu'il n'y avait aucune raison qu'Irina m'envoie quoi que ce soit…

— Est-ce que tu as été droguée ? Tu as une drôle de voix…

— Dès que je suis entrée, quelqu'un s'est jeté sur moi et m'a planté une aiguille dans le cou. Ensuite, je me suis réveillée ici.

— Tu as vu tes agresseurs ?

— Non. J'ai eu les yeux bandés jusqu'à ce qu'on t'amène. Le type m'a enlevé mon bandeau juste avant de partir, mais je n'ai pas eu le temps de le voir.

— Le type ? Est-ce qu'il t'a dit quelque chose, même apparemment de peu d'importance ? Et il t'a fait penser qu'il avait quelque chose à voir avec moi ?

Mindy soupira.

Il ne la voyait pas très bien, mais elle devait avoir ce regard si typique, celui qui semblait dire : ne me prends pas pour une idiote !

— Ce qui me le fait penser ? releva-t-elle. Eh bien, c'est que je n'ai pas d'autres raisons d'être enlevée que celle d'avoir été ta femme, voilà pourquoi !

Deke se retint de répliquer. Mindy avait raison. Il avait fourni à de trop nombreux ennemis d'excellentes raisons de lui en vouloir… La plus évidente de toutes ne remontait pas à plus de deux ans. Pas mal de gens, à commencer par Mindy elle-même, pourraient souhaiter voir sa tête au bout d'une pique, s'ils savaient ce qu'il avait fait, même pour la plus sérieuse des raisons, à son meilleur ami… Son seul ami sans doute…

Seulement ce que ces bonnes gens ignoraient, songea-t-il, c'est qu'il aurait été prêt à le refaire, cela et plus encore, pour le seul homme qui avait toujours cru en lui et lui avait fait confiance, jusqu'au bout.

Jusqu'à lui confier sa vie. Et sa mort…

J'espère que ton sacrifice n'aura pas été vain, Rook,

parce que me voilà de nouveau au combat contre Norvus Ordo. Et cette fois il n'y aura aucune pitié.

— Bon, reprit-il à l'intention de Mindy. Admettons que je vienne, une fois encore, de semer la pagaille dans ta vie. C'est fait, et l'on ne peut rien y changer, mais je te promets de te sortir de là et de te rendre, aussi vite que possible, à cette existence normale et tranquille que tu aimes tant.

2

Si sa bouche ne lui avait pas fait aussi mal, Mindy aurait ri. *Cette vie normale et tranquille que tu aimes tant.*

C'était pourtant vrai… Elle aurait donné n'importe quoi pour un peu de normalité et un zeste de tranquillité. Seulement, quand Deke était dans les parages, « normal » et « tranquille » étaient des adjectifs qui s'éloignaient discrètement du paysage.

Elle avait aimé Deke Cunningham plus que tout au monde, et être sa compagne ne rimait pas précisément avec normalité et tranquillité.

Plutôt avec désastre.

Pas côté cœur, non, ni côté corps, d'ailleurs. A ses yeux, il avait toujours été le plus bel homme de la planète, avec ses cheveux bruns délavés par le soleil et ses yeux d'océan qui pétillaient toujours. Avec la ligne nette de sa mâchoire et ses larges épaules, sa haute stature, sa puissante musculature que les vestes les mieux coupées peinaient à dissimuler.

Une nausée subite l'interrompit dans ses rêveries. Ce n'était pas le moment de dresser la liste des charmes de son ex-mari, et elle se maudit d'avoir stupidement frappé à la porte de cet appartement en ville. Avant même que celle-ci ne s'ouvre, elle savait commettre une très grosse erreur.

Deke l'avait pourtant souvent mise en garde contre les rendez-vous qu'on pouvait lui donner dans des endroits inconnus d'elle et peut-être déserts, mais le message qu'elle avait reçu était si simple, si innocent, qu'elle n'y avait pas vu malice.

— Bonjour… Mindy Cunningham ? avait demandé la voix à l'autre bout de la ligne. Babies First vient de m'envoyer un colis qui vous est destiné. C'est de la part de Irene ou Irina Castle. J'aimerais vous l'apporter, mais je suis moi-même au dernier mois de ma grossesse et clouée au lit. Pouvez-vous passer le prendre ?

Mindy s'était présentée à l'adresse indiquée, mais ce n'était pas une femme enceinte qui lui avait ouvert la porte, ni même une femme du tout. C'était un homme dont le visage et le regard cruel disaient trop le piège dans lequel elle venait de tomber. Avant qu'elle n'ait pu réagir, il l'avait prise par le bras et attirée à l'intérieur, claquant la porte derrière elle. Il l'avait plaquée contre un mur et lui avait injecté quelque chose dans la nuque.

Il l'avait droguée…

Elle était littéralement terrifiée : ce produit qu'elle avait maintenant dans le corps pouvait être nocif pour son bébé. Quelque chose pouvait arriver au petit « La Globule », comme elle l'appelait pour rire.

Comme s'il pouvait lire dans ses pensées, le petit La Globule lui donna un coup de pied à l'intérieur du ventre. Mindy se passa la main dessus, abattue. Avant l'installation en elle de ce petit passager clandestin, sa pire crainte était de ne pas pouvoir se débarrasser d'un certain homme : Deke Cunningham, ancien des forces spéciales, tireur d'élite, aventurier et ex-mari. Lorsque leur divorce avec été prononcé, elle avait eu comme projet de ne plus jamais le revoir. Mais bon, les projets…

Il y avait tout juste huit mois de cela, elle avait perdu sa mère. Deke était venu, naturellement, à l'enterrement. C'était l'une des rares fois de sa vie où elle l'avait vu porter un costume. Il était beau comme une gravure de mode et plus doux, plus gentil, plus protecteur qu'il ne l'avait jamais été. Il s'était montré sous le jour dont elle avait toujours su qu'il pouvait être le sien. Il ne l'avait pas quittée d'un pouce, pas même le soir, juste pour s'assurer, comme il disait, qu'elle n'avait besoin de rien. Lorsque, nettement plus tard, il avait timidement fait mine de retourner à son hôtel, c'était elle qui lui avait demandé de rester. Ils avaient fini au lit ensemble, et elle était tombée enceinte. Pour ce qui était de se débarrasser de lui, c'était réussi…

— Non, Mindy, ça ne va pas, je le vois bien. Ils t'ont fait du mal, j'en suis sûr !

Il contrôlait le ton de sa voix. A peine, mais elle le connaissait suffisamment pour s'en rendre compte. Il pouvait éclater d'une colère subite et furieuse. Pas contre elle, jamais. Mais contre lui-même.

— Non, vraiment, je t'assure. Je suis juste fatiguée et contusionnée…

Ce qu'il n'avait jamais bien pu comprendre, pesta-t-elle intérieurement, c'était que ses colères la terrifiaient, même si elle n'était pas concernée au premier chef.

Donc, même s'il méritait tout à fait d'être mis au courant de sa grossesse, elle ne lui en parlerait pas. Ce n'aurait été que justice, et elle se maudissait de sa lâcheté, mais elle le lui cacherait le plus longtemps possible. Et encore plus que c'était lui le père. Bon Dieu, comment réagirait-il en l'apprenant ? Elle en était terrifiée à l'avance.

— Deke, lui dit-elle, pressante, il faut partir d'ici. Il va revenir, j'en suis sûr. D'un instant à l'autre.

— Oui… Si du moins on peut bouger. Tourne-toi… Laisse-moi voir tes mains.

Si elle pouvait bouger ? Pas si bien que cela… D'autant que, comme un avion-cargo à la charge mal répartie, elle était un peu trop lourde sur l'avant. Elle se tortilla néanmoins pour lui tourner le dos, en essayant de ne pas pousser tous ces soupirs et ces grognements qui étaient son lot ces temps-ci. Toutefois, elle ne put s'empêcher de haleter.

— Tu es vraiment sûre que ça va ? lui demanda encore Deke.

Il paraissait de plus en plus soupçonneux. Heureusement qu'il faisait sombre, songea-t-elle.

Elle baissa un instant les paupières et acquiesça.

— C'est la drogue, répondit-elle aussi calmement qu'elle le put. Ça m'a fait tourner la tête. Et puis, j'ai faim.

— Ça ne me surprend pas, répliqua-t-il. J'ai l'habitude.

Mindy se mordit la lèvre, assaillie soudain par de bien doux souvenirs. La complicité entre eux, les baisers, les jeux… Mon Dieu, comme il lui manquait ! Elle en oubliait presque à quel point elle s'était souvent dit que leur caractère était aussi peu compatible que le feu et l'eau.

Quand elle fut parvenue à se tourner tout à fait, Deke se pencha sur ses poignets entravés en poussant quelques jurons bien sentis.

— Je ne vois rien, grogna-t-il.

— Tu ne peux pas… je ne sais pas… les ronger ?

Il soupira.

— Je n'ai tout de même pas d'assez bonnes dents. Ne bouge pas…

Il se tourna à son tour pour se mettre dans la même position qu'elle. Bientôt, ils furent comme deux serre-livres, et ses grandes mains chaudes et protectrices effleurèrent les siennes : il tentait de desserrer ses liens…

De nouveau, il lâcha un chapelet de jurons qui se termina par : les salauds !

Le pouls de Mindy s'accéléra.

— Qu'est-ce qu'il y a ?

— Tout ça est trop facile… Trop bien arrangé…

— Comment ça ?

— Par exemple, ils ont utilisé ton téléphone, comme s'ils voulaient nous aider à repérer ta position. Et maintenant ces nœuds sont juste assez résistants pour tenir quelques minutes. S'ils l'avaient vraiment voulu, ils auraient pu en faire qui auraient été impossible à dénouer.

— Ça me paraît logique... Je t'ai averti qu'ils essayaient de te faire tomber dans un piège...

— Je l'avais remarqué moi aussi, figure-toi...

Les mains de Deke allaient et venaient sur les siennes, tandis qu'il s'activait à défaire ses liens.

— Aïe ! cria-t-elle.

— Ah... pardon !

— Non, c'est ma faute. Je me suis un peu tordu le pouce au passage...

— J'ai quasiment fini...

Elle suivait son souffle un peu oppressé, tandis qu'il travaillait.

— Deke, lui demanda-t-elle, qu'est-ce qu'ils te veulent ? Parce que tu sais qui ils sont, n'est-ce pas ?

Le sang affluait un peu plus facilement dans ses mains et ses poignets, lui donnant de douloureux fourmillements.

— C'est bien en connexion avec quelque chose ? insista-t-elle.

Il secoua la tête sans répondre. Il lui tournait le dos, mais elle devinait son geste : un léger déplacement d'air, le froissement de ses vêtements ou ce lien étrange qui avait toujours existé entre eux et qui continuait au-delà de leur séparation...

— Je suis très peu en opérations en ce moment, expliqua-t-il. J'essaie de rester au ranch le plus souvent possible. Irina ne va pas fort : elle a ordonné que l'on cesse les recherches, pour Rook.

— C'est vrai ? Je n'aurais jamais cru qu'elle ferait cela... Est-ce qu'elle a trouvé... une preuve de... ?

— Non, répondit Deke, les dents serrées. Elle arrête par manque de moyens, d'argent...

— D'argent ?

— Les moyens alloués par le gouvernement ne sont

pas indéfiniment extensibles. C'était cela, ou bien elle était obligée de renvoyer au moins deux spécialistes, ou de renoncer à certaines missions.

Un instant, il laissa ses doigts s'attarder sur ses poignets endoloris, et elle ne put retenir un soupir.

Elle avait mal pour lui. Faire tous ces mouvements pour la libérer devait être difficile et douloureux, puisqu'il avait lui-même les mains liées dans le dos. Elle aurait voulu pouvoir le lui dire, mais Deke n'admettait jamais être sensible à la douleur. Ni celle du corps, ni celle du cœur. Après tout, comme il le disait volontiers, la douleur, ce n'était rien de plus qu'une information…

— Mais Rook était son mari ! reprit-elle. Je n'arrive pas à croire qu'elle ait pu interrompre les recherches pour le retrouver, quelle qu'en soit la raison… Moi je n'aurais jamais…

Elle se mordit la langue, au sens propre. Elle, elle n'aurait jamais abandonné l'espoir de le retrouver. Et elle avait été à deux doigts de l'avouer.

D'une certaine manière, c'était pourtant bien ce qu'elle avait fait…

— Eh bien, c'est ce qu'on a fait, conclut justement Deke, sans doute volontairement à double sens.

Il avait les mâchoires serrées : il souffrait bel et bien.

Ne sachant trop comment se tirer de ce mauvais pas, Mindy préféra continuer à parler d'Irina. Si Deke devait s'en formaliser, cela le distrairait au moins de ses poignets douloureux, songea-t-elle.

— Irina doit être dévastée. Cela aurait déjà été terrible de devoir abandonner si elle avait eu la confirmation de la mort de Rook. Mais alors qu'il restait peut-être un espoir, je ne peux même pas y penser. Quand en a-t-elle pris la décision ?

Il ne répondit pas, se contentant de continuer à s'activer

en silence sur les liens. Il ne voulait pas le lui dire, tout simplement. Mon Dieu, comme elle le connaissait bien !

— Quand, Deke ?

A cet instant, le dernier nœud céda enfin, et Mindy soupira de soulagement : ses épaules, ses bras et ses poignets étaient libres. Mais instantanément une sorte de crampe lui tordit les muscles. Elle dut se mordre les lèvres pour ne pas crier.

— Doucement, murmura Deke. Ne les remue pas trop vite, ou tu vas le regretter, crois-moi…

Les dents serrées, elle fit jouer tout doucement ses muscles en rangeant cette information-là parmi les autres, dans un petit coin de son cerveau.

Deke savait ce que cela faisait d'être attaché pendant des heures, voire des jours…

Il bougea un peu vers elle.

— Regarde si tu peux attraper mon couteau, lui demanda-t-il. Il est dans ma botte gauche, si du moins ils ne m'ont pas fouillé. Ils ont pris mon pistolet, en tout cas. Mais pas mon téléphone, heureusement.

Elle se tourna jusqu'à ce que son épaule touche la sienne.

— Après qu'ils t'ont appelé, ils n'ont plus rien tenté d'autre. Ils n'avaient plus le temps, expliqua-t-elle. Puis l'un d'eux a reçu un coup de fil, mais il ne voulait pas parler devant moi, alors ils sont sortis…

— Bon, regarde si tu peux attraper mon couteau.

Elle ne pourrait jamais se courber suffisamment pour cela. Inutile d'essayer

— Non, je ne peux pas.

— Allons, Mindy, il est dans la tige de ma botte gauche. Tu le sais bien…

— Je ne peux pas.

— Pourquoi pas ?

Elle se mordit la lèvre. Elle avait suffisamment trahi son grand secret comme cela.

— Tu es blessée, trop raide ou quoi ? demanda-t-il.

Elle faillit se mettre à pleurer, et il sembla prendre son embarras pour de la douleur physique. Elle le lui laissa croire… Tout en se traitant elle-même de lâche…

— Je suis certain que je peux défaire un peu ces nœuds-là, dit-il en remuant son pied jusqu'à parvenir enfin à le dégager.

Mindy l'observait. Dans la demi-pénombre, sa tête et ses épaules se détachaient. Il y avait aussi dans l'air l'odeur de vieux cuir de son blouson. Le vêtement se tendait et se repliait sous l'action de ses muscles.

Il tendit la jambe et faillit lui effleurer le derrière du bout de sa botte.

— Replie plutôt le genou et mets-moi le talon dans les mains, lui lança-t-elle.

— Tu as tout compris, chérie…

Il lui avait certainement dit ça comme une plaisanterie. Mais le mot lui pinça désagréablement le cœur.

— Ne m'appelle pas comme ça, s'il te plaît !

Il fit ce qu'elle lui conseillait, et par mégarde lui donna cette fois un petit coup de talon dans le derrière.

— Tiens…, fit-il.

— Quoi ?

— On dirait que tu as pris un peu de poids…

— Voyons, Deke, c'est sérieux, là…

Il garda le silence une seconde ou deux, puis laissa tomber :

— Je sais que ça l'est…

Finalement, Mindy put tirer suffisamment sur le talon pour faire tomber la botte au sol. Le couteau la suivit. Elle le récupéra sur son genou.

— Voilà, dit-elle en respirant avec peine.

Elle appuya sur le cran d'arrêt, et la lame se dressa avec un claquement sec.

— Attention, lui recommanda Deke. Il est très bien affûté.

— Je me souviens de ça aussi, répliqua-t-elle.

Elle plaça le couteau entre ses poignets et tailla les liens. L'acier pénétra dans les cordes comme dans du beurre mou.

Libéré, Deke détendit avec précaution ses épaules et remua les bras de même. Il poussa quelques grognements retenus.

L'exercice devait lui être douloureux, supposa Mindy. Il n'avait pas été attaché aussi longtemps qu'elle, mais très certainement les ravisseurs n'avaient pas pris autant de gants avec lui. Il devait avoir les membres en feu, à présent, avec le sang qui affluait de nouveau.

Elle lui tendit le couteau, le cœur battant. Lorsqu'il se pencherait pour délier ses pieds, verrait-il la raison pour laquelle elle avait pris du poids ?

Elle retint son souffle pendant qu'il tranchait les liens.

— Il y avait aussi un briquet, dit-il. J'ai cru l'entendre tomber.

Elle tâtonna autour d'elle jusqu'à ce qu'elle trouve un petit objet cylindrique.

— Le voici…

Elle le lui passa.

Il le prit, se redressa en position assise et soupira :

— Je comprends mieux pourquoi tu ne voulais pas te courber… La tête qui tourne…

Il s'appuya d'une main au mur et se releva. Son ombre passa au-dessus d'elle.

— Tu peux te lever ? lui demanda-t-il. Il faut qu'on sorte d'ici.

Instinctivement, elle se recroquevilla sur elle-même. Pour le moment, il ne pouvait rien voir. Mais dès qu'elle se lèverait…

Mon Dieu, aidez-moi, songea-t-elle. Lorsque Deke me verra, il me faudra tout le courage que vous pourrez me donner.

Il allait tout découvrir. Et elle, qu'allait-elle faire ? Elle n'en avait aucune idée.

Mais elle se souvenait parfaitement de ce qu'il avait dit qu'il ferait.

Il y avait des années de cela, lorsqu'ils avaient 17 ans, elle avait eu une chaude alerte. Ses règles avaient eu du retard, et le test de grossesse avait été positif. Quand elle l'avait dit à Deke, sa réaction avait été immédiate. Le choc et une impressionnante, abjecte terreur avaient tordu ses traits.

— Enceinte ? Il n'en est pas question. Fais quelque chose, mais ne le garde pas. Il y a déjà bien assez de foutus cinglés de Cunningham dans le monde.

Elle avait été prise de court et terrifiée, elle aussi. Mais elle avait compris l'enjeu. Si elle gardait le bébé, Deke la quitterait. Pourtant, ce ne fut qu'une fausse alerte. Quelques jours plus tard, elle avait ses règles. Ils n'en avaient jamais reparlé.

Mais à présent on y était : à six semaines de mettre un nouveau Cunningham au monde et à six secondes de la découverte du pot aux roses…

— Allez, viens, lui dit-il en lui tendant la main. La tête va te tourner, mais je te tiendrai.

Elle prit une profonde inspiration et saisit la main qu'il lui tendait. Elle se releva, épaule contre le mur, et avec quelques grognements de souffrance se mit finalement debout. Leurs regards se rencontrèrent. Celui de Deke s'adoucit.

— Hé, Min', murmura-t-il, cela faisait longtemps…

Il sourit. Elle avala péniblement sa salive.

— Longtemps, c'est vrai, répondit-elle en hochant un peu nerveusement la tête.

— Je suis vraiment désolé qu'ils t'aient fait du mal, murmura-t-il.

Il se pencha plus près, un tendre sourire aux lèvres. Son regard descendit…

Et il se figea. Mindy déglutit. Elle ne pouvait plus bouger, elle non plus, comme une proie devant son prédateur. Interdite…

Il fixait sa tenue : une grosse veste de laine sombre, un pantalon bleu marine et des bottes à petits talons. Mais la veste était distendue, presque ouverte sur l'avant…

*
* *

Instinctivement, elle mit ses mains sur son ventre pour protéger le bébé. Elle ne pouvait s'en empêcher, c'était une réaction innée. Protéger l'enfant à naître…

Puis elle serra les bras autour d'elle, en tremblant.

Deke restait toujours immobile, son visage légèrement éclairé par le rai de lumière qui tombait de la lucarne. Toute couleur s'en était retirée. Ses yeux étaient ronds de surprise.

Mindy resserra son étreinte sur elle-même.

— Min'… ?

La voix de Deke se fêla.

Le cœur en miettes, elle se mordait la lèvre.

Il secoua la tête, comme pour se débarrasser de l'image qu'il avait devant les yeux… et de l'évidente conclusion qu'il devait en tirer.

Et puis, en un éclair, la colère éclata, grondant comme un orage.

— Mindy, mais qu'est-ce que tu as fait ?

Elle tenta de soutenir son regard, mais n'y parvint pas. Elle dut se détourner.

— Deke, lui dit-elle, pressante. Les ravisseurs peuvent revenir d'un instant à l'autre. Cela fait pas mal d'heures qu'ils ne sont pas passés vérifier que tout allait bien.

— Je verrai ça avec eux quand ils se pointeront.

Sa voix était pleine… de colère ? de déception ? de fureur ? Il était bien difficile de faire le tri entre toutes ces émotions. Pour la première fois depuis qu'elle le connaissait, elle avait quelque mal à deviner ce qu'il pensait, derrière les mots prononcés.

— Mais comment as-tu… ? bafouilla-t-il.

— Comment ? De la façon habituelle, figure-toi !

Le bébé devait sentir sa détresse et lui donna un coup de pied. Elle se frotta doucement le ventre à cet endroit. Il se calma aussitôt.

— Et qui est l'heureux papa ?

C'était tout lui, ça ! L'humour grinçant, la principale protection, le bouclier antimissile de Deke, autant que sa marque de fabrique.

Elle croisa de nouveaux ses bras sur son ventre et répondit simplement :

— C'est toi.

3

Retenant son souffle, Mindy regardait son ex-mari, s'attendant à le voir exploser d'une seconde à l'autre. Son visage était toujours éclairé par le petit rectangle de lumière du vasistas. S'il s'en était aperçu, sans doute se serait-il déplacé pour masquer sa réaction, mais il n'y pensa pas. Mindy pouvait donc observer sa physionomie qui se transformait sous l'effet de cette révélation.

Ses yeux s'agrandirent l'espace d'une seconde, comme s'il était pris de panique, puis s'étrécirent. Ses sourcils se rapprochèrent, et enfin il parla, dans un souffle, entre ses dents serrées.

— C'est impossible. Il y a presque un an que nous ne nous sommes pas vus.

— Huit mois et une semaine, pour être exacte, répondit Mindy.

— Huit ? Ah oui… L'enterrement…

Il lui lança un bref regard et fit un pas de côté, sortant du rectangle de lumière. Puis il lui demanda, plutôt sèchement :

— Pourquoi ne m'as-tu rien dit ?

— Tu le sais bien. Regarde donc ta réaction… Maintenant, si tu voulais bien penser un peu aux ravisseurs, qui vont probablement se montrer d'une minute à l'autre…

— Très bien, répliqua-t-il d'un ton encore plus bref et plus cassant.

Il se passa brièvement une main sur le visage, et celui-ci redevint d'une neutralité étudiée, autant que sa voix :

— Est-ce que tu as eu le temps de repérer un peu cet endroit ? Où se trouve la porte, par exemple ?

— Il y a un escalier là-derrière, répondit-elle en montrant un mur. Et j'ai entendu la porte s'ouvrir. On voit un rai de lumière du jour, jusqu'à ce qu'ils la referment. Ensuite ils descendent l'escalier pour venir ici. Douze marches. J'ai compté leurs pas.

Deke essayait de se concentrer sur ce qu'elle disait. Elle avait raison, de toute manière. Il fallait partir d'ici avant que les ravisseurs ne reviennent.

Seulement, il ne pouvait s'empêcher de penser à… l'état où elle se trouvait. Elle n'avait pas tort non plus en ce qui concernait sa réaction. Des années auparavant, elle avait évoqué une possible grossesse, et il s'était mis stupidement en colère.

Il lui avait fait peur, cette fois-là, bien sûr. Et pour longtemps… L'amertume des regrets l'envahit un instant. Puis la crainte.

L'idée d'être père le terrifiait plus que tout, depuis toujours et plus que jamais. Pourtant, il ne s'effrayait pas facilement. Il en avait vu !

Mais… un enfant…

Il en avait la bouche sèche et le cœur battant.

Bon Dieu, il n'avait guère le temps de se laisser aller à ses émotions !

En grognant entre ses dents, il regarda la direction qu'elle lui indiquait. L'escalier apparaissait vaguement. Le petit vasistas n'éclairait décidément pas grand-chose. Vu l'heure, il donnait donc à l'est.

— Il commence à faire sombre, dehors, déclara-t-il. Est-ce que l'homme qui t'a enfermée ici avait une lumière avec lui ?

Mindy caressait machinalement son ventre, la tête un peu penchée de côté. Elle avait l'air d'une madone, songea Deke. Comme éclairée de l'intérieur, malgré la pénombre.

Il la désirait toujours.

Arrête !

Elle releva les yeux.

— Non, répondit-elle. La dernière fois, lui et un autre type te traînaient sur le sol. Je me doutais un peu que c'était toi, mais je n'en étais pas sûre, jusqu'à ce que tu te mettes à grogner.

Elle sourit.

— Là, je n'avais plus de doutes, ironisa-t-elle. Je t'avais reconnu. De toute façon, quand il m'a enlevé mon bandeau, je me suis appliquée à tout bien regarder et à essayer de prendre note de tout. J'ai remarqué quelque chose là-bas, derrière le tas de bois. Peut-être une porte ou bien une ouverture quelconque, en tout cas.

— Reste là, dit-il en joignant le geste à la parole.

Puis, il se déplaça prudemment vers l'endroit qu'elle lui avait indiqué. Le sol était entièrement recouvert d'une épaisse couche de poussière et jonché de planches, de madriers et de morceaux de meubles brisés.

Dans quelques minutes tout au plus, il ferait trop sombre pour y voir quoi que ce soit, mais il pouvait encore discerner les contours des objets, et son odorat l'aidait. Tout dans cette cave devait dater d'une bonne cinquantaine d'années…

Finalement, ses mains tendues touchèrent la cloison de bois. Il suivit du bout des doigts la surface des planches mal équarries. S'il y avait vraiment une porte là, il ne la trouvait pas. Il toqua sur le bois, de place en place, espérant entendre sonner creux, mais en vain.

Finalement, en dernier ressort, il sortit son briquet jetable, tourna la molette pour faire grandir la flamme et l'alluma du pouce.

— Deke ?

La voix angoissée de Mindy résonna jusqu'à lui.

— Une minute, chérie…, dit-il en étudiant consciencieusement les interstices entre les planches.

Non, il ne trouvait décidément rien.

Le briquet commençant à lui brûler le pouce, il l'éteignit puis tourna les talons et revint vers Mindy.

— Bon, lança-t-il. Je n'ai pas pu trouver de porte, et il n'y a presque plus de lumière. Je vais monter l'escalier. Ne bouge pas d'ici.

— Deke, tu ne peux pas faire ça ! Tu disais qu'ils avaient fait intentionnellement des nœuds un peu trop faciles pour que tu puisses nous délivrer. Donc, ça veut dire qu'ils t'attendent quelque part, en embuscade.

— C'est probable, en effet. Je m'en arrangerai… Je t'appellerai si la voie est libre. Tu n'auras qu'à courir me rejoindre…

Mindy secoua la tête.

— Non, on ne peut pas faire ça. Tu ne peux pas…

— Tu as une meilleure idée ? la coupa-t-il. Parce que moi, non. Nous n'avons comme autre choix que d'attendre leur retour, et je ne veux pas me battre avec toi à côté, tu pourrais être blessée. Maintenant, rends-moi mon couteau et arrête un peu de discuter, nous perdons du temps. Il ne va rien arriver du tout…

— Tu n'en sais rien !

— Il ne m'est jamais rien arrivé…

— Ça, c'est la meilleure que j'ai entendue depuis longtemps…

Deke pinça les lèvres. Les chicaneries n'étaient jamais bien longues à s'installer entre eux. Tout comme le sexe, d'ailleurs. Ils avaient toujours abondamment profité des unes comme de l'autre et avaient appris très tôt à en trouver les détonateurs.

— Mon couteau, Mindy.

Elle le lui tendit, il le referma et le remit dans sa poche. Le briquet, lui, retourna dans la tige de sa botte.

— Attrape cette corde et rassieds-toi, lui ordonna-t-il. Je vais l'enrouler autour de toi, de façon à ce que tu aies l'air d'être bien attachée. Cela, si jamais… Enfin, s'ils avaient le dessus sur moi.

— Attends… Je ne comprends pas…

— S'ils redescendent te voir, je veux que tu aies l'air d'être toujours attachée. Comme ça, ils ne te reprocheront pas d'avoir voulu t'enfuir. Ils ne s'en prendront qu'à moi.

Mindy s'assit avec précaution, se laissant maladroitement glisser au sol. Deke fit la grimace. Les choses risquaient de se révéler bien plus compliquées que ce qu'il avait cru. Mindy ne pouvait pas même se pencher !

— Attends, lui dit-il doucement.

Il la fit asseoir sur une vieille caisse de bois et disposa la corde comme il l'avait dit, à ses poignets. Puis, il en enroula une deuxième autour de ses chevilles.

— Voilà, fit-il en se redressant. Là, on dirait vraiment que tu es attachée…

— J'en ai bien l'impression, approuva-t-elle, l'air étonné du résultat. Tu es bien sûr de toi ?

Toujours la peur, dans sa voix…

— Fais-moi confiance.

Il se força à lui sourire.

— Comment vas-tu pouvoir…

Il l'interrompit en déposant dans sa main l'une des extrémités de la corde.

— Voilà, il te suffira de tirer dessus pour te libérer et, pour ce qui est de celles qui sont autour de tes chevilles, les secouer suffira.

— Deke, je n'aime pas ça du tout…

Il leva la tête vers la petite lucarne, très haut au-dessus d'eux. Puis, les yeux fermés, il s'efforça de dessiner mentalement le plan du rez-de-chaussée de l'hôtel.

— Si le comptoir de la réception est ici, et l'escalier, là… Bon, écoute, Mindy : ce vasistas fait face à l'est. Ma voiture est dans cette direction. Si jamais tu dois t'orienter seule, souviens-toi : la façade du bâtiment est au sud.

Il lui montra la direction.

— Ce qui veut dire que l'escalier, là, est au nord. La porte donne certainement dans les cuisines.

Machinalement, il lui posa les mains sur les épaules et se mit à les lui masser.

— Détends-toi, lui souffla-t-il, tu peux laisser tes mains tranquillement sur les cordes et tirer en cas de besoin... Là-haut, la salle à manger se trouve derrière une porte en forme d'arche, à droite de la réception, c'est-à-dire à l'est. Tu vas m'attendre ici jusqu'à ce que je t'appelle. Si d'ici une demi-heure je ne l'ai pas fait, débarrasse-toi des cordes et monte. Si tu vois une porte arrière donnant vers l'extérieur, sors par là. Sinon, traverse la salle à manger et cours vers la porte principale.

— Courir, courir, marmonna-t-elle, je voudrais bien t'y voir !

Il lui prit le bras et le serra.

— Ecoute, Mindy, ta vie et la vie de...

Ah... Il n'arrivait pas à dire le mot.

— Quoi qu'il arrive et quoi qu'il m'arrive, à moi, tu dois te sauver. C'est bien compris ?

Elle se mordit la lèvre

— Deke... Je...

— Compris ?

— C... compris.

— Ma voiture est ouverte. Tu trouveras la clé de contact et un téléphone portable sous le siège du conducteur. File tout de suite vers l'est aussi vite que tu pourras et appelle Irina. Son numéro est le premier sur la liste de mes contacts.

Mindy le regardait fixement. Il y avait sur son visage un mélange de confiance, de peur, de doute, et aussi une ombre qui ne venait pas du peu de lumière dans la pièce, mais plutôt du plus profond d'elle-même, s'inquiéta Deke.

Doucement, elle acquiesça.

Il commença à se tourner vers l'escalier, mais s'interrompit et se retourna.

Il laissait Mindy sans protection. Mindy et son enfant à naître. Une absurde fierté et une abjecte terreur s'affrontaient en lui. Il avait pourtant sauvé bien des vies innocentes et, même s'il ne mésestimait jamais ses ennemis, il n'avait pas eu jusque-là pour habitude de douter de ses propres capacités.

Oui, jusqu'ici, songea-t-il. La situation présente était toute nouvelle et le ramenait à la situation d'un débutant ballotté entre deux probabilités. Pour la deuxième fois de sa carrière, les horribles conséquences d'un échec à prévoir le giflaient en plein visage. C'était bien pour cela qu'il se refusait toujours à envisager l'échec : parce qu'en imaginer les effets n'était pas supportable. Certes, même armé d'un simple couteau, il pouvait encore l'emporter devant deux ou trois assaillants. Mais au-delà…

En cas d'échec, Mindy et son bébé seraient vulnérables, ce qui n'était pas imaginable.

Il se pencha à son oreille.

— Je vais te dire ce qu'on va faire. D'abord, tu vas garder le couteau…

Surprise, elle le regarda.

— Mais…

— Chuuut…

— Mais, Deke, tu ne peux pas… sortir sans rien !

Il montra ses mains.

— J'ai toujours mes poings et mes pieds. Bon, où veux-tu que je le mette, le couteau ? Dans la poche de ta veste ?

Elle secoua la tête.

— Tout ce que j'y range en tombe. Mets-le dans mon soutien-gorge.

— Dans ton… ?

Elle sourit.

— Ne fais pas comme si tu ne savais pas où c'est… Tu préfères que je le fasse ? Tu me remettras les liens après…

Il secoua la tête et lui frotta doucement son nez sur la joue, une joue soyeuse et qui sentait si bon la mandarine…

— Je vais le faire…, dit-il.

Il lui ouvrit sa veste et défit les premiers boutons de son gilet, puis il prit le couteau.

Bon…

Il avait l'étrange impression d'être un adolescent à sa toute première fois. Embarrassé, timide et excité à la fois…

Il glissa sa main sous le col. Lorsque ses doigts effleurèrent la naissance des seins de Mindy, il faillit exhaler un soupir de frustration. Ils étaient si doux, si fermes…

Le souffle un peu court, il glissa rapidement le couteau sous le tissu, entre les deux globes dont il connaissait la saveur.

— Ça… ça ne gêne pas ?

— Ça va, répondit-elle, sur une respiration un peu brève, elle aussi.

Il retira sa main et reboutonna le gilet, puis il rabattit les pans de la veste. Quand il releva les yeux, elle le regardait.

Il avait tellement envie de l'embrasser qu'il en avait mal. Pas un baiser d'amant, non, celui… d'un compagnon, de quelqu'un qui ferait tout pour la protéger, elle et l'enfant qu'elle abritait en elle. Tout, il le jurait.

Mais il lui avait fait tant de promesses qu'il n'avait pas toujours tenues…

Il s'en fit alors une à lui-même. Toute simple, mais plus difficile à tenir en fait que toutes les précédentes, tenues ou non.

S'il se tirait vivant de cette affaire, il sortirait définitivement de la vie de Mindy. Rien que d'y penser, cela faisait mal. Il sourit. S'exclure volontairement de l'univers de son ex-femme voulait dire également de celui de l'enfant.

Mais l'un et l'autre se porteraient mieux s'il disparaissait de leur vue, et elle le savait aussi bien que lui.

Elle méritait bien d'avoir, avec son enfant, une vie normale. Ce qu'elle avait toujours désiré avoir et qu'elle n'avait jamais connu avec lui. Une existence tranquille et sûre.

— Tu es prête, Mindy ? murmura-t-il.

Elle leva la tête vers lui, le menton haut, puis ferma brièvement les yeux.

— Je suis prête, lança-t-elle en les rouvrant.

Il lui caressa timidement le bras par-dessus la manche de sa veste, puis se dirigea vers l'escalier. Parvenu à la dernière marche, il se retourna vers elle. Mais il ne pouvait plus la voir : tout le bas de la pièce était plongé dans la pénombre.

Après tout, c'était peut-être aussi bien comme ça…

Mais, elle, elle pouvait le voir, se rappela-t-il. Aussi lui adressa-t-il un petit signe de tête confiant. Pourtant, en approchant de la porte, l'inquiétude l'assaillait.

— Nous y voilà, Mindy, murmura-t-il. A partir de cet instant, il faut nous attendre à tout…

Il tourna doucement le bouton et poussa la porte avec précaution. La pièce dans laquelle il pénétrait était tout aussi obscure que la cave dont il venait. Il fit prudemment un pas, attendant que ses yeux s'habituent à la faible lumière. Celle-ci provenait sans doute de la réception et de la salle à manger voisines, dotées, elles, de fenêtres.

Sans bouger, il se mit à l'écoute. Rien… A part toujours ses cheveux qui se dressaient sur sa nuque parce que quelqu'un, très certainement, l'observait.

Il fit un pas en avant, et une aveuglante lueur rouge passa devant ses yeux. Il se tourna vivement vers elle, les poings serrés, et balança ceux-ci dans le vide, espérant frapper au passage celui qui en était porteur. Mais au même moment il reçut un coup violent à la poitrine qui le projeta en arrière, à travers le seuil de la porte qu'il venait de franchir. Il essaya de se rattraper à la rambarde de l'escalier, mais n'y parvint pas. Un cri brisa alors le silence. Mindy ?

Il dévala quelques marches sur le dos, puis s'immobilisa. Il n'y voyait toujours pas grand-chose, mais un pas lourd résonna en haut des marches. Quelqu'un s'approchait. Il parvint à se ramasser sur lui-même pour sauter sur l'intrus. Mais, avant qu'il pût détendre ses jambes, une silhouette sombre se dressa devant lui et leva un objet brillant pour le frapper à la tête.

Mindy le savait bien : les blessures au cuir chevelu saignaient abondamment. C'était le b.a.-ba qu'apprenait toute infirmière débutante, mais il y avait si longtemps qu'elle était devenue une administrative qu'elle avait oublié la plus grande partie de la théorie, notamment à quel point une plaie sanguinolente à cet endroit était impressionnante.

L'entaille sur le front de Deke n'était pas petite. Deux bons centimètres et demi au-dessus de l'arcade sourcilière droite. Comme s'il avait eu des mots avec un champion de boxe poids lourd.

Pourtant, l'homme qui se tenait devant eux tenait plutôt du poids plume. Il n'était pas très grand, osseux, décharné et était habillé comme s'il sortait tout droit d'un western de série B, avec un chapeau noir de cow-boy rabattu sur les yeux et un foulard rouge relevé pour cacher son nez et sa bouche. Il tenait toujours dans sa main le gros revolver à barillet dont il s'était servi pour assommer Deke.

Il poussa le bout doublé d'argent de sa botte dans les côtes de celui-ci : Deke grogna et se mit à remuer.

Mindy retint son souffle, en s'efforçant de ne pas bouger. Quand Deke était tombé dans l'escalier, elle avait crié et avait failli s'élancer. L'homme était alors venu tourner autour d'elle et l'avait avertie d'une voix bourrue teintée d'un accent du Texas pas très bien imité :

— Tais-toi, si tu ne veux pas de nouveau être bâillonnée.

Elle avait hoché la tête en signe de soumission et se tenait à présent aussi tranquille que son agitation intérieure le lui permettait.

— Debout, Cunningham, grogna le cow-boy d'opérette.

Il se tenait au-dessus de Deke et le menaçait toujours de son arme tenue dans la main droite. Dans l'autre, il arborait une épaisse matraque.

— Tu te crois très malin, pas vrai ? tonna-t-il. Alors, comme ça, tu t'es détaché tout seul ? Pourquoi tu n'en as pas fait autant pour ta petite amie ? Ah non, c'est vrai, c'est ta femme… Ou plutôt ton ex-femme, pas vrai ?

Deke se redressa en s'appuyant sur ses mains et secoua la tête, envoyant des gouttelettes de sang à un mètre à la ronde.

— Min' ? appela-t-il, la voix rauque.

Le faux cow-boy lui expédia sa botte dans le ventre. Deke s'effondra sur le sol avec un grognement de douleur.

Malgré toutes ses résolutions, Mindy faillit laisser échapper un cri apeuré.

Mais celui de Deke s'était mué en un grondement sourd. Il se releva et se lança en avant comme un félin, droit sur l'homme.

Celui-ci s'écarta juste à temps pour éviter d'être renversé. Deke retomba souplement sur l'épaule.

L'homme se retourna alors vers Mindy et lui pressa le canon de son pistolet sur la tempe.

— Si tu me fais encore un coup comme ça, elle est morte, lança-t-il. Maintenant qu'on t'a piégé, elle ne nous est plus utile…

— Non ! s'écria Deke en se redressant. Ne la touchez pas, je ferai ce que vous voulez !

N'obéis pas, aurait voulu crier Mindy. Ne te laisse pas

impressionner par ses menaces ! Mais, même si elle avait pu, elle n'aurait pas articulé un mot. Ce n'était pas pour elle qu'elle avait peur, c'était pour le bébé.

Elle referma son poing autour du bout de corde, essayant, désespérément, d'imaginer un moyen de surprendre l'agresseur et de le désarmer. Quelque chose dut en paraître dans l'expression de son visage, car Deke la regarda en secouant la tête. Un ordre muet, mais parfaitement compréhensible.

Le faux cow-boy repoussa le rebord de son chapeau sur son front. Ses petits yeux porcins se mirent à briller, et un mouvement derrière le foulard suggéra un sourire mauvais.

— Ce que je veux ? demanda-t-il avec son ridicule accent du Texas. Des informations, pardi !

— Très bien, s'empressa de répliquer Deke. Laissez partir Mindy et vous aurez toutes les informations que vous voudrez… Mais libérez-la d'abord !

L'homme secoua lentement la tête.

— Pas si vite, dit-il. Ce serait trop facile de me mentir. Je pense qu'il faudra deux ou trois jours pour vous mettre complètement à ma merci, tous les deux. D'ici là, vous pourrez essayer tout ce que vous voudrez pour vous échapper, vous n'y arriverez pas. Vous aurez faim, soif, et vous serez épuisés. Ta copine, là, sera malade de faim et d'épuisement, dans l'état où je la vois. Il est de toi, le gniard ?

— Ça ne te regarde pas, rugit Deke. Et qui es-tu, d'abord ?

— Ah bon, il n'est pas de toi, alors, ricana l'homme, d'un rire nasal, désagréable. Elle couche à droite et à gauche, c'est ça ?

Deke afficha soudain un calme glacé, menaçant. Mindy connaissait ce visage. Il était en fait prêt à tuer.

— Deke…, fit-elle, tout doucement.

Il l'arrêta d'un geste, sans la regarder. Ses yeux brillaient d'un éclat sombre, redoutable.

— Qui es-tu ? répéta-t-il.

Ses longs doigts étaient repliés en forme de serres, ses jambes prêtes à le lancer en avant, légèrement frémissantes comme celles d'un félin avant le saut.

Au lieu de répondre, l'homme se rapprocha de Mindy et lui enfonça le canon de son revolver dans le flanc.

— C'est moi qui pose les questions, ici, Cunningham, répliqua-t-il d'un ton bref. Tu peux m'appeler Frank James.

Il eut un rire bref.

— Et maintenant, reprit-il, c'est le moment pour vous d'avoir un aperçu de la suite…

Frank James ? pouffa Mindy intérieurement. Le frère de Jesse James des vieilles histoires de l'Ouest ? C'était ridicule !

— Si tu t'approches de moi de nouveau, indiqua-t-il à l'intention de Deke, tu vas le regretter longtemps.

Le foulard se plissa de nouveau, et les yeux brillèrent encore.

— Mais t'inquiète, Cunningham. Je ne vais pas le faire. Pas pour le moment…

Mindy déglutit. L'homme releva lentement le revolver de son flanc, l'égratignant au passage. Elle ne put retenir une expression de douleur, et le visage de Deke devint extrêmement pâle.

— Si on jouait à un jeu ? lança Frank James, l'air réjoui. La roulette russe, par exemple… Elle veut jouer, l'ex-Mme Cunningham ?

— Baisse ton arme, gronda Deke.

Au même moment, il fit un pas en avant, prêt à bondir.

Mindy tira alors sur la corde qu'il lui avait laissée dans la main. Comme prévu, celle-ci tomba immédiatement et silencieusement au sol. Elle avait les mains libres. Pour quoi faire ? Elle ne le savait pas trop. Mais si une opportunité se présentait elle était prête.

— Bouge pas ! cria Frank James en se réfugiant peureusement derrière elle, puis en lui braquant son revolver sur la tempe.

Depuis qu'il avait une première fois posé le canon de son arme sur elle, Deke le fusillait du regard. La peur et le dégoût se lisaient sur son visage. Il semblait sans illusion : Frank James ferait feu sur elle sans le moindre état d'âme.

Elle réprima un cri : cette idée faisait monter la panique dans sa gorge, comme un étau qui l'étouffait.

Tous trois étaient sur le fil du rasoir, songea-t-elle. Deke ne pouvait se jeter sur James sans risquer de voir celui-ci appuyer sur la détente. Le faux cow-boy ne pouvait guère esquisser un mouvement sans se trouver vulnérable un instant : Deke pourrait se jeter sur lui. Quant à elle, elle ne pouvait rien faire.

Vraiment rien ?

Elle avait les mains libres, et Frank James l'ignorait. Si elle entrelaçait ses doigts pour joindre ses deux poings, elle pourrait les balancer dans le bas-ventre de leur agresseur et fuir.

Enfin, fuir, ça n'était pas garanti, avec son gros ventre. Mais cela donnerait à Deke la fraction de seconde suffisante pour se jeter sur le faux cow-boy et le maîtriser. Peut-être même pourrait-il lui prendre son arme.

Bien sûr, Frank James pouvait aussi faire feu et lui brûler la cervelle, mais au moins elle aurait tenté quelque chose. Il n'avait pas vraiment l'air d'être le ravisseur le mieux entraîné de la planète. En fait, il pourrait même appuyer sur la détente à la suite d'un faux mouvement…

C'était le moment. Elle fixa Deke bien en face et lui fit lentement un clin d'œil. Il haussa légèrement les sourcils, puis secoua ostensiblement la tête de droite à gauche : il n'était pas d'accord.

Mais elle n'avait pas l'intention de lui obéir. Il fallait qu'elle tente quelque chose. Avec une lenteur particulièrement étudiée, elle réunit ses mains, bougeant ses épaules aussi peu que possible.

Puis, elle se mit à gémir juste assez fort pour que Frank James l'entende, et se redressa doucement, tous ses muscles se préparant à l'action ultime : propulser ses poings dans le bas-ventre du faux cow-boy.

— Silence ! cria-t-il.

— Mais j'ai mal !

Elle prit une toute petite voix pour ajouter :

— Je peux bouger les jambes, s'il vous plaît ?

Frank James poussa un grognement réprobateur du fond de la gorge, mais il lui écarta le canon du front.

Mindy remua ostensiblement ses membres, en profitant en fait pour bien assurer ses pieds sur le sol, puis elle prit une profonde inspiration et expira, comme si elle était tout à fait soulagée. Alors, elle balança ses poings en arrière, puis, de toute la force de sa détermination, en plein dans la cible.

Frank James poussa un cri étranglé et laissa tomber son arme. Deke en profita pour se jeter vers Mindy, lui passa les mains sous les bras et la souleva de terre pour l'emporter.

Mais Frank James s'était ressaisi. Il avait sa matraque en main et la leva vers le plafond. Il y eut alors comme une décharge d'électricité dans l'air. Mindy le regarda, interloquée. Qu'était-ce donc que cet objet-là ?

Deke se raidit et s'affaissa comme s'il avait été touché en plein plexus solaire par une attaque d'une brutale intensité. Puis il se tendit, le dos courbé, gémissant sourdement entre ses dents, et s'effondra au sol, comme une poupée de son.

— Deke ! s'écria Mindy.

Elle se tourna vers le faux cow-boy, en rage.

— Qu'est-ce que vous lui avez fait ? hurla-t-elle.

— Ferme-la, ma belle, si tu ne veux pas recevoir la même chose…

Elle dévisagea son ravisseur, tout en se frottant le ventre. Elle se sentait terriblement sans défense.

Je t'aime, tu sais, petit La Globule, dit-elle mentalement à son enfant, mais tu me handicapes beaucoup…

Deke entrouvrit un œil. Sa joue reposait dans la poussière froide…

Qu'est-ce que le sol pouvait bien faire là, grands dieux ?

Et Mindy qui criait… Il devait absolument l'emmener loin d'ici.

Il essaya de bouger sa main, mais celle-ci ne lui obéissait pas. Ses pieds non plus.

Quelque chose de brillant bougea devant lui. De l'argent ? Fichue botte de soi-disant cow-boy. Du toc, comme le minable qui les portait…

« Touche-moi encore, salaud, et tu le regretteras ! »

C'est ce qu'il aurait voulu lui dire, mais sa bouche ne coopérait pas davantage que le reste de son corps.

Un parfum de mandarine flottait toujours dans l'air, celui de Mindy, mêlé à l'odeur de poussière et à un léger relent de cheveux brûlés…

Une douleur fulgurante le coupa en deux, faisant éclater mille soleils dans son crâne.

Quand il rejoignit sa chambre, il était presque minuit. Le conseil de guerre rassemblé par Irina avait duré plus longtemps que prévu, surtout parce que ses participants n'avaient pu se mettre d'accord sur la meilleure action à entreprendre.

Il avait essayé de se montrer positif, mais neutre. L'ennui, c'était que les autres avaient adopté exactement la même attitude.

Finalement, la seule décision prise fut que Irina ne devait pas quitter le Castle Ranch avant que toute cette histoire ne soit terminée. Mais les autres participants étaient aussi sceptiques que lui quant à la capacité de la chef du BHSAR à rester tranquillement à l'abri, il l'avait lu sur leurs visages.

Il poussa sa porte, enclencha la chaîne de sécurité, s'assura que les volets étaient fermés, puis alla chercher le minuscule téléphone portable dissimulé dans son nécessaire de toilette. Bien sûr, il avait eu un appel manqué. Avec une certaine répugnance, il appuya sur le bouton d'appel. Mais il n'avait pas vraiment de bonnes nouvelles à donner.

4

Deke réprima un hurlement. La douleur lui vrillait les yeux, jusqu'au fond des orbites. Ce devait être ce foutu sable qui entrait partout… Avec précaution, il entrouvrit ses paupières. Il faisait noir sous la tente : il se passerait donc sans doute plusieurs heures avant que l'homme de Novus Ordo ne revienne le torturer. Il venait chaque jour, avec le même rire grinçant. Le même revolver. Le même déclic. Quand il revivait ces horribles secondes, toujours identiques, une terreur glacée l'envahissait.

D'abord le froid de l'acier du canon sur sa tempe. Puis la panique, l'effroi avant que le chien ne clique sur la chambre vide du barillet. Ce déclic-là lui apportait un immonde soulagement, un flot de sueur froide et une question, toujours la même : quand, à quel moment, le chien allait-il percuter une cartouche ?

Finalement, il en venait à regretter amèrement de vivre une journée de plus : demain, il devrait affronter la même torture, la même incertitude, avant d'avoir à jamais le sable du désert dans la bouche…

Il prit une profonde inspiration et essaya de remuer ses épaules disloquées. La douleur le saisit, effectivement, mais pas celle à laquelle il s'était attendu. Que se passait-il ? Il souffrait dans tout son corps, et pas seulement dans ses épaules. Pourtant, on ne lui avait pas même attaché les mains dans le dos.

Il y avait quelque chose de changé, mais quoi ? Il était dans cet enfer appelé Mahjidastan depuis si longtemps qu'il avait perdu le compte des jours. L'attente était une torture, au même titre que la douleur et la peur.

Il leva la tête avec précaution. Elle lui faisait un mal de chien. Il toussa.

Dans l'air flottait une odeur de poussière, de pourriture et de bois vermoulu, bien différente de celle, habituelle, de l'urine de chameau. Bon Dieu, il n'était pas au Mahjidastan, cette petite province très disputée, coincée entre les frontières de l'Afghanistan, du Pakistan et de la Chine.

Il ouvrit les yeux, difficilement : ses paupières étaient collées par le sang séché aggloméré à la poussière.

En clignant les paupières et en tirant sur les tendons douloureux de son cou, il releva la tête, plus précautionneusement cette fois, et regarda autour de lui, en essayant de rassembler les morceaux éparpillés et désorganisés de ses souvenirs.

Il était dans une ville fantôme, dans la cave d'un hôtel abandonné, et il était venu sauver Mindy.

Mindy et son bébé à naître.

A cette pensée, tout son corps se crispa très douloureusement. Au prix d'un immense effort, il serra les poings et, retenant son souffle, il étendit ses jambes. S'il le faisait très doucement, les crampes restaient à peu près supportables. Il savait ce qui lui était arrivé : Frank James s'était servi d'un Taser, cet appareil qui délivrait d'importantes secousses électriques.

— Mindy ! appela-t-il d'une voix croassante.

La dernière vision dont il se souvenait, c'était celle de ce James braquant le canon de son maudit revolver sur la tempe de sa femme. Cette image, que jamais il n'oublierait, était la plus bouleversante qui lui avait jamais été infligée de toute son existence : non seulement à cause de ses sentiments pour elle, mais aussi parce qu'il savait ce que l'on ressentait sous cette menace, à attendre le maudit déclic. Il aurait donné sa vie pour que Mindy ne connaisse jamais cela.

Mais immédiatement cette image-là fut remplacée par une autre : celle du visage stupéfait et douloureux de Frank James, lorsqu'elle l'avait frappé en plein bas-ventre.

Il ne put s'empêcher de sourire, ce qui lui occasionna une nouvelle crampe douloureuse. C'était bien de sa Mindy, ça… Elle avait agi avec intelligence et détermination. C'était pour tout cela qu'il était tombé amoureux d'elle la première fois qu'il l'avait vue. Ils avaient alors tout juste dix ans, l'un et l'autre…

L'urgence du moment le tira de sa rêverie. Où était-elle ? Est-ce que ce salopard doublé d'un lâche lui avait infligé un coup de Taser, à elle aussi ? Avait-il fait du mal à leur bébé ? Si c'était le cas, il le tuerait, de ses mains nues.

Toujours lentement et délicatement, il poussa son pied sous lui. Bon sang, cela faisait un mal de chien !

Au cours des séances d'entraînement des forces spéciales, il avait reçu des décharges de Taser, pour mieux s'y accoutumer. Mais rien de comparable à cela… Le voltage employé par Frank James aurait pu lui causer de sérieux dommages ou le tuer, par arrêt du cœur.

Il devait trouver Mindy et s'assurer qu'elle allait bien.

Il s'appuya contre le mur, ses genoux menaçant à tout moment de se dérober sous lui. La tête lui tournait, et il avait des remontées de bile acide par la gorge, jusqu'à la nausée.

Il se força à réfléchir avec méthode et d'une façon chronologique. D'abord, combien de temps avait-il été inconscient ?

Il regarda les ombres sur le sol. La lumière venait de quelque part au-dessus et derrière lui. Il leva la tête, toujours avec difficulté.

Le vasistas. Il le reconnaissait. Il était donc toujours dans la même cave, à l'hôtel. A l'intensité du rayon de lumière et à la façon dont il tombait, on était en plein jour, le matin probablement. Au moins, il pourrait y voir plus clair que la nuit précédente. Les caisses de bois où Mindy et lui s'étaient assis étaient toujours là, et dans un coin traînaient les cordes dont ils s'étaient débarrassés.

— Mindy ! croassa-t-il encore.

Puis il se tut, pour écouter.

Rien. L'angoisse lui noua le ventre et la gorge.

— Mindy ! Réponds-moi, où es-tu ?

Si jamais ce cow-boy d'opérette lui avait fait du mal…

Frank James travaillait plus que certainement pour Novus Ordo, tout le poussait à cette conclusion.

— Ce type est ta créature, Novus. Il emploie tes méthodes et obéit à tes ordres, j'en suis sûr, gronda-t-il à mi-voix pour lui-même.

Novus Ordo et lui étaient de vieilles connaissances. C'était Novus qui avait fait abattre son hélicoptère durant une mission secrète de récupération au nord du Mahjidastan. C'était lui qui l'avait fait torturer et avouer comment il avait retrouvé son campement et comment il avait appris que Novus Ordo détenait le fils unique d'un sénateur du Wyoming, un journaliste de l'Associated Press enlevé alors qu'il effectuait un reportage auprès d'une unité de l'armée américaine en Afghanistan. Le sénateur avait été un grand ami du père de Rook.

Tout cela, songea Deke, avait bien l'air d'une vengeance du terroriste et d'une manière de vouloir à toute force reprendre l'avantage. Pour cela, Novus Ordo jouait avec lui comme un chat avec une souris, attendant avec délectation le moment où il craquerait.

Deke eut envie de sourire : cela n'avait guère de sens qu'un homme dont le but était la destruction des Etats-Unis perde son temps à assouvir une simple vengeance. N'avait-il pas mieux à faire, comme dominer le monde ?

Mais il avait enlevé Mindy, et c'était maintenant entre eux deux un terrible jeu de cache-cache, avec la vie et la mort pour enjeu.

Novus Ordo était un homme d'une intelligence diabolique. Il n'était pas pour rien le terroriste le plus redouté de la planète. Il ne lui avait pas fallu plus d'une semaine pour mettre son plan en œuvre. Il s'était servi de Mindy comme appât.

Deke grinça des dents. Deux jours avant cela, il avait dit à Irina s'attendre à un tel coup de la part de Novus Ordo :

— Si quelqu'un peut savoir si Rook est vivant, c'est moi, lui avait-il expliqué. Du moins, Ordo le croit. Alors, il fait les choses avec raison et méthode. Il me prend par mon point faible : Mindy.

— Votre talon d'Achille, avait soupiré Irina, comme une évidence.

Cette conversation résonnait encore dans sa mémoire. Oui, Mindy était sa faiblesse, le défaut dans sa cuirasse.

Le seul…

Il lui avait dit qu'il la sauverait et il le ferait. Peut-être n'avait-il pas toujours tenu ses promesses envers elle, mais il tiendrait celle-ci, car sinon elle mourrait.

Il humecta ses lèvres et laissa son regard errer autour de lui pour mieux analyser la cave. Il devait profiter de la relative lumière : il pouvait y avoir d'autres issues.

Sa gorge s'était serrée d'angoisse quand il avait découvert que l'appel téléphonique qu'il avait reçu pour l'avertir de l'enlèvement de Mindy venait d'une ville minière abandonnée, une des plus importantes parmi celles qui s'étaient endormies définitivement au cours des années 1950. Très probablement, les plus récents des bâtiments de la localité, et l'hôtel en faisait partie, avaient été érigés sur l'ancien réseau de galeries souterraines. La cave y donnait peut-être accès.

S'appuyant au mur, il fit prudemment un pas. Heureusement, ses muscles, s'ils ne le soutenaient toujours que faiblement, ne produisaient plus ces crampes douloureuses qu'il avait ressenties à son réveil. Il se concentra donc sur l'action de poser un pied devant l'autre, reprenant progressivement confiance : ses jambes n'allaient pas se dérober sous lui.

Il commença ses recherches par la zone placée sous le vasistas. C'était la mieux éclairée et donc la plus facile à inspecter. Il examina chaque centimètre du mur et du sol, pour finalement se retrouver au fond de la cave, vers l'ouest, là où il avait cherché une porte la nuit précédente. Les planches qui l'habillaient étaient différentes de celles qui recouvraient les autres murs. Elles présentaient un pan qui ressemblait bien à une porte, sauf qu'il n'y avait ni bouton, ni poignée, ni serrure.

Il la palpa, fit courir ses doigts sur la surface, mais les planches restèrent aussi solides qu'un mur de briques. En pestant contre le temps qui passait trop vite et son peu de réussite, il recommença quelques centimètres plus loin. Quelque chose le lui disait : cette cave communiquait avec l'extérieur ou, du moins, avec le réseau de galeries minières. Le pan de mur était probablement une porte, mais il ne pouvait en être certain, et rien ne prouvait que les galeries, si galeries il y avait, passaient à cet endroit.

Comme il se déplaçait d'un pas pour palper les planches quelques centimètres plus loin, un bruit lui parvint. Il s'immobilisa instantanément et ferma les yeux pour mieux écouter.

Même bruit. Une sorte de grattement, faible, étouffé. Il reprit le sien sur les planches, et le bruit lui revint encore, comme une réponse.

— Mindy ? appela-t-il doucement.

Rien.

Il gonfla ses poumons pour crier, mais s'arrêta net. Et si Frank James pouvait l'entendre ? Bah, quelle importance ? Tout cela faisait certainement encore partie du jeu du chat et de la souris manigancé par Novus Ordo.

Le léger grattement reprit, de nouveau.

— Je suis là, Mindy, où es-tu ?

Se trompait-il en croyant que c'était elle ? Ou, pis, était-il victime d'une hallucination auditive ? Non, elle était bien derrière ce mur, et il la trouverait.

Il gratta chaque centimètre carré de son côté, en commençant par le haut du mur. Cela ne bougeait toujours pas et sonnait encore le plein.

Il s'interrompit pour écouter de nouveau.

Le bruit revint. A la réflexion, cela ne provenait peut-être pas du même mur.

— Mindy ? Est-ce que tu peux m'entendre ? Est-ce qu'il y a une porte ?

Il continua d'attaquer chaque planche, de plus en plus bas. Il termina ainsi sur ses talons, les genoux tremblants et les muscles douloureusement froissés.

Il frappa encore de ses phalanges sur le bois, et là, miraculeusement, le son fut différent. Cela sonnait le vide.

Son cœur se mit à s'emballer, provoquant une vive douleur à ses tempes. Fichu Taser !

Il appela :

— Mindy ?

Un murmure lui répondit. C'était elle, il le savait.

Mais immédiatement son entraînement reprit le dessus. Non, objectivement, il ne pouvait pas en être certain. Et si c'était un nouveau piège, qui se servait encore de Mindy pour l'attirer ?

Eh bien, il allait s'y précipiter en toute connaissance de cause. Il ne pouvait écarter la plus petite chance que sa femme soit de l'autre côté du mur, attendant qu'il vienne à son secours.

Il examina les planches. S'il le fallait, il les déclouerait ou les briserait à mains nues pour arriver jusqu'à elle.

Il ne trouvait toujours aucun moyen d'ouvrir un passage, mais il semblait y avoir quelque chose : un léger déplacement d'air, une petite différence de température. Il sortit son briquet pour le vérifier. La flamme s'inclina. Il y avait bien de l'air derrière ces planches.

Après quelques secondes pénibles à tenter de les arracher à mains nues, Deke voulut prendre son couteau dans la tige de sa botte. Mince, il ne l'avait plus ! Il était dans le soutien-gorge de Mindy. Absolument hors de propos, il pensa à la chaleur du corps de celle-ci et secoua la tête. Ce n'était guère le moment. Il fallait déclouer ces maudites planches.

Quelques minutes plus tard, les doigts écorchés et douloureux, il appela de nouveau.

— Mindy, si tu m'entends, recule-toi. Je vais enfoncer ces planches, à cet endroit, écoute bien…

Il donna un coup de poing sur le bois.

— … juste ici. D'accord ?

Un faible coup lui répondit. Il s'assit par terre et replia bien ses genoux contre sa poitrine.

— D'accord, lança-t-il. A trois. Un… Deux… Trois !

De toutes ses forces, il projeta les talons de ses bottes dans le pan de bois. Le coup résonna dans la cave vide.

Il se remit sur ses genoux pour examiner les dégâts. Ils n'étaient guère importants.

— Reste bien en arrière, Mindy, je recommence !

Il rétracta ses jambes, les propulsa, encore et encore. La quatrième fois, il passa enfin au travers des planches, dans un grand bruit de craquement. Malgré la fatigue et la douleur musculaire due coup de Taser, il continua jusqu'à ce qu'il ait pratiqué un trou suffisamment important pour pouvoir s'y glisser. Il ne commit pas l'imprudence de s'y précipiter tout de suite. Au contraire, il attendit quelques secondes, immobile. Le bruit n'avait-il pas alerté Frank James ? Il resta encore quelques instants en alerte, mais personne ne vint. Pourtant, le faux cow-boy l'observait certainement, sur un écran de contrôle peut-être, et il devait bien rire de ses efforts. Alors, il se mit sur le ventre et jeta un œil dans le trou, qui était à peine plus large que ses deux épaules.

— Mindy ? murmura-t-il.

Pas de réponse.

En retenant son souffle, il avança un peu sa tête dans le trou.

C'était peut-être bien un piège. Quelque chose bougea, et il s'immobilisa.

— Deke ?

Il dut serrer les dents pour ne pas se laisser submerger par l'immense soulagement qui lui serrait la gorge et lui mouillait les yeux.

Elle était là. Sa voix sonnait assez ferme et résolue, mais toujours comme sous-tendue par ces accents terrifiés et désespérés qu'il avait déjà remarqués au téléphone. Il s'était inquiété alors, mais n'en connaissait pas encore la raison. Maintenant, il savait.

Elle avait peur pour son bébé.

— Tout va bien, là-dedans ?

— Oui.

— Tu es seule ?

— Oui…

Elle semblait vraiment terrifiée. Pourvu qu'elle lui dise bien la vérité, songea-t-il. Autrefois, il aurait pu le vérifier rien qu'au timbre de sa voix. Mais le pouvait-il encore ?

Il ne pouvait évidemment pas le lui reprocher, mais elle le rendait bien vulnérable. Seul, il aurait pu échafauder un plan pour tendre une embuscade à Frank James. Mais il n'était pas seul. Il devait compter avec elle.

— Ne bouge pas, j'arrive…

Il rampa à travers le trou, puis se remit sur ses pieds. Il faisait diablement noir, là-dedans. Plus que dans sa cave, avec le vasistas. Il aurait bien aimé pouvoir disposer d'un meilleur éclairage que celui de son briquet. C'était à peine s'il pouvait deviner la silhouette de son ex-femme.

— Mindy, ma chérie, ça va ? Est-ce qu'il t'a fait du mal ?

Soudain, un ventre rond entra en collision avec lui, et deux bras minces enserrèrent sa taille.

— Deke, j'ai eu si peur ! Je me demandais s'il ne t'avait pas tué !

Deke frissonna, et sa gorge se serra. Il avala péniblement la boule qui s'était formée là et, très doucement, comme s'il avait peur de la briser, entoura Mindy de ses bras.

Elle posa sa tête au creux de son épaule, le meilleur endroit pour s'endormir, comme elle disait toujours.

— Mais non, coassa-t-il, très ému. Tu me connais, on ne me tue pas comme ça ! Et toi, il n'a pas utilisé son Taser contre toi, alors ?

Mindy s'accrochait à lui de toutes ses forces. Elle se serait glissée à l'intérieur de son corps, si elle avait pu. Se serrer dans ses bras ne lui suffisait pas, surtout à travers des vêtements. Malgré tout ce qui avait pu mal se passer entre eux, elle avait une totale confiance en lui : il ne lui ferait jamais de mal. Elle s'était toujours sentie en sécurité avec lui.

Enfin, presque toujours…

Elle serra plus fort, et il sembla se figer un peu, se reculer presque insensiblement. Sans doute était-il toujours en colère contre elle à cause de sa grossesse…

Mais ce n'était probablement pas la seule raison. Depuis de nombreuses années qu'elle le connaissait, jamais il ne s'était tout à fait ouvert et confié à elle. Jamais complètement. Elle le connaissait sur le bout des doigts, mieux que quiconque au monde, certainement. Elle pouvait donc affirmer sans le moindre risque d'erreur qu'il y avait bien une part de Deke Cunningham qu'elle n'avait jamais pu pénétrer. Elle était prête à parier tout l'argent qu'elle n'avait pas que personne n'y réussirait jamais. Comme toujours, cette seule idée lui brisait le cœur. Il ne lui avait jamais complètement accordé sa pleine et entière confiance. C'était l'une des raisons pour lesquelles finalement elle avait demandé le divorce.

— Mindy ?

Elle secoua la tête contre le coton de la chemise de Deke.

— Rassure-toi, il ne m'a pas touchée.

— Comment es-tu venue ici ? Tu saurais retrouver le chemin ?

— Je n'en suis pas sûre. Il m'a bandé les yeux, et nous avons marché longtemps. Du moins, ça m'a paru interminable. Quand il m'a laissée ici, il faisait très sombre. Je ne sais pas combien de temps je suis restée debout dans le noir. J'avais peur de m'asseoir.

Elle frissonna.

— C'est vrai que tu as toujours eu peur des cafards…, ironisa-t-il.

Son torse s'était un peu soulevé sous sa chemise : il riait !

— Ne te moque pas ! En plus, ce n'est pas vrai, j'étais si fatiguée que je me serais volontiers assise, même sur un nid de ces sales bêtes. Mais j'avais trop peur de ne pas pouvoir me relever.

— Désolé…

Il ne riait plus.

— Raconte-moi tout ce dont tu te souviens. Est-ce que tu as dû ramper, à un moment, pour venir ici… Ou te pencher, pour franchir une porte basse ?

— Non, il m'a fait monter à l'étage, puis redescendre, deux fois. Je pense qu'il essayait de me faire perdre mes repères. Mais nous sommes sortis, et aussi passés, je crois, dans un autre bâtiment, puis nous avons descendu plusieurs étages. Et toi ? Tu viens de l'endroit où nous étions détenus ?

— Oui, le vieil hôtel. Comment es-tu parvenue à différencier les deux bâtiments ?

— A l'odeur. Celui où nous étions sentait la pourriture. L'autre, quel qu'il soit, davantage la fumée.

— Bon ! Nous devrions retrouver le chemin de la même manière.

Il se pencha pour l'embrasser sur le front, et elle en eut la chair de poule. Cela lui rappela les jours heureux du lycée, avant qu'ils soient assez vieux pour savoir que l'amour seul ne pouvait vaincre la peur ou combler le manque d'affection des parents.

— Tu as du sang séché partout sur le visage, lui dit-elle doucement en effleurant ses tempes et ses joues.

Puis, elle passa délicatement son pouce sur ses paupières closes.

— … Et cette plaie a besoin d'être nettoyée et pansée.

Elle tâta son front autour de la blessure.

— Tu vas avoir un bleu…

— Bah, un de plus ou de moins…

Les larmes commençaient à la piquer au coin des yeux. Elle le repoussa.

— Ça ne me fait pas rire, moi, qu'on te fasse du mal ! soupira-t-elle.

En s'écartant de lui, la tête lui tourna. Elle était fatiguée, et elle avait faim. *Le bébé* avait faim. Il était toujours agité, quand elle ne mangeait pas.

— Je dois manger. Pour le bébé.

Il hocha la tête et regarda autour de lui.

— As-tu la moindre idée du chemin par lequel tu es venue ici ?

— Par là, je pense…

C'était une épaisse porte de bois, côté nord.

— … Mais il est possible qu'il m'ait fait tourner dans la pièce pour me désorienter…

— D'accord… Tu as toujours mon couteau ? Il ne t'a même pas fouillée, je pense ?

— Non, je l'ai…

Elle déboutonna son gilet, prit le couteau dans son soutien-gorge et le lui tendit.

— Ne bouge pas de là, lui ordonna-t-il. Je vais inspecter un peu les environs.

— Ne me laisse pas ! l'implora-t-elle, le souffle court, en s'accrochant désespérément à sa chemise. Si je reste encore toute seule dans le noir, je vais devenir folle.

— Mais non, ne t'inquiète pas. Je ne suis pas loin.
— Deke, et s'il te guette, quelque part ?
— Eh bien, il sera reçu ! Ne bouge pas d'ici.

Le couteau dans sa main droite, Deke prit son briquet et l'alluma, puis resta une seconde à s'orienter. Le passage dont il avait défoncé les planches était sur le mur ouest de la cave. Il suivit un mur de terre qui était donc au sud, puis s'incurvait vers l'ouest. A l'écho du bruit de ses pas, ainsi qu'au souffle d'air autour de ses oreilles, il s'agissait certainement d'un tunnel de mine. Il le suivit sur quelques mètres.

Oui, il s'agissait bien d'une vieille galerie minière.

La flamme du briquet lui brûlant les doigts, il l'éteignit et continua son exploration à tâtons le long des parois en terre, étayées par de vieilles traverses de chemin de fer. Au sol, rien de notable, et surtout pas de rails pour porter les chariots de charbon. C'était donc probablement une galerie qui n'avait jamais été terminée. Un cul-de-sac.

Il ralluma son briquet pour revenir sur ses pas. Des rails, il y en avait dans l'espèce d'alcôve où il avait retrouvé Mindy : il avait marché dessus. Ils devaient mener à un tunnel vers le nord. C'était la seule issue possible.

Comme il approchait de l'endroit où il avait laissé Mindy, un rai de lumière révéla deux silhouettes. L'odeur caractéristique d'une allumette que l'on venait de craquer se répandit dans l'air, puis celle du pétrole lampant, encore plus aisément reconnaissable. L'inquiétude le saisit. James ! Il tenait Mindy à sa merci.

Instantanément, il dissimula son couteau. James ne devait pas en voir briller la lame.

*
* *

— Tiens, Cunningham, ricana le faux cow-boy en le voyant s'approcher. C'est gentil de te joindre à nous, on t'attendait.

Il accrocha à un clou une lampe à pétrole, au-dessus de leur tête, tout en braquant sur la tête de Mindy la gueule d'un gros revolver Colt 45. Comme la veille, le foulard qui se tendait au-dessus de sa bouche trahissait son sourire.

La terreur coupa le souffle à Deke. La fois précédente, déjà, il avait souhaité le tuer pour que plus jamais il ne menace Mindy ainsi. Et voilà qu'il recommençait !

Sa conscience se coupa en deux, de nouveau. Une moitié assistait, muette de rage, à l'horrible scène : ce bout de métal et sa charge mortelle pressés contre la tempe de la femme qu'il aimait toujours, puis le bruit du chien qui percutait les chambres vides du barillet, et le soulagement. L'autre moitié se repassait les cauchemardesques souvenirs comme une lanterne magique. Il connaissait l'horreur de ces bruits-là et tout son corps se mit à frémir. Pourtant, il fit l'effort de se secouer mentalement et de se concentrer sur la scène. Il devait rester en alerte et chercher à intervenir.

Ses beaux yeux verts pleins de larmes, ses mains en protection sur son ventre, Mindy balbutia :

— Deke, je ne savais pas…

— La ferme ! aboya Frank James.

Deke aurait bien voulu la rassurer par son attitude ou son regard, mais comment ? Réfléchissant aussi vite qu'il le pouvait, il décida de détourner l'attention du faux cow-boy sur lui, en le provoquant et en avivant sa colère, pour lui faire oublier Mindy, ne serait-ce que momentanément.

— Tu es un minable, James, lui cria-t-il. Un lâche qui se cache derrière une femme, et une femme enceinte, par-dessus le marché !

— Fais attention à ce que tu dis, lui répondit le cow-boy d'opérette. Ce n'est pas toi qui fais la loi, ici…

— Parce que c'est toi, peut-être ? Ne me fais pas rire…

Tu n'as même pas le cran de te faire appeler par ton vrai nom. Tu as pris celui d'un bandit de western. Que dis-je, le frère d'un bandit !

Au-dessus du foulard, les petits yeux flamboyaient, et le revolver trembla dans la main qui le tenait, nota Deke.

— La ferme, je te dis ! Frank James était un héros, comme son frère.

Deke se sentait à la fois encouragé et angoissé : l'imbécile, piqué au vif, entrait visiblement dans son jeu. Il n'avait décidément rien du cerveau dévoyé, mais supérieur, d'un Novus Ordo. Ce n'était qu'un homme de main, loué pour l'occasion.

— Il faut croire que tu as honte de quelque chose, reprit-il sur le même ton provocateur, sinon tu ne porterais pas ce ridicule foulard, comme dans une série B.

— Tu ne sais rien de moi ! Rien !

Frank James devenait de plus en plus écarlate, et son arme tremblait encore plus dans sa main.

C'était plutôt inquiétant, songea Deke. Il y avait tout à redouter de quelqu'un qui ne se maîtrisait pas. Mais il n'avait pas le choix, il devait mettre ce minable hors de lui pour tromper sa méfiance. Il n'avait besoin que de deux secondes d'inattention. Deux petites secondes…

— J'en sais assez sur toi pour me douter que tu n'as pas monté ton affaire tout seul. Tu travailles pour Novus Ordo, c'est ça ?

A ce nom, le canon du revolver tressauta de plus belle.

— Ferme-la ! rugit une fois encore Frank James. Tu crois tout savoir, mais tu ne sais rien du tout !

Il y avait à présent des taches sombres sur le tissu du foulard. Le faux cow-boy dégoulinait de sueur.

Deke banda ses muscles, prêt à l'action. Décidément, une seconde… Il ne lui fallait qu'une seule seconde.

Frank James respirait aussi fort qu'un soufflet de forge, et son foulard était trempé de sueur. Il était à point.

Deke prit soin de réguler sa propre respiration en observant son adversaire. Il l'aurait parié sans la moindre hésitation : l'homme était un novice, un lâche qui n'avait jamais tué personne.

Pas face à face, en tout cas…

Deke souffla intérieurement : il avait toutes ses chances face à un gus pareil. Il était plus grand, plus lourd, plus rapide et probablement bien plus entraîné que cet avorton. Il pouvait le mettre hors d'état de nuire.

Il le devait.

Comme s'il pressentait quelque chose, James le fixa droit dans les yeux. Avec une sale lueur de malice, il arma de nouveau le chien de son revolver et le tourna vers Mindy, sans cesser de regarder Deke.

Et il appuya sur la détente.

5

Deke ne pouvait prononcer un mot. Le bruit du métal contre le métal lui vrillait les nerfs. Le barillet tournait lentement.

Propulsé par la terreur, il lança son couteau dans le bras du faux cow-boy et se jeta sur lui de toutes ses forces. Mindy se mit à crier. Frank James aussi, d'une voix de fausset, lorsque Deke le percuta, le repoussant contre les poutres de soutènement de la galerie minière. De la poussière se mit à tomber du plafond, tout autour d'eux. Saisissant le poignet droit du gangster, Deke le frappa à plusieurs reprises. Finalement, l'arme tomba sur le sol de terre battue.

— Attrape-la, Mindy, ou bien pousse-la hors de portée !

Au même moment, l'avant-bras en travers du visage de Frank Janes, il essayait de lui casser le nez. Le faux cow-boy tenta bien de se débarrasser de lui, mais Deke s'accrochait désespérément, entraînant James contre tous les murs.

— Mindy ! cria-t-il.

Elle ne répondit pas.

Terrifié à l'idée qu'il ait pu lui arriver quelque chose, Deke fit basculer son adversaire au sol, l'assommant à demi contre un rail de fer au passage.

— Mindy !

La lueur tremblotante de la lampe à pétrole accrochait des ombres mouvantes sur les murs de la galerie, mais aucune d'elles ne ressemblait à sa femme. Il avait beau écarquiller les yeux, il ne la voyait pas.

— Deke !

Un énorme soulagement déferla sur lui, si intense que ses genoux se dérobèrent presque sous lui. Il se tourna vers la direction d'où venait la voix : une ombre bougeait

— Mindy, tu es blessée ?

Elle était à terre, à demi effondrée.

— Je ne crois pas…

Il referma ses bras autour d'elle et la souleva.

— Reste un peu en arrière, lui suggéra-t-il en la portant délicatement vers le mur ouest.

Mais les yeux de Mindy s'agrandirent d'effroi.

— Attention ! cria-t-elle.

Frank James se jetait sur le revolver. Mais Deke en fit autant et atterrit sur le dos du bandit, qu'il bouscula pour attraper l'arme.

Mais quand il y parvint une douleur très vive lui déchira le bras. Il tomba en arrière, et Mindy se mit de nouveau à crier. Deke fit alors un roulé-boulé pour récupérer le revolver. Mais celui-ci n'était plus là. James le tenait. Et il s'était remis debout.

Aussitôt, Deke l'attrapa par ses bottes à bouts argentés pour essayer de lui faire perdre l'équilibre. Il y parvint presque, mais James réussit à rester sur ses pieds. Alors Deke se servit de sa tête comme d'un véritable bélier et l'enfonça dans l'estomac de son adversaire qui se courba en deux en exhalant tout son souffle à la fois, puis tomba en arrière.

Deke se sentit triompher. La lame de son couteau brillait aux pieds de Frank James, et il se précipita pour l'attraper. Mais, au moment où ses doigts se refermaient sur le manche, la lourde porte de bois s'ouvrit et une silhouette massive se profila dans l'encadrement, juste derrière James. L'arc électrique d'un Taser se déroula dans la cave.

Absolument terrifiée, Mindy écarquilla les yeux : une sorte de géant venait de surgir de nulle part. Rien de plus qu'une silhouette, car la lumière venait de derrière lui. Mais l'inconnu était armé : un arc électrique traversa la pièce et le Taser grésilla.

Sans pouvoir esquisser un geste, Mindy assistait au désastre : Deke absorba toute la décharge, le corps tendu puis tremblant, et s'effondra au sol, comme un pantin désarticulé.

Le géant le poussa de côté du bout du pied et demanda :

— Où est la femme ?

Deke l'avait déposée à plusieurs mètres de là, dans la galerie, et dans l'ombre. Mais ils ne tarderaient pas à la découvrir. Elle n'avait guère de moyens de se défendre. Alors, instinctivement, elle ferma les yeux et fit semblant d'être évanouie.

Frank James haletait en essayant de retrouver son souffle. Il eut une quinte de toux.

— Je ne sais pas, répondit-il finalement. Ça n'a pas d'importance…

— Là, elle est là…

Mindy se figea, essayant de se faire toute petite et de ne pas trembler.

— Laisse-la ! cria James, à bout de souffle.

Mais le géant s'approcha et se campa au-dessus d'elle. Feindre l'évanouissement ne servirait peut-être pas à grand-chose, craignit-elle, mais elle resta néanmoins immobile et les yeux clos.

— Elle est dans les choux, tonna l'inconnu. Je peux la porter…

— Qu'est-ce que je viens de te dire ? Non !

— Mais, si elle essaie de se sauver ?

— Reviens ici !

La voix de Frank James était presque redevenue normale. Le géant s'éloigna d'elle.

— Maintenant, écoute…, murmura James.

Le cœur battant, Mindy tendit l'oreille.

— Ils ne vont pas s'enfuir, idiot ! Et puis, l'important ce n'est pas de les capturer : ça, c'est déjà fait. L'important…

Il baissa encore la voix, et Mindy ne put plus l'entendre. Elle souleva très légèrement ses paupières. Les deux hommes étaient penchés l'un vers l'autre, et elle pouvait percevoir le léger murmure de James, sans malheureusement en comprendre un seul mot. A la fin, le géant acquiesça et lança tout haut :

— Je vais prendre le couteau, quand même…

— Non, laisse-le-lui, répliqua Frank James. J'aime bien qu'il s'imagine être plus malin que nous…

Il eut encore une quinte de toux, inspira profondément et dit :

— Allez, allons-nous-en.

Il ouvrit la porte côté nord, et les deux hommes disparurent.

Un instant aveuglée par le flot de lumière qui venait d'entrer dans la pièce, Mindy rampa sur la terre battue pour rejoindre Deke. Plusieurs fois, elle dut passer par-dessus des rails. Enfin, les formes se firent plus précises dans la pénombre. La silhouette de Deke apparut, et aussi la flaque qui s'était formée sous lui. Ce n'était pas un jeu d'ombres, mais du sang. Celui de Deke. A certains moments de la bagarre, Frank James avait eu en main le couteau. Visiblement, il s'en était servi.

— Deke…, appela-t-elle doucement en lui touchant le front du bout des doigts.

Il serait fou d'espérer que leurs tourmenteurs soient partis pour de bon, elle le savait. Mieux valait ouvrir l'œil et surveiller chaque rai de lumière sous la porte.

— Deke… Deke, réveille-toi. Deke…

Il remua et poussa un vague grognement.

— Deke, réponds-moi !

Il poussa un autre son rauque du fond de la gorge et tenta de se soulever sur ses mains et ses genoux. Mais son bras droit blessé ne put supporter son poids, et il s'effondra de nouveau.

Mindy ne savait que faire pour l'aider. Le voir ainsi lutter désespérément l'emplissait de terreur. Jamais elle ne l'avait vu vaincu, faible ou blessé. C'était comme une douche froide. Deke Cunningham était fait de chair et de sang, comme n'importe qui. Il pouvait être vulnérable.

Elle lui appuya la main sur le front.

— Je t'en prie, réveille-toi, murmura-t-elle. J'ai besoin de toi. Je ne crois pas que je pourrai m'en sortir seule.

Il émit un son bref, comme un grognement ou un ricanement, puis doucement, son bras droit replié contre lui, il se redressa en position assise, puis, ses jambes sous lui, il poussa sur ses pieds pour se relever.

Mindy, la tête levée vers lui, le regardait faire. A la lueur tremblotante de la lampe-tempête, son visage était devenu un masque grimaçant de douleur. Elle n'avait aucune idée de la puissance d'une décharge de Taser mais, à en voir les effets sur un homme aussi fort que Deke, ce devait être terrible. Pourtant, ce qui l'inquiétait plus encore, c'était la blessure, à son bras.

A sa manière habituelle, il fit l'effort de se recomposer un visage quasiment normal, puis baissa les yeux vers elle et lui tendit sa main, avec un demi-sourire crispé.

— Ce n'est pas la peine de m'offrir ton aide, lui dit-elle avec une certaine acrimonie. Ça ne va pas être aussi facile, et ce ne sera pas joli à regarder.

Elle se mit péniblement à quatre pattes et lentement, en s'appuyant au mur, elle se poussa sur ses genoux.

— Est-ce que tu pourrais m'aider à me soulever en me soutenant le bras ? demanda-t-elle, embarrassée par sa propre faiblesse.

Deke sembla percevoir sa gêne.

— Qu'est-ce qui arrive, Mindy ? lui demanda-t-il. On dirait que c'est la première fois que je te viens en aide…

— C'est différent, grommela-t-elle.

Il la souleva avec une grimace d'effort.

— C'est vrai, grogna-t-il. Tu as pris du poids…

— Ce n'est pas drôle, répliqua-t-elle en se mettant péniblement debout, et largement avec son aide.

Changeant de ton, elle ajouta :

— Je suis désolée, je sais que tu as du mal, avec la blessure… Et le Taser…

— Pas grave…, murmura-t-il.

Elle s'avança d'un pas, passa sous le rayon de la lanterne et fixa le blouson de Deke : il était trempé de sang.

— Oh ! Mon Dieu, Deke…

— Ça va… Est-ce que cet abruti t'a fait du mal ?

Elle secoua la tête en réponse et ajouta :

— Tu te préoccupes de moi, je me préoccupe de toi. Aide-moi, je vais te retirer ça…

Elle fit glisser le vêtement de ses épaules et de ses bras, releva la manche de chemise trempée et siffla entre ses dents.

— Ce n'est rien, maugréa Deke en essayant de s'écarter.

— Non, ce n'est pas rien, tu peux me croire. L'estafilade fait au moins dix centimètres, et tu as besoin de points de suture…

— Tu peux me dire comment on peut me faire ça ici, pour le moment ? répliqua-t-il avec dureté.

Mindy en fut très surprise. Certes, il n'avait jamais aimé être surpris en flagrant délit de faiblesse, physique ou, moins encore, émotionnelle. Il lui avait dit une fois qu'il avait appris de bonne heure que la faiblesse attirait les prédateurs, comme le sang attire les requins. Ainsi avait-il décidé que la meilleure défense consistait en une solide carapace et une réponse immédiate à toute provocation. Elle savait d'où il tenait ses leçons et où il les avait apprises : de son père alcoolique, des autres garçons, à l'école, de la vie enfin. Elle avait été là quasiment chaque fois qu'il en avait reçu, vu monter toutes les briques du mur dont il s'était entouré le cœur. Sa colère n'était pas contre elle, elle le savait bien. Elle était en lui, voilà tout. Cela s'était déjà produit maintes fois par le passé. Alors, avec tout l'entraînement d'une longue habitude, elle fit mine d'ignorer ses réponses et son attitude.

— Je pourrais la recoudre, mais je n'ai rien pour la panser…

— Mindy, je n'ai pas le temps de…

— Tais-toi et enlève ta chemise !

Il soupira, mais obéit et la déboutonna de la main gauche, la droite restant inerte le long du corps.

— Oh ! Deke, qu'est-ce qu'il t'a fait !

Son flanc était couvert de bleus, là où Frank James l'avait bourré de coups de botte. Son avant-bras était entièrement rouge, et le sang avait coulé abondamment sur son torse et son abdomen.

Mindy ne pouvait détacher ses yeux de lui. Ils avaient été mariés neuf ans et amants deux ans avant cela. Elle connaissait chaque centimètre carré de son corps. Chaque courbe de muscles. Chaque cicatrice.

Il paraissait plus sec, plus maigre peut-être que la dernière fois qu'elle l'avait vu ainsi, nu. Mais il était toujours aussi beau. Et aussi désirable.

Les souvenirs lui revinrent en masse, la sensation de ce corps nu contre le sien, comme du fer que l'on aurait recouvert de soie, et l'indescriptible bonheur de le sentir en elle, d'être remplie par lui.

Le sexe n'avait jamais été un problème entre eux. Elle avait toujours autant envie de lui que la première fois. Davantage, peut-être.

Oui, elle le désirait toujours. Elle était enceinte de huit mois, elle avait froid, faim, elle mourait de peur, et pourtant le désir était là, vibrant, tenace : il chantait en elle.

Stop ! se dit-elle. Tout cela ne venait que de ses hormones. Et de vieilles habitudes.

Mais non, non. Ce n'était pas que ça. Ce n'était pas par hasard que la peau dorée de Deke, sa longue et fine musculature, ses larges épaules, les pleins et déliés de ses hanches et de ses flancs lui étaient aussi familiers que son propre corps. Voire davantage, depuis ces derniers mois, où son organisme n'avait fait que se modifier.

Elle se caressa doucement le ventre, où son fils remuait. Le petit « La Globule » en était bien la preuve. Le jour même de l'enterrement de sa mère, le seul être au monde qui avait su apaiser un peu sa poignante tristesse, c'était précisément Deke, avec cette profonde douceur qu'il ne révélait jamais qu'à elle.

Mon Dieu, elle l'aimait toujours !

Mais non, ce n'est pas possible, répliqua instantanément la partie raisonnable de son cerveau.

Elle soupira. Se disputer avec soi-même n'avait guère de sens. Elle ne pouvait pas vivre avec lui, c'était un fait. Mais elle l'aimerait toujours, évidemment.

— Bon, fit Deke, tu vas continuer à me regarder et à me laisser me vider de mon sang ?

Le ton de légère ironie et le petit retroussis de sa lèvre démentaient ces paroles. Mindy rougit violemment. Il avait dû deviner, comme toujours, à quoi elle pensait. Quelque chose, au moins, n'avait pas changé… Au milieu de son trouble, elle en ressentit une pointe d'irritation.

— Pardon, grommela-t-elle.

Elle lui prit la chemise des mains pour commencer à la déchirer en bandes.

— Allons, Mindy, dit-il d'un ton conciliant, je n'ai pas voulu…

— J'ai besoin de quelque chose pour nettoyer la plaie, le coupa-t-elle, l'empêchant de s'expliquer plus avant.

Elle regarda autour d'elle et tomba sur la lampe-tempête.

— Le pétrole, dit-elle.

— Non, non, pas question !

— Pourquoi pas ? Il est chaud et c'est un bon désinfectant.

Deke secoua la tête.

— C'est un meilleur combustible encore et nous en avons besoin. Quand tu auras fini de jouer au docteur, nous allons sortir d'ici et emporter cette lampe avec nous, elle nous sera utile.

— Je ne peux pas te bander le bras sans l'avoir nettoyé ! protesta Mindy.

— Bande-le toujours, tu le laveras plus tard… Ce salaud de James reviendra dès qu'il aura un peu léché ses blessures. Je préfère qu'on soit partis à ce moment-là…

— Tu les as entendus parler ? demanda Mindy en travaillant rapidement, faisant de son mieux pour rapprocher les lèvres de la plaie sans trop serrer.

— Parler ? Quand ça ?

— Après qu'ils t'ont donné le coup de Taser…

— J'ai bien eu l'impression d'entendre quelque chose, mais rien de distinct. Pas facile de réfléchir quand on vient de recevoir une décharge. Peut-être que j'ai été évanoui quelques secondes…

Il se frotta la poitrine et le front, puis ajouta :

— Pourquoi ?

— Ils pouvaient nous ficeler de nouveau et nous faire tout ce qu'ils voulaient, nous étions à leur merci. Mais James a empêché l'autre type de le faire. Il lui a dit que ce n'était pas le plus important. Il l'a même obligé à te laisser ton couteau, en lui expliquant qu'il aimait bien que tu te croies plus malin qu'eux… Tu y comprends quelque chose ?

Deke secoua la tête.

— Il joue au chat et à la souris, répondit-il après un instant de réflexion. Il veut que je sois sûr de pouvoir nous tirer d'ici.

— Moi, je sais que tu le peux.

Il esquissa un sourire.

— Merci, mais je me sens un peu inférieur en nombre.

Ils sont très certainement plus de deux. Je parierais même que chaque issue est gardée…

— Alors, nous sommes comme deux rats dans une trappe ? Même si nous essayons de nous enfuir, la mort est au bout du chemin ?

— Quelque chose comme ça.

Ces quatre mots, prononcés sans émotion, la terrifièrent davantage que s'il avait trahi sa peur ou sa colère. Il était l'homme le plus brave qu'elle ait jamais connu. Comment pouvait-il accepter ainsi la défaite, après tout ce qu'il avait enduré ?

Enduré ! Oui, c'était le mot-clé. Tout jouait contre eux : le nombre de leurs ennemis et la situation. Mais quelque chose qu'il lui avait dit un peu plus tôt, au moment où il voulait empêcher Frank James d'user de son arme contre elle, revint à sa mémoire. Sur le moment, elle avait été tellement terrifiée qu'elle n'y avait pas songé. Elle essaya de se rappeler exactement les paroles qu'il avait prononcées, mais n'y parvint pas. Elle n'avait en tête qu'une seule question :

— Qui est l'ennemi ?

— Que veux-tu dire ? s'étonna-t-il.

Elle sursauta à son tour.

— Comment ?

— Tu as dit quelque chose, insista-t-il.

— Mais non !

Avait-elle parlé tout haut ? Elle termina fébrilement le pansement, en se maudissant elle-même de ne pas faire suffisamment attention à ce qu'elle faisait.

— Où est le couteau ? lui demanda-t-il avec une grimace crispée tandis qu'elle tirait sur le tissu. Il serait plus simple et moins pénible de couper plutôt que de déchirer !

— Il est tombé par là, répondit-elle en montrant la porte.

— Il faut que je le trouve, soupira-t-il en se relevant. Et tu as bien dit quelque chose… Tu as demandé : où est l'ennemi ?

Elle noua la bande pour la maintenir en place.

— Ah oui ? Bah, il me semble que c'est une bonne question. Tu ne m'as jamais dit pour quelle raison exacte Franck James avait voulu t'atteindre en m'enlevant et pourquoi il joue au chat et à la souris avec toi. A l'évidence, il sait parfaitement qui tu es.

Deke regarda posément sa main, sur laquelle le bandage se terminait par un cordon passant autour de deux de ses doigts, qu'il replia plusieurs fois, comme si vérifier que le pansement tenait bien était la chose la plus importante qu'il avait à entreprendre dans l'instant.

— Deke, insista-t-elle, regarde-moi. Qui est derrière tout cela ?

Il baissa les yeux, puis les releva pour la regarder.

— Je n'avais jamais rencontré Frank James, auparavant.

Mindy étudia son visage un moment. Il avait été son amour d'enfance, puis son amant et enfin son mari. L'homme qu'elle connaissait mieux que personne au monde. La crispation de ses mâchoires, les petites rides au coin de ses yeux, la ligne de sa bouche, tout lui disait qu'il cachait quelque chose. Elle faillit pouffer de rire devant cette pauvre tentative de dissimulation. Mais à cet instant précis il tourna les talons et se dirigea vers la porte.

— Deke, qu'est-ce que tu… ?

Le briquet allumé dans sa main levée, il fouillait du pied dans la poussière. Elle comprit : il cherchait son couteau.

Elle le regarda faire en cherchant à se souvenir de ce qu'il avait pu dire à Frank James quand celui-ci l'avait menacée, elle, de son revolver. Il avait essayé de le mettre hors de lui pour détourner ses mauvais instincts et la protéger. Quelque chose dans ces provocations volontaires de Deke envers leur ravisseur lui avait paru différent du reste, quelque chose qui sonnait vrai et l'avait alarmée. Quelque chose qui résonnait presque encore dans sa mémoire, mais pas suffisamment, hélas. Et puis tout à coup, si. La voix de Deke résonnait dans sa tête.

Tu n'as certainement pas mené ton affaire tout seul, tu travailles pour Novus Ordo.

Novus Ordo !

Sidérée par cette révélation, elle porta vivement la main à sa bouche. Bien sûr ! L'homme qui avait capturé et torturé Deke.

— C'est Novus Ordo ! répéta-t-elle.

— Comment ?

Il la regardait d'un air à la fois soupçonneux et un brin fuyant.

— N'essaie même pas de faire l'innocent avec moi, Deke Cunningham !

Elle recula d'un pas, comme si la distance pouvait la protéger de ce qu'elle venait de réaliser.

Après son retour du Mahjidastan, Deke avait été un autre. Il ne lui avait jamais dit ce qui lui était arrivé là-bas, mais son meilleur ami l'avait renseignée. Rook lui avait raconté comment Novus Ordo, le célèbre terroriste, avait capturé Deke lorsque son hélicoptère avait dû se poser. Il lui avait aussi décrit quelques-unes des tortures que Deke avait dû subir. Rook avait fait cela dans un but bien précis : il voulait qu'elle aide son mari à guérir.

Elle avait bien essayé, mais il avait refusé son soutien, et celui de quiconque, avec véhémence. Puis il était parti, la laissant seule. La sorte de coquille vide qu'il était désormais était toujours là, mais l'homme qu'elle aimait, lui, avait disparu, noyé dans l'alcool, la dépression et le dégoût de soi. Celui qu'elle avait cru invincible était brisé.

Alors, pour se défendre, pour ne pas sombrer avec lui, elle avait demandé le divorce. Lorsque Rook avait été assassiné, les spéculations au sujet de sa mort s'étaient mises à fleurir dans tout le pays. On disait que le fameux Novus Ordo, le terroriste le plus craint depuis Ben Laden, avait ordonné l'exécution du colonel de l'Air Force Rook Castle par vengeance personnelle.

Mindy s'en souvenait parfaitement : elle avait craint que la mort de Rook ne fasse définitivement sombrer Deke, mais elle savait par Irina que c'était en fait le contraire qui s'était produit. La disparition de son ami avait semblé le ramener à la vie. Peut-être parce qu'il ne voulait pas y croire et espérait le retrouver, ou au moins le venger.

— C'est bien ce terroriste qui est derrière tout ça ?

— Ecoute, Mindy…

— Non, c'est toi qui vas m'écouter, répliqua-t-elle, le menton agressivement levé. Ne me prends pas pour une idiote. Irina a fait officiellement cesser les recherches la semaine dernière, et nous voilà enlevés parce que tu sais des choses que tu ne veux pas me dire. Mais moi j'ai bien entendu ta petite phrase à Frank James. Novus Ordo pense que tu sais où est Rook, c'est ça ?

Il la regardait fixement et ses yeux s'étrécirent.

— C'est ça, n'est-ce pas ? s'écria-t-elle. Tu le sais !

Pendant un instant encore, il la considéra silencieusement, comme si elle était un fantôme. Et puis sa bouche et sa mâchoire se détendirent. Il secoua la tête.

— Non, murmura-t-il, je ne sais pas où pourrait être Rook.

— Alors, pourquoi… ?

La question mourut sur ses lèvres, car il bougea ses yeux à gauche, à droite et vers le haut : ils étaient probablement observés et écoutés. A son tour, elle lui fit discrètement signe : elle avait compris.

Elle reprit donc leur discussion en s'efforçant de paraître croire ce qu'il lui disait :

— Tu ne sais vraiment pas ? Et toutes ces rumeurs qui avancent qu'il serait toujours en vie ?

— Elles se sont surtout développées parce que Irina était dans l'incertitude, mais maintenant elle le sait : Rook Castle est mort.

— Et Frank James ? Tu crois vraiment qu'il travaille pour Novus Ordo ?

— C'est possible. J'aurais cru Ordo un peu trop malin pour s'encombrer d'un pareil imbécile, mais peut-être que non, après tout. Il a peut-être bien aussi ordonné l'assassinat de Rook, mais le corps n'a jamais été retrouvé. Si j'étais lui et si je pensais que mon ennemi est vivant, je suppose que le fait que sa femme ordonne la fin des recherches contrecarrerait mes plans.

Il eut un soupir d'impatience.

— Bon, Mindy, tu as fini de jouer au docteur, ou pas ?

Elle jeta un dernier coup d'œil à son pansement.

— J'ai fini, mais ça saigne toujours. Je vais devoir mettre des toiles d'araignée dessus…

Cette fois, il la regarda avec des yeux ronds.

— Des toiles d'araignée ? Ça ne va pas ? Il n'en est pas question !

— Cela aide à cicatriser et nous n'avons pas vraiment d'autre…

Il leva la main

— Je ne veux pas le savoir. Je ne saignerai plus.

Elle ne put s'empêcher de sourire.

— Ah oui ? Comme ça, par le seul effet de ta volonté ?

— Je ne sais pas comment, mais il faudra bien que ça s'arrête…

Elle rit.

— Mon héros !

Ces mots produisirent en Deke un douloureux pincement au cœur. Elle les avait souvent prononcés depuis le lycée. Par exemple, la première fois qu'ils avaient fait l'amour, quand ils avaient dix-sept ans.

Il avait été attentif, doux et patient, bien déterminé à lui donner du plaisir. Après, elle s'était blottie dans ses bras, rêveuse, repue et émerveillée par ce qu'ils venaient de partager.

C'est alors qu'elle s'était tournée vers lui, lui avait touché la joue et avait murmuré, pour la première fois :

— Tu es mon héros. Je t'aimerai toujours.

Il baissa la tête et la secoua doucement, repoussant les souvenirs là où il les enfermait toujours, à double tour. C'était il y a longtemps, quand elle l'aimait…

Il n'était plus guère un héros. Bah, il ne l'avait jamais été ! Jamais il ne lui avait rien apporté d'autre que des désillusions. Rien d'étonnant à ce qu'elle ait voulu lui cacher qu'elle attendait un enfant. Simple mesure de protection, pour elle et pour le bébé. Et là, qu'avait-il fait ? Il l'avait laissée seule et vulnérable. C'était sa faute si elle était dans ce guêpier, et maintenant il devait l'en sortir.

Et sans qu'elle en reçoive la moindre égratignure…

— Bon, grogna-t-il, à présent, partons d'ici. Je suis sûr que c'est exactement ce que Frank James s'attend que nous fassions, mais du diable si j'y peux quelque chose…

Il remit son blouson avec précaution et retira la lampe-tempête du clou auquel elle était accrochée.

Puis, il examina la porte du mur nord. Elle n'avait ni bouton ni poignée. Rien qu'un trou de serrure.

— C'est par là qu'ils sont partis ? demanda-t-il.

Elle acquiesça.

Il appuya sur le battant. Il ne bougea pas d'un centimètre. Alors, il fit passer la lampe dans sa main droite et essaya de glisser le bout de ses doigts dans l'interstice. La porte ne céda pas davantage.

— Elle est verrouillée, annonça-t-il.

— Et, de l'autre côté, tu as trouvé quelque chose ? s'enquit-elle.

— Surtout ce à quoi je m'attendais. Comme je le supposais, l'hôtel est construit sur un réseau de galeries minières.

Il montra celle qui partait vers le sud.

— Dans celle-ci, il n'y a pas de rails, ce qui me fait

supposer que c'est un cul-de-sac. De toute façon, je ne suis pas allé loin, je ne voulais pas te laisser.

Il pesta contre lui.

— Je t'ai d'ailleurs laissée trop longtemps…

— Tu ne savais pas…

— J'aurais dû.

Il lui désigna le sol.

— Il y a des rails pour wagonnets, ils disparaissent dans l'obscurité. Tu vois comme ils sont usés ? Il y a visiblement beaucoup de monde qui est passé par ici.

— Mais pourquoi une mine de charbon communiquait-elle avec un hôtel ? s'étonna Mindy. On dirait même que c'est le point de départ de tout un réseau.

— Je ne sais pas. Peut-être les ingénieurs, les cadres, y étaient-ils logés.

Il montra le battant verrouillé.

— Peut-être que derrière cette porte il y avait leurs bureaux. Ils utilisaient probablement des wagonnets pour se rendre au cœur de la mine.

— Les wagonnets comme ceux qui transportaient le charbon ?

— Presque, mais équipés de sièges pour transporter des passagers.

— Comment sais-tu tout ça ?

Il ne put retenir un sourire.

— Je me suis pas mal documenté dès que j'ai deviné que ton appel téléphonique venait d'ici.

Il se pencha pour ramasser son couteau, puis lui montra la trappe qui communiquait avec l'hôtel.

— Pas question de repasser par là !

Dans son état, Mindy ne pourrait pas ramper sur les genoux.

Il se tourna alternativement vers les deux tunnels en serrant les dents, son bras l'élançant douloureusement. Il devait se fier à son instinct, ce qui l'avait déjà tiré d'affaire de nombreuses fois.

Pourtant, il hésitait encore sur le tunnel à prendre. Qu'est-ce que Novus Ordo s'attendait à ce qu'il fasse ? Emprunter la galerie Sud, qui semblait mener à un cul-de-sac, ou bien l'autre, qui partait en plan incliné, probablement pour rejoindre le réseau de la mine, voire jusqu'à la gare, où l'on chargeait le charbon dans les trains de marchandises ?

Il jura sourdement entre ses dents, bien incapable de se prononcer.

6

— Je ne pense pas pouvoir aller plus loin…

Mindy se haïssait de prononcer ces mots-là. Elle détestait être un poids pour Deke. Mais ses doigts étaient gourds de devoir s'accrocher à sa ceinture pour bien rester toujours derrière lui.

Il la guidait dans l'obscurité, l'avertissant de tout obstacle et de toute courbe dans la galerie. Celle-ci suivait un long plan incliné, qui les emmenait de plus en plus profondément sous la terre.

Que Deke choisisse le tunnel Sud plutôt que l'autre l'avait surprise. Mais elle avait gardé le silence et lui avait fait confiance.

Par deux fois, il avait buté contre un tas de pierres et de vieilles planches. Une autre, il s'était cogné la tête contre une poutre de soutènement.

Mindy déglutit. Jamais, jusque-là, elle n'avait eu peur du noir… Mais l'obscurité était totale et la sensation, terrifiante, claustrophobique, propre à vous faire perdre tous vos repères… et la tête.

Même en s'accrochant à la ceinture de Deke, elle ne savait pas où elle marchait : tout droit, vers la droite ou vers la gauche. Parfois, elle avait même l'impression d'avancer courbée vers le sol, plutôt que droite. Lorsque cela lui arrivait, elle se relevait brusquement et machinalement, ce qui lui donnait le vertige, et ce vertige s'accompagnait de panique. Cela dérangeait certainement le petit La Globule et accroissait sa nervosité à elle. En plus, ils semblaient s'enfoncer toujours plus profondément sous la terre.

— Tiens encore un peu, Mindy…, lâcha-t-il d'une voix tendue.

Si lui aussi était inquiet, songea-t-elle, alors il y avait sérieusement de quoi avoir peur.

— Je n'en peux plus, Deke !

— Encore un petit peu. Je crois que j'entends quelque chose.

Le cœur de Mindy se mit à battre plus vite.

— Quoi donc ? s'enquit-elle.

Il la prit par la main.

— Ecoute… de l'eau… de l'eau courante…

Il s'immobilisa, et elle vint se placer tout contre lui.

— Je n'entends rien, Deke.

— Mes oreilles sont très entraînées…

Elle ne le voyait pas, mais il y avait un sourire dans sa voix, et elle en fut touchée. C'était pour elle qu'il se forçait à conserver un peu de légèreté. Pour elle. Pour l'aider à affronter les ténèbres…

— Tu as vraiment de bonnes oreilles, fit-elle.

— Bonnes ? Elles sont exceptionnelles, tu veux dire…

Doucement, il l'attira tout contre lui et passa son bras autour de sa taille.

— Ecoute bien, lui murmura-t-il.

Aussi longtemps qu'il lui soufflerait dans l'oreille, elle n'entendrait pas même les chutes du Niagara, allait-elle lui dire. Mais, comme s'il l'avait deviné, il retint sa respiration. Elle fit de même…

… Et perçut enfin un faible bruit d'écoulement.

— Ah oui ! chuchota-t-elle, surprise.

— Tu vois, je te l'avais dit…

Il la serra encore davantage contre lui, se pencha et enfouit son nez dans ses cheveux. Un émoi la parcourut.

— Allons trouver cette eau, se reprit-il. Avec un peu de

chance, on mettra peut-être la main sur une autre lanterne, ou bien une torche.

— Deke… Est-ce qu'on ne pourrait pas… rallumer la lampe ?

— Quand nous aurons trouvé l'eau, d'accord ? Je ne voudrais pas gaspiller le pétrole.

Mindy se sentait tout près de pleurer. Elle était terriblement fatiguée, elle avait faim et une peur irraisonnée de ne plus jamais revoir la lumière. Elle avait froid, aussi, alors que, pourtant, l'air s'était peu à peu réchauffé au cours de leur descente. Mais soudain voilà que du froid courait sur son cou. Elle frissonna.

Deke lui reprit la main pour la refaire s'accrocher à sa ceinture.

— Je sens quelque chose…, chuchota-t-elle.

Deke se figea.

— Le bébé ? Ça ne va pas ?

— Si, si, ce n'est pas ça… c'est… je sens de l'air frais sur mon cou.

Il ne se remit pas tout de suite en marche. A la tension de ses muscles dorsaux, il levait la main pour chercher le courant d'air, comprit-elle.

— Viens, dit-il au bout de quelques secondes.

Et il se remit en marche.

Comme ils approchaient de l'eau, une minuscule lueur apparut. Mindy se ressaisit. Ce n'était pas possible : ils étaient sous terre.

Elle cligna des yeux pour s'assurer qu'ils étaient bien ouverts. C'était bien cela pourtant : il ne faisait plus tout à fait aussi noir devant eux. Une fois encore, elle fut prise de vertige.

— Deke, est-ce que…

— Chuuuut…

Il fit un mouvement de main vers elle et effleura son

ventre. Involontairement, pensa-t-elle. Il eut une petite réaction, mais ne retira pas trop vivement sa main.

— Je vais aller voir, murmura-t-il. Reste ici.

Une intense frayeur s'empara de Mindy, ce qui fit s'agiter frénétiquement le petit La Globule. Elle s'agrippa à la main de Deke.

— Non, lui dit-elle, haletante. Ne me laisse pas. Pas dans le noir.

— Tu restes ici, répéta-t-il d'une voix sans réplique.

Mindy fut bien forcée d'obéir. Elle resta là, tremblante et les mains sur son ventre, à essayer de percer l'obscurité et à ouvrir tout grand ses oreilles.

Son cœur battait si fort et si vite qu'elle craignit de mourir d'une seconde à l'autre. Mais elle ne bougea pas.

Finalement, une ombre vint vers elle. Au début, elle crut l'avoir imaginée, à cause de l'obscurité et de sa peur panique. Mais elle dut se rendre à l'évidence : cela venait vers elle à grands pas, inquiétant et menaçant, comme un spectre sorti du néant.

Son cœur se mit à battre plus vite encore, jusqu'à ce qu'elle puisse l'entendre, contre ses tempes, ses poignets et même dans les mouvements nerveux du bébé, qui lui donnait des coups de pied.

Elle poussa un cri étouffé…

— Mindy ?

— Deke ?

Elle soupira profondément.

— Je comptais mes pas. Je ne voulais pas t'effrayer…

— Qu'est-ce que tu as trouvé ?

Il chercha sa main en descendant le long de son bras, la trouva et la serra dans la sienne.

— Attends un peu, tu vas voir…

Il ne parvenait pas à déguiser l'excitation dans sa voix.

Instantanément, Mindy se sentit apaisée. Ses battements de cœur ralentirent et, même dans cet endroit hostile et ténébreux, elle chercha à deviner les traits du fringant jeune homme dont elle était tombée amoureuse, des années plus tôt. En ce temps-là, il pouvait se montrer très arrogant, certain qu'il n'y avait aucun obstacle qu'il ne pouvait franchir, aucune montagne qu'il ne pouvait vaincre. Mais il était aussi gentil et prévenant, toujours heureux de lui faire partager ses engouements et ses découvertes. Oui, depuis l'instant où elle l'avait rencontré, il avait été son héros.

Elle ne l'avait pas vu depuis huit longs mois, même si elle avait souvent failli l'appeler pour lui dire qu'il allait être père. Mais elle y avait réfléchi à deux fois : il valait mieux, pour elle et pour le bébé, rester en dehors des pulsions autodestructrices de Deke.

A le voir, maintenant, elle n'était plus aussi sûre d'avoir eu raison.

A son tour, elle serra ses doigts dans sa main.

— Emmène-moi, lui demanda-t-elle, encore inquiète.

Il passa de nouveau son bras autour d'elle et l'entraîna. Un peu plus loin, la galerie faisait un coude et, dès qu'ils l'eurent franchi, une lumière bleuâtre éclaira le boyau. C'était comme un projecteur qui illuminait, au fond, la rivière souterraine dont ils avaient entendu la rumeur et à laquelle cette lumière donnait des reflets presque magiques, jusque dans ses remous.

Elle en resta sans voix. Deke se pencha vers elle et frotta délicatement son nez contre son oreille.

— Bienvenue dans notre grotte magique, ma princesse, lui murmura-t-il avec un sourire dans la voix.

— Oh ! C'est beau ! lâcha-t-elle enfin. Mais comment… ?

Il haussa les épaules.

— Je suppose qu'en creusant les galeries de mines les terrassiers sont tombés sur cette excavation naturelle…

Il l'entraîna tout en continuant son explication.

— La lumière vient d'une sorte de puits étayé de bois. Regarde…

Arrivé au bord de la rivière, il lui montra du doigt la voûte. L'esprit vide, Mindy suivit son geste vers le large rai de lumière tombant du plafond de la caverne. Elle était si soulagée : elle comprenait à peine ses explications.

— C'est un puits d'aération, reprit-il. Le problème se posait souvent dans ce genre de mines, et il fallait y remédier du mieux possible.

Il lui caressa le menton pour lui faire lever la tête. Elle rencontra alors son regard de braise bleu, et ses genoux se dérobèrent sous elle. Mais il la retint en l'embrassant.

Ce baiser, c'était comme un retour à la maison après un long voyage harassant. Comme le ciel. Comme la vie. Elle se fondit dans la chaleur sensuelle de sa bouche et lui rendit son baiser avec fureur. Un frisson la parcourut tout entière, jusqu'au cœur de sa féminité.

Le petit La Globule choisit ce moment pour lui donner un coup de pied. Elle eut un petit sursaut et se redressa, les paumes instinctivement pressées sur ses flancs.

— Qu'est-ce qu'il y a ? demanda Deke. Ça ne va pas ?

Elle eut un sourire triste.

— C'est notre fils qui se rappelle à moi. Il aime bien me donner des coups de pied dans les flancs.

— Notre…

Deke baissa les yeux sur son ventre, puis les releva. Ils brillaient dans la pâle lumière bleue à peine suffisante pour chasser les ombres en dehors du cercle que projetait l'ouverture du puits de ventilation.

— Notre fils, répéta-t-il.

Une jolie et douce expression, inattendue, passa sur son visage, se réjouit Mindy.

Ses mots, sa voix trouvaient tout droit leur chemin dans son cœur de mère. Bien sûr, elle percevait son anxiété, mais aussi quelque chose qui ne pouvait être que de l'émerveillement. Il était bien là, en lui, cet homme qu'elle *savait* qu'il était.

Si seulement il lui avait fait suffisamment confiance pour laisser cette personnalité-là prendre le dessus sur l'autre…

Elle avança sa main pour lui toucher la joue. Mais il recula, se redressa et fit quelques pas vers le bord de la rivière souterraine.

— Il te faut de l'eau, lui dit-il comme une évidence. J'ai trouvé un vieux quart métallique dans un coin. Je vais le frotter avec du sable et le coincer entre deux rochers pour recueillir de l'eau de ruissellement. On ne peut pas trop se fier au lit de la rivière…

Mindy étouffa un soupir : son cœur allait se briser dans sa poitrine, de chagrin. Tant de fois, elle avait voulu faire exploser ce mur qu'il avait érigé autour du sien. Mais tout son amour n'y suffirait pas. Jamais. Un instant, elle avait espéré que le petit La Globule réussirait là où elle avait échoué. Mais non… La maudite fierté de Deke, ses démons intérieurs avaient pris le pouvoir sur lui. Alors, il refoulait ses sentiments, ce qu'il appelait sa faiblesse, derrière cette maudite muraille.

Pendant qu'elle ruminait ces sombres pensées, Deke nettoyait le quart métallique et le plaçait sous une rigole de ruissellement. Il se redressa et le lui apporta, à demi rempli d'eau fraîche.

— Tiens, lui dit-il.

En tenant les deux bords du récipient dans ses mains, il le lui présenta.

Le métal était glacé, et elle avait bien du mal à avaler, avec la boule qui s'était formée dans sa gorge. Mais les quelques gorgées d'eau qu'elle put boire avaient un goût de paradis. L'eau était douce et merveilleusement rafraîchissante. Elle but si avidement qu'il en coula un peu sur son menton, ses seins et son ventre.

Deke lui tint patiemment le quart métallique. Quand elle eut terminé, il le lui reprit et se tourna pour boire à son tour.

— Viens voir un peu, lui dit-il sans un regard.

Elle le rejoignit le long de la paroi. Il y avait là quelques traverses de chemin de fer qui avaient été visiblement placées à cet endroit pour servir de bancs. Tout autour, des seaux métalliques renversés qui, eux, semblaient bien avoir servi de tabourets. A quelques mètres gisait l'épave de ce qui avait dû être un wagonnet bâché.

— Qu'est-ce que c'est que ça ? demanda Mindy.

— Peut-être un endroit où les mineurs aimaient se réunir, pour manger, par exemple. Ça semble bien avoir été aménagé dans ce but… et puis regarde…

Il désigna le wagonnet.

— C'est le genre de véhicule de transport de personnel dont je parlais. Tu as vu les lampes de mineurs attachées à la caisse ? Il y a peut-être encore du pétrole dedans…

Mindy se tourna dans la direction qu'il lui indiquait. Sans doute un peu trop vite : la tête se mit à lui tourner. Deke lui prit le bras.

— Houla ! Assieds-toi un peu, tu es épuisée, et je ne tiens pas à ce que tu t'évanouisses. Et encore moins à te porter !

Elle lui tira la langue, mais il l'entraîna vers le banc et la fit doucement asseoir.

— Reste tranquille, lui dit-il. Les mineurs qui travaillaient ici étaient gâtés. Nous aurons un dîner dans quelques instants.

— Dîner ? répéta-t-elle d'une petite voix éteinte.

Mais ce simple mot réveilla son estomac qui se mit à gronder tandis que le petit La Globule faisait des bonds contre son flanc.

— Oui, tu vois ces petits éclairs argentés, dans le courant ?

— Non. Ah, si, peut-être…

— Eh bien, ce sont des poissons.

— Des poissons ? Il y a des poissons, là-dedans ?

— Je ne sais pas à quelles espèces ils appartiennent, mais il y en a, visiblement.

— Comment allons-nous faire pour les attraper ?

Il ramassa un seau sur le sol.

— Regarde, on a fait des trous au fond. Je suis sûr que ça servait de filet. Je vais le jeter dans le courant et attraper quelques poissons.

— J'ai tellement faim que je pourrais même les manger crus.

Deke sourit et lui montra une pile de petit bois.

— Ne t'inquiète pas, on pourra les faire griller…

En une vingtaine de minutes, Deke avait pris un seau de poissons et complètement trempé le bas de son jean.

Il sortit du lit de la rivière, ses pieds nus bleus de froid. L'eau du ru souterrain était sensiblement moins chaude que l'air ambiant.

Il ramena son seau ruisselant sur la berge et le posa sur une traverse. Il voulut parler à Mindy, mais la bouche et les paupières de celle-ci étaient closes. Elle dormait.

Il s'assit sur ses talons et l'observa quelques minutes. Comme il connaissait bien ces traits-là ! La courbe de sa lèvre, ses sourcils joliment dessinés, ses longs cils épais étaient gravés, pour toujours, dans son cœur.

Pas seulement son visage, mais aussi son cou, sa poitrine et son ventre désormais rond.

Enceinte, elle semblait une autre personne que la Mindy « d'avant », avec une plénitude, une sorte de joie sereine qu'il ne lui avait jamais connue. Même en dormant, là, elle paraissait sereine, et cela lui serrait malgré lui le cœur. Pourquoi était-elle si apaisée ? Parce qu'il était sorti de sa vie, désormais ? Pourquoi n'avait-il jamais réussi, lui, à faire naître une telle expression sur son visage ?

Il connaissait la réponse, elle était simple. Elle n'avait connu auprès de lui ni sérénité ni plénitude, car il ne savait que briser : les promesses, les vœux, les cœurs. La dernière, l'ultime chose qu'il pouvait lui apporter, c'était sa protection. Il lui devait bien cela après le chaos où il l'avait entraînée.

Il décida de la laisser tranquille jusqu'à ce que les poissons soient cuits. Puis, si c'était possible, il la referait dormir un peu.

Pendant plusieurs minutes, il explora la caverne, laquelle n'était pas si grande que cela. Elle paraissait vaste, certes, mais pas autant que le réseau de galeries qui menait jusqu'à elle. La principale ne comptait pas moins de huit voies ferrées qui paraissaient suivre un trajet parallèle à celui de la rivière souterraine. Quatre autres voies venaient s'enfoncer dans le tunnel qui se trouvait derrière lui, et quatre encore, à l'ouest, rejoignaient les premières dans le plan incliné.

Il prit la direction du nord, en examinant les parois de la galerie. Dans un recoin, près d'une intersection de voies, traînaient des fagots de bois et une caisse entière de chandelles. Il les regarda pensivement. Un campement idéal, avec du combustible, de l'eau courante et de la lumière. C'était un peu trop beau pour être vrai… Cela pouvait très bien être le dernier en date des pièges mis au point par Novus Ordo : les forcer à emprunter un certain tunnel les amenant tout droit à un campement où ils pourraient se restaurer et trouver un peu de repos, afin d'endormir leur méfiance et de mieux les attaquer pendant leur sommeil. De combien de complices Novus Ordo pouvait-il disposer pour tendre si rapidement une telle souricière ? se demanda Deke.

Heureusement, sa nuque le laissait tranquille : pas de picotements. Pour le moment, les hommes de Novus Ordo semblaient le laisser tranquille.

Il réfléchit à ce que lui avait dit Frank James : *Vous aurez froid et serez épuisés. Ta petite amie sera malade de faim et de fatigue.* Connaissant Novus Ordo, c'était parfaitement logique. Il chercherait à le mettre à bout, comme il l'avait déjà fait. Quand il l'avait capturé, au Mahjidastan, il l'avait fait entraver si serré que ses épaules en avaient été disloquées, puis il l'avait fait jeter sous une tente crasseuse et puante. Une fois par jour, un homme encagoulé apportait un bol d'un infâme brouet malodorant et de l'eau croupie. Une heure plus tard, un autre encagoulé le faisait mettre à genoux et appuyait le canon d'un revolver sur sa tempe pour une terrifiante et quotidienne partie de roulette russe. Ces deux visites ne duraient pas plus de cinq minutes et, durant les vingt-trois heures et cinquante-cinq minutes restantes, il était laissé à lui-même, afin qu'il pût penser au programme du lendemain, identique, et du surlendemain et du lendemain du surlendemain…

Il se frotta la nuque en frissonnant. Il voulait donner à Novus Ordo et à son ridicule cow-boy d'opérette une leçon dont ils se souviendraient l'un et l'autre. Il allait quitter sans tarder cette adorable petite caverne si bien équipée et passer la nuit en embuscade, prêt à réagir vigoureusement à la moindre alerte.

Sauf que Mindy était épuisée. Ses traits étaient tirés, son visage très pâle. Pour le moment, le plus important était de la nourrir et de la faire se reposer. Elle et son bébé…

Il rapporta une brassée de bois au campement et, se servant d'une bougie pour le démarrer, fit rapidement un feu.

Lorsque la braise fut prête, il lava une pierre plate qu'il plaça dessus et y déposa les filets de poisson. Au moment où ceux-ci furent cuits, Mindy commença à s'étirer.

Deke plaça les poissons sur une autre pierre plate qu'il avait trouvée. Puis, il déposa devant Mindy cette assiette improvisée.

— Qu'est-ce que c'est ? demanda-t-elle, encore tout ensommeillée.

— Notre dîner. Malheureusement, c'est là tout le menu, et je n'ai ni sel ni couverts à t'offrir.

— C'est parfait !

Mindy dévora six filets de petits poissons, qui, s'ils n'avaient pas grand goût, étaient néanmoins tendres.

Quand elle eut terminé, elle poussa un soupir de contentement. Deke, qui s'occupait d'alimenter le feu de bois, revint vers elle avec un demi-seau d'eau.

— Bois d'abord, lui recommanda-t-il. Et tu pourras te servir du reste pour te laver les mains.

Elle obéit, puis le considéra par en dessous.

— Maintenant, lui dit-elle, je voudrais encore de l'eau et puis un peu de sable de la rivière…

Il la regarda, surpris.

— Je vais laver ta blessure, expliqua-t-elle. Il me faut aussi un peu du pétrole de cette lampe, pour la désinfecter.

— Mindy…, protesta-t-il en levant la main. Je te dis que…

— Et moi je te dis que je vais te soigner, le coupa-t-elle. Tu as reconnu toi-même qu'il y avait du pétrole dans les lampes attachées au chariot, alors tu peux m'en donner un peu. Enlève tes bandages et sers-toi du seau percé pour les laver dans la rivière…

Deke se résigna à obéir.

Quand elle eut terminé de nettoyer sa plaie à l'eau et au sable, elle y versa du pétrole, qui brûlait comme l'enfer. Soudain, il se sentit frigorifié et bien fatigué, tout ancien as des forces spéciales qu'il fût.

— Longtemps avant les moyens modernes, expliqua-t-elle, on soignait les blessures avec de l'essence, du kérosène et même de la poudre à fusil.

— Encore heureux que nous n'ayons pas d'armes à feu, répliqua-t-il en riant. Tu m'aurais tiré dessus sous contrôle médical !

— Ne ris pas ! Comme nous n'avons rien d'autre sous la main, je serai obligée de te brûler, si ça s'infecte. Il va peut-être bien falloir. Regarde comme la peau est rouge autour de la blessure…

Deke souffla : il aimait mieux ne pas y penser… Tout son bras lui semblait en feu, alors qu'il frissonnait de partout.

— C'est bel et bien infecté, tempêta Mindy. Je suis sûre

que tu as de la fièvre. Si tu m'avais laissée nettoyer ça quand il était temps, cela ne serait pas arrivé.

— Ça n'a pas d'importance…

— Si, cela en a. Il va falloir surveiller. Si des marques rouges apparaissent en haut du bras, cela voudra dire que l'infection est sérieuse.

— Cela va aller.

— Ça ne va déjà pas si bien que ça. Maintenant, apporte-moi ces bandages…

Il ne fallut que quelques secondes à Mindy pour refaire son pansement.

Ensuite, il s'affaira à nettoyer le campement. Il n'avait pas envie de laisser trop de traces de leur passage. Puis, il aida Mindy à traverser la rivière. Durant ses reconnaissances, il avait trouvé une sorte de petite alcôve, de l'autre côté, qui était assez profonde pour leur permettre de rester dans l'ombre tout en surveillant le débouché des galeries.

— Il va falloir nous asseoir par terre, dit-il à Mindy. Mais je t'assure qu'il n'y a pas de cafards…

Elle soupira.

— Oh ! Les cafards, c'est vraiment le moindre de mes soucis, à présent…

Il la regarda des pieds à la tête : comment allait-il pouvoir l'aider à se baisser suffisamment pour s'asseoir sur le sol ? S'il n'avait pas été blessé au bras, il l'aurait simplement soulevée et déposée à terre. Malheureusement, elle avait raison : il se sentait de plus en plus fiévreux et faible. Il frissonna. Si l'infection n'était pas stoppée bientôt, il risquait bien de ne pas faire de vieux os… Mais il se tut.

Elle sembla lire dans ses pensées, car elle lui dit :

— Si tu peux me tenir les mains, je pourrai me baisser suffisamment. Mais, me relever, ce sera une autre histoire…

Il l'aida et, quand elle fut parvenue à s'asseoir, il lui demanda :

— Tu n'as pas froid ?

Elle secoua la tête.

— Pas trop. Il fait plus chaud ici que de l'autre côté de la rivière. Je me demande bien pourquoi.

— Peut-être y a-t-il un feu derrière la paroi. Mais je ne sens rien, alors je ne peux pas en être sûr.

— Un feu ?

— Parfois, le charbon encore présent dans ces galeries s'enflamme et peut alors brûler doucement pendant des années sans que rien de bien notable ne se produise…

Il posa sa main ouverte sur la paroi derrière eux. Elle était effectivement nettement plus chaude que celles de l'autre côté.

— Des années ? s'étonna Mindy.

— Cinquante ans dans certains cas. Le feu se consume alors peu à peu grâce à l'air contenu dans les galeries et parfois même ressort à la surface.

— Ça ne va pas arriver aujourd'hui, n'est-ce pas ?

Il ne put s'empêcher de sourire.

— Pas si nous avons de la chance.

— Tu sais, tu aurais aussi pu répondre « je ne sais pas », quand je t'ai demandé pourquoi il faisait plus chaud. Cela aurait été plus rassurant…

Il sourit de nouveau.

— Tu n'as qu'à me reposer la question.

Elle rit doucement, puis trembla des épaules. Il les entoura de son bras.

— Pourquoi n'essaierais-tu pas de dormir un peu ? lui suggéra-t-il. Je garde un œil ouvert pour les mauvaises surprises…

Elle se raidit un peu.

— Lesquelles ? Tu veux parler de Frank James ? Ou bien, est-ce qu'il peut y avoir des ours ou je ne sais quoi d'autre ?

Il l'attira plus près et se pencha pour lui murmurer à l'oreille :

— Laisse-moi m'occuper des ours et de tout le reste. Repose-toi, que ton bébé puisse se reposer également…

— C'est ton bébé aussi, tu sais, murmura-t-elle.

Ces mots l'atteignirent comme une balle.

Son bébé.

Il ne pouvait toujours pas donner un sens à ces mots. Il ne pouvait pas avoir un bébé.

Surtout, il n'était pas question de laisser en héritage à cet enfant son caractère ou celui de son père, dont d'ailleurs il jurait être le portrait vivant, au mental comme au physique.

Son père avait été un ivrogne vicieux et brutal. Lui aussi avait bu pas mal, à une époque, et tâté de différentes drogues. Mais contrairement à son paternel il n'était pas brutal, sauf en mission… Non, décidément, la paternité n'était pas pour lui. Aucun enfant ne devait subir ni son humeur ni ses influences.

Pour le reste, il ne buvait plus depuis longtemps. Pas même une bière.

— Deke ?

Il émergea de ses pensées : il était en train de serrer les épaules de Mindy un peu trop fort. Il se détendit.

— Oui, mon cœur ?

— Tu n'as pas besoin d'avoir peur de lui, tu sais…

L'image du visage sombre de son père, avec ses yeux d'oiseau de nuit, se matérialisa un instant dans sa mémoire. Mais non ! Mindy parlait du bébé…

— Le petit La Globule me fait déjà penser à toi, lui confia-t-elle. Et tout ce qu'il veut, c'est venir au monde, le plus vite possible.

— La Globule ?

Elle rit.

— Oui, c'est comme ça que je l'appelle. C'est venu tout seul un jour où je lui parlais.

Elle frotta son ventre à deux mains.

— Tu veux le sentir bouger ? Il remue très souvent, maintenant, je ne sais pas quand il prend le temps de dormir…

— Euh…

— Allons, donne-moi ta main…

Mindy les lui prit d'autorité et les posa sur la rotondité de son abdomen. C'était bien plus ferme que ce à quoi il s'attendait. Sans trop savoir pourquoi, il avait imaginé une sorte de mollesse un peu spongieuse. « Ça » avait plutôt la consistance d'un ballon de basket.

— C'est normal que ce soit tout dur, comme ça ? demanda-t-il, un peu inquiet.

Mindy se mit de nouveau à rire, et ce rire ressemblait à celui d'autrefois.

Tout à coup, « cela » se mit à bouger. Il retira précipitamment ses mains.

— Mon Dieu, s'exclama Mindy, on dirait un chat devant un baquet d'eau froide ! Ce n'est que ton fils, voyons !

Elle lui reprit les mains et les posa au bon endroit, sur son flanc.

— Là, c'est son pied. Tu sens ? Il vient de m'en donner un coup. C'est son passe-temps favori…

— Oh ! Je le sens ! C'était son pied, là ?

— Tu vois… Il est en bonne santé, l'animal, et bien gros aussi. Mon gynécologue dit qu'il fera au moins sept livres.

— Sept livres ?

— Tu es drôle, lui lança-t-elle. Est-ce que tu vas répéter tout ce que je dis ? Le petit La Globule t'impressionne tant que ça ?

Lentement, il hocha la tête.

Mindy se mit à bâiller. Il retira alors son bras et le posa de nouveau autour de ses épaules.

— Appuie-toi sur moi et dors, lui dit-il. Je monte la garde.

Elle s'appuya contre lui, la tête dans son cou et son ventre pressé contre son flanc.

— Il faudra me réveiller pour que *je* la monte pendant que *tu* dormiras.

Sans prendre la peine de répondre, il s'appuya à la paroi tiède et fixa la galerie qui s'ouvrait devant lui. Combien de temps faudrait-il à Frank James pour les retrouver ?

7

Il conduisait lentement son 4x4 le long de la clôture, tous feux éteints, ne se guidant qu'au clair de lune pour vérifier les éventuels trous dans le grillage. Les phares auraient risqué de gâter à terme sa vision nocturne. Et puis, même si tout le service savait qu'il était de garde pour surveiller le périmètre du Castle Ranch, au moins personne ne pouvait le voir, ni savoir exactement où il était.

Tout le monde, au ranch, souffrait de l'inaction. Matt Parker avait donc suggéré que les spécialistes prennent leur tour de garde du périmètre de sécurité. Ils avaient tous sauté sur cette proposition. Ce n'était pas dans leur nature de rester assis à se tourner les pouces lorsque l'un des leurs était en danger.

Il passa derrière une crête : c'était là. Exactement ce qu'il cherchait. Dans une propriété aussi vaste que le Castle Ranch, il y avait forcément des secteurs reculés et bien dissimulés. Celui-ci était ce qu'il cherchait : une « fenêtre » rocheuse en hauteur, soigneusement dissimulée par la végétation, mais de laquelle il avait une bonne vue sur les bâtiments. Un tireur d'élite pourrait se poster là et y rester caché des heures. Des jours, s'il le fallait. Ses mains se mirent à trembler sur le volant. La vengeance qu'il attendait depuis si longtemps était enfin à sa portée.

Mindy avait le sommeil léger, et cela faisait des semaines qu'elle n'avait pas bien dormi à cause du petit La Globule.

Pour le moment, son lit était de terre battue, dans une sorte de caverne aménagée, et on était au début du mois d'avril, ce qui impliquait des nuits encore plutôt froides. Si elle n'avait pas pu se serrer contre Deke pour se réchauffer, elle serait probablement aux trois quarts gelée, à présent.

Mais il était là, Dieu merci ! Il s'était même arrangé pour qu'elle puisse poser la tête contre son torse et son ventre, dans une sorte de berceau formé par son bassin et ses cuisses. Elle ferma les yeux et se détendit contre lui. L'oreille droite contre son buste, elle se laissa bercer par les battements réguliers de son cœur. Le petit La Globule en faisait autant, apaisé, bercé lui aussi. Le bruit de la rivière et des diverses rigoles qui ruisselaient jusqu'à elle offrait un accompagnement quasi musical et, au-dessus du puits d'aération, la lune baignait leur caverne d'une lumière douce et poétique. C'était presque comme si Deke et elle s'étaient évadés du monde réel pour se réfugier dans cette cachette souterraine, véritable univers parallèle.

Elle prit une profonde inspiration, et son cœur se mit à battre plus vite. Cuir, savon, chaleur… Cétait l'odeur de Deke…

Mon Dieu, comment allait-elle supporter de le perdre de nouveau ?

Le petit La Globule lui décocha un coup de pied dans le flanc. Elle poussa un grognement, et Deke s'étira. Elle voulut s'écarter un peu. Mais son bras solide la retint.

— Où veux-tu aller, comme ça ? lui demanda-t-il d'une voix ensommeillée.

Elle releva la tête.

— Je suis tout affalée sur toi… Je pensais que tu apprécierais que je change de position…

— Euh… non. Pas pour le moment. En fait, je, euh…

— Quoi donc ?

Elle s'interrompit net. Elle avait compris. Il était en érection. Elle venait de le sentir, en fait, mais les sensations de son ventre distendu n'étaient pas exactement les mêmes que celles d'autrefois, et c'était avec un petit décalage que...

A présent qu'elle s'en était aperçue, des sentiments étranges se pressaient en elle, qu'elle n'avait pas éprouvés depuis longtemps. Bon, d'accord, des sentiments qu'elle refoulait depuis longtemps... Dès l'instant où elle avait décidé qu'elle ne pouvait plus vivre avec Deke et ses tendances auto destructrices, elle avait fait de son mieux pour étouffer toutes ses émotions, les bonnes comme les mauvaises.

Admettre la moindre frustration, même simplement d'ordre sexuel, c'eût été implicitement le reconnaître : elle était toujours amoureuse de Deke.

Mais à présent, dans ses bras et son érection frottant contre son ventre, elle devait bien admettre la vérité : ses sentiments étaient fortement teintés de désir.

Et c'était parfaitement ridicule ! Elle était enceinte de plus de huit mois ! Elle ne devrait pas ressentir cela. Au contraire, à en croire tous les psys du monde, elle aurait dû cultiver une bonne dose de reproches et de colère à son égard.

— A quoi tu penses ? murmura-t-il.

Mindy eut presque honte. Devait-elle lui dire qu'elle imaginait de quelles différentes manières ils pourraient bien faire l'amour, à même le sol de cette grotte ?

— Min', tout va bien ? insista-t-il.

Il lui caressa doucement le menton du doigt, puis lui releva la tête, pour la regarder au fond des yeux. Les siens prirent un éclat particulier et les coins de sa bouche se relevèrent.

Il savait. Dieu le maudisse ! Il lisait en elle à livre ouvert, comme toujours. Il lui avait souvent dit qu'il ne lui fallait qu'un coup d'œil pour savoir quand elle le désirait.

Voilà qu'il l'embarrassait à présent et la faisait se sentir vulnérable.

Elle baissa les yeux.

— Mindy, lui dit-il tout doucement, je ne voulais pas t'embarquer dans tout ça, tu sais...

Il parlait près de ses cheveux, et son souffle la réchauffait.

Elle hocha la tête.

— Je sais.

Elle ouvrit la bouche pour ajouter quelque chose, mais il arrêta les mots sur ses lèvres.

Par un baiser.

Mon Dieu, comme elle aimait qu'il l'embrasse ! Ses baisers lui ressemblaient : forts, déterminés, avides, mais aussi très doux. Elle aurait pu pleurer de joie de partager cela avec lui.

Il se pencha encore plus près. Sa bouche sur la sienne était un enchantement.

Elle avait commencé à s'habituer aux signaux un brin désordonnés de son corps bourré d'hormones, mais depuis le début de sa grossesse elle n'avait jamais eu autant de pensées lascives à la minute. Parfois, elle se sentait même si mal, si solitaire, qu'elle pensait bien ne plus jamais faire l'amour. Elle l'avait même accepté à l'avance.

Et voilà qu'à présent…

Elle s'ouvrit encore plus à son baiser. Elle ne pouvait s'en empêcher.

Il lui passa le pouce sous le menton et lui caressa la joue. Leur baiser s'approfondit, plus intime et plus exigeant. Le cœur battant et tout le reste de son corps frémissant, elle savoura sa langue.

Il fit courir ses doigts sur son visage, ses joues, son cou. En même temps, ses lèvres agaçaient la chair tendre de son oreille. Au plus profond, au plus intime d'elle-même, une pulsation sauvage montait, s'élevait comme une symphonie.

Dans son ventre, le petit La Globule faisait des bonds. Il devait être surpris, peut-être incommodé, par sa subite excitation. Elle baissa les yeux vers son ventre et le caressa doucement.

Deke s'en aperçut et s'écarta en bredouillant :

— Désolé !

— Deke, murmura-t-elle, non, ne…

« Ne » quoi ? Elle l'ignorait elle-même…

Ne t'excuse pas ? Ne t'arrête pas de m'embrasser ? Ne me fais pas me rappeler à quel point je t'aime ?

C'était fou de vouloir revenir en arrière, lui dit une petite voix. Mais elle ne l'écouta pas : elle posa sa main sur la nuque de Deke et l'attira plus près.

— Ne t'excuse pas, Deke… Je veux… J'ai besoin…

Elle ne précisa pas de quoi, mais il semblait le savoir très bien. Avec une expression presque solennelle, il se redressa et retira son blouson. Il le lui glissa dans le dos, contre la paroi, puis se pencha de nouveau pour reprendre leur baiser.

Comme il était fort ! Elle laissa courir ses mains sur ses muscles dorés, en faisant attention à son pansement trempé. Puis, elle leva la tête et pressa sa bouche contre son cou, prenant plaisir à la pulsation sous ses lèvres. Son souffle régulier était comme un appel à un écho très profond, en elle.

— Min' ? souffla-t-il dans le creux de son cou. Je peux m'arrêter maintenant, si tu veux…

Elle secoua la tête.

— Non… pas encore…

Il respira profondément.

— Alors il faudra que tu m'arrêtes avant… que je te fasse mal…

Elle refoula un rire un brin amer.

« Ça, c'est déjà fait », songea-t-elle. Mais c'était une vieille histoire…

Deke l'embrassa de nouveau dans le cou. Il voulait toujours jouer à l'homme fort, celui qui gardait la tête froide en toute circonstance, mais, là, il ne le pourrait pas longtemps, il le savait très bien. Il n'avait jamais su résister longtemps à la bouche ensorceleuse de Mindy, à son corps fait pour l'amour. A la merveilleuse façon qu'elle avait de lui faire sentir qu'il était son héros, même s'ils savaient l'un et l'autre qu'il n'en était pas un. Ils étaient amoureux depuis le collège et amants depuis la nuit du bal de la promo, en fin de terminale. Elle savait tout de lui, tout.

Elle savait où il aimait être embrassé, et touché… Elle savait l'amener au point de non-retour par de simples et légères caresses de ses doigts. Elle savait que, bien qu'il ne l'aurait jamais admis devant aucun de ses copains, il adorait qu'elle lui touche les bouts de ses seins d'homme. La seule sensation de ses doigts et de ses ongles dessus le faisait quasiment grimper au septième ciel.

Comme si elle avait lu dans ses pensées, elle glissa justement ses mains sous ses biceps, frôla ses pectoraux et agaça les petites pointes de chair si sensibles, jusqu'à ce qu'elles soient bien érigées. Il se mit à respirer plus vite et plus fort. Elle sourit.

Mais lui aussi il savait tout d'elle. Et il n'allait pas tarder à lui rendre la monnaie de sa pièce. Par exemple, s'il enfouissait son visage au creux de son cou et faisait courir sa langue sur sa peau douce, en suivant la ligne de l'épaule, elle allait commencer à frémir et puis à gémir…

Il le fit, et elle gémit…

Il ne put s'empêcher de rire, amusé, mais aussi remué d'une douce nostalgie pour tout ce qu'ils avaient vécu ensemble.

Elle referma alors ses mains autour de ses poignets. Enfin presque, car pas plus aujourd'hui qu'hier elle ne pouvait en faire le tour…

Il commença à lui déboutonner son haut, sans oser trop lever les yeux…

De peur de ce qu'il allait y lire. De l'excitation, de l'appréhension, des regrets ?

Elle lâcha ses poignets, et son cœur dégringola dans ses bottes. Il était en train de tirer avantage de la situation et n'en avait pas le droit. Elle dépendait déjà de lui sur tous les plans. Pour sa sécurité, sa vie même…

Elle était particulièrement vulnérable, et voilà qu'il exploitait cette fragilité pour satisfaire sa libido. Il ferait mieux d'utiliser ses facultés mentales pour trouver un moyen de sortir d'ici, s'admonesta-t-il.

Leur petit refuge n'était qu'un leurre, destiné à leur donner un — trompeur ! — sentiment de sécurité.

Novus Ordo en personne ou l'un de ses sbires était là, quelque part, à les guetter… Il voulait leur donner l'impression qu'ils étaient libres, mais dès qu'ils voudraient s'échapper le piège se refermerait sur eux, inexorablement.

Les doigts de Mindy effleurèrent les siens : il avait laissé sa main tout près de ses seins. Il voulut la retirer, mais elle l'en empêcha. Elle se saisit de sa main et la guida vers son ventre, jusqu'à ce que sa paume repose sur la rotondité de sa grossesse. Sous le satin de sa peau, cela frémissait de vie, elle et le bébé qu'elle portait.

Il ferma les yeux et, pendant un instant, éloigna tout ce qui n'était pas la sensation de ses doigts sur ce ventre. Jamais il n'avait rien touché de si vivant, de si vibrant, de si… essentiel.

A sa grande surprise, quelques larmes lui montèrent aux yeux. Tout de suite, il baissa la tête. Mindy ne devait pas voir sa « faiblesse ».

Jamais il n'avait rêvé d'être père. Qu'un enfant puisse naître de ses reins, produit du même ADN que celui de sa brute de père et du sien, cela lui semblait inimaginable.

Très ému, il posa son front sur le ventre rebondi et pria silencieusement pour pouvoir être un jour digne d'elle et de leur enfant. Les larmes, à présent, lui perlaient aux cils. Mais pas question de laisser filer des gouttes salées sur la peau de Mindy. Il n'avait pas pleuré depuis la classe de sixième, la fois où son père lui avait montré ce qu'il faisait aux « pleurnichards ». Alors, sous prétexte de frotter délicatement son nez contre l'abdomen rebondi, il s'essuya discrètement les yeux sur le pull de Mindy.

Elle soupira et frémit un peu. Il glissa sa main sur la

rotondité ferme, et plus haut vers ses seins. Mais il s'arrêta et leva vers elle des yeux désolés.

— Mindy…

Elle le coupa.

— Chut, Deke… Ne viens pas tout gâcher avec des mots et de la raison. C'est seulement un moment que l'on peut voler à la course du temps. Et puis, ce n'est pas comme si nous ne l'avions jamais fait, avant…

— Mais, tu es…

Elle lui posa un doigt sur les lèvres.

— Chuuut… Ne dis rien, ne pense pas. Pour une fois dans ta vie, contente-toi de ressentir… J'ai besoin de sortir d'ici, de sortir de moi… C'est un bon moyen pour ça. Et puis ce n'est pas comme si nous ne l'avions jamais fait.

Tout en parlant, elle guidait sa main. Finalement, elle prit son poignet et lui fit poser sa paume ouverte sur ses seins, refermer ses doigts sur les pointes. Elle se mit à respirer plus vite.

Un instant, Deke voulut retirer sa main. Elle était enceinte. Ce n'était pas la petite poitrine délicate qu'il avait tant de fois caressée, embrassée et léchée, mais des seins lourds et durs, aux larges et fermes aréoles, prêtes à accueillir une petite bouche avide.

Celle de leur fils.

Instantanément, tout son corps se tendit dans un désir avide de goûter encore une fois les belles pointes érigées. Il commença par les effleurer, les caresser doucement du bout des doigts. Tout de suite, ils durcirent et la respiration de Mindy se fit plus brève, plus rapide. Elle se cambra, comme pour demander davantage.

Alors, il prit un sein dans sa paume et le flatta, puis de son pouce agaça encore la pointe dressée.

Son sexe durcit de plus belle, tout son corps frémissant en une réaction familière à l'excitation évidente de Mindy.

Mais ce qu'il ressentait, aujourd'hui, dépassait en intensité tout ce qu'il avait pu connaître par le passé, même quand ils étaient deux adolescents avides de se découvrir et qu'ils cherchaient sans cesse un endroit tranquille pour pouvoir faire l'amour.

— Qu'est-ce que cela fait, d'être enceinte ? demanda-t-il d'une voix un peu haletante.

Elle posa sa main sur la sienne. Elle lui avait toujours dit trouver extraordinaire et excitante la différence de taille, de l'une à l'autre.

— C'est vraiment très curieux, répondit-elle. Différent chaque jour.

Mindy regarda l'homme qui lui avait fait ce bébé. Il avait l'air tellement effrayé… Au fil des années, elle l'avait vu se forger un corps et un mental de guerrier. Il lui avait appris à n'avoir peur de rien. Et voilà qu'une toute petite vie sans défense, dans le ventre d'une femme, le terrifiait.

— C'est comme si tu étais tout le temps en moi, lui murmura-t-elle. Une petite partie de toi…

C'était ce qu'elle ressentait, mais elle n'avait pas encore osé se l'avouer. C'était la première fois. Elle comprenait, à présent, ces rêves érotiques qui la réveillaient chaque nuit. Ses désirs qu'elle ne s'expliquait pas à la lueur du jour avaient bien une source, un inspirateur.

Et c'était Deke.

Il poussa un profond soupir, du fond de la gorge, et frissonna. Mindy déglutit : son érection durcissait contre sa cuisse.

En réponse, une douce pulsation, familière, palpita au plus profond de sa féminité.

Tout en continuant à la caresser, Deke releva la tête. Puis, il se pencha vers elle et prit sa bouche en un baiser profond et avide, comme désespéré. Elle se mit à gémir et soudain il se figea.

— Qu'est-ce qui t'arrive ? murmura-t-elle.

— Je vais te faire mal…

— Deke, tu peux me croire, pour l'instant, ce n'est pas le cas.

Ses seins et son sexe la brûlaient de frustration.

Elle lui posa sa main sur la nuque et l'attira à elle.

— Je t'en supplie, n'arrête pas…

Deke lui obéit. Il l'embrassa encore et encore, comme si c'était la première fois. Il la désirait toujours autant, davantage, peut-être, que ce soit parce qu'elle était enceinte ou parce qu'il ne l'avait pas possédée depuis longtemps. Il avait peur de ne pouvoir se retenir, comme un gamin trop impatient.

Il voulut s'écarter un peu d'elle, pour reprendre le contrôle de lui-même, mais elle s'accrocha à lui, puis prit sa main et la posa où elle le voulait. Elle irradiait d'une formidable chaleur, même à travers le pantalon de laine qu'elle portait.

Quand il pressa sa paume, elle se mit à respirer de plus en plus vite. Elle prononça son prénom, sa main recouvrit la sienne et la pressa plus fort.

Elle haletait, gémissait.

— Deke… attends… laisse-moi te…

Elle avança sa main vers la fermeture Eclair de son jean. Il serra les dents.

— Non, lui dit-il, ce n'est vraiment pas une bonne idée.

— Mais pourquoi ?

Elle prit sa main, embrassa sa paume, puis lui sourit.

— Tu ne peux pas me mettre plus enceinte que je ne le suis déjà, plaisanta-t-elle, ce n'est pas possible.

A ces mots, il se redressa.

— Non, en effet, répondit-il. Cette fois-là, je me suis arrangé pour faire le maximum de dommages du premier coup.

— Deke, attends… Je ne voulais pas… Je suis désolée…

— De quoi, d'être enceinte ? Ce n'était pas ta faute.

Il se passa la main sur le visage.

— C'était l'enterrement de ta mère, j'ai profité de ta détresse.

— Pas du tout ! C'est arrivé, c'est tout. D'ailleurs, c'est moi qui t'ai embrassé. Sans cela, tu aurais quitté ma chambre, et rien ne se serait passé.

Elle sourit doucement.

— Tu peux me croire, Deke. Je ne regrette pas du tout d'être enceinte.

— Moi, si. Je regrette que tu le sois.

Mindy frémit comme s'il l'avait giflée, et ses yeux se remplirent de larmes. Elle le savait, pourtant, qu'il réagirait ainsi. Mais elle, dès qu'elle avait su qu'elle allait avoir un enfant, elle avait désiré ce bébé, que lui le veuille ou non.

Elle lui reprit la main, timidement cette fois, et la posa sur son ventre.

— Comment peux-tu le regretter ? murmura-t-elle. C'est ton fils, Deke. Un morceau de toi et de moi. Avec un peu de chance, peut-être la meilleure part de nous-mêmes.

— Et en cas de malchance ?

— Crois-moi : pour cela, nous aurons de la chance.

— Heureux de l'apprendre, grogna-t-il. Quand nous serons sortis d'ici, fais-moi penser à prendre un billet de loterie.

Il baissa les yeux, regarda fixement sa main sur ce ventre rebondi. Il avait toujours l'air stupéfait et effrayé de ce qui leur arrivait.

— Arrête…, soupira-t-elle. Tu n'as pas idée du bien que tu me procures en me faisant me sentir belle et désirable, de nouveau. Ce n'était pas arrivé depuis des mois. Viens, viens contre moi, j'ai froid.

De nouveau, il s'adossa à la paroi tiède de la galerie pour qu'elle puisse se pelotonner contre lui. Elle posa sa main sur son torse et enfouit sa tête au creux de son épaule.

— On est bien, chuchota-t-elle. Un peu comme si on était chez nous…

Il sourit et lui passa le bras autour des épaules.

— Deke ? murmura-t-elle.

— Oui, mon cœur ?

— Quelle heure crois-tu qu'il est ? Et de quel jour ?

Il réfléchit un instant.

— Il fait très sombre. Il doit être autour de minuit, et si je ne me trompe pas c'est la nuit de jeudi à vendredi.

Il se pencha vers elle et déposa un baiser sur ses cheveux.

— Dors, mon cœur, lui susurra-t-il à l'oreille. Je veille.

Deke appuya sa tête contre la paroi et regarda, tout là-haut, par l'étroite ouverture du puits dans la voûte, les quelques étoiles qui brillaient dans le ciel. Contre lui, la poitrine de Mindy se soulevait régulièrement, au rythme de sa respiration calme. La réaction de sa femme à leurs quelques attouchements l'avait considérablement effrayé. Il ne voulait à aucun prix perdre sa maîtrise de lui-même, même en réaction à ses caresses. Mais il avait désespérément voulu goûter, ne fût-ce qu'un moment, la douceur de ses baisers et la douce fermeté de sa peau…

Il n'avait pas voulu la bouleverser, lui faire de la peine.

Il se tortilla un peu, mal à l'aise. Il pouvait certes gérer sa propre gêne, mais il avait promis à Mindy de veiller sur sa sécurité. Pas question de se laisser distraire, même pour un instant. D'ailleurs, depuis la première fois qu'il l'avait touchée, quand ils n'étaient encore que deux adolescents innocents, rien n'attisait plus son désir que l'évidence du sien…

Soudain, ses paupières se firent lourdes, et ses pensées, moins précises. Il serra les dents. Pas question de dormir. Il devait monter la garde.

Bien sûr, ils avaient laissé des traces de leur passage dans la grotte, mais il n'y pouvait pas grand-chose. D'ailleurs, cela n'avait pas forcément d'importance : Novus Ordo savait très certainement où ils étaient, et c'était lui qui menait la danse. Il était même capable d'avoir placé des poissons dans la rivière s'ils n'y étaient déjà !

De nouveau, Deke regarda Mindy. Elle s'était endormie dans ses bras, en confiance.

En un sursaut, il rassembla toutes les forces de sa volonté pour rester éveillé.

Il aurait voulu se dresser et crier :

Pourquoi ne viens-tu pas tout simplement me chercher ? Allons, Novus, montre-toi, viens te battre au grand jour, comme un homme !

Il n'y avait probablement pas de micros dans la mine, mais cela lui aurait fait du bien de hurler un peu.

Je sais bien, au fond, pourquoi tu ne veux pas m'affronter face à face. Tu n'es pas un homme, mais un lâche, tout comme cet imbécile qui se prend pour le frère de Jesse James, avec son visage toujours masqué, comme toi, tiens, Novus…

L'évidence le frappa comme un coup au ventre. Il se força à respirer profondément, pour se calmer et éviter de réveiller Mindy. Mais bon sang ! Et si… Oui, si l'imbécile en question, américain à l'évidence, était le frère de Novus Ordo ?

Il se souvenait de la description de Novus Ordo qu'avait faite Rook, lequel l'avait vu à visage découvert, ainsi que du portrait-robot qui en avait été tiré. Un homme de taille moyenne, maigre, avec un visage étroit et des yeux enfoncés dans leurs orbites. Déjà, Rook supposait que le terroriste, qui s'exprimait toujours dans ses enregistrements avec un fort accent du Moyen-Orient, pouvait en fait être un Américain. Cela expliquerait beaucoup de choses et notamment l'obsession de Novus Ordo pour les masques. Frank James, lui aussi, ne quittait pas son ridicule bandana. C'était peut-être une coïncidence, mais c'était logique. Pourquoi voulait-il à toute force rester dissimulé ? se demanda Deke. Cette pâle crapule n'avait aucune intention de les laisser en vie, Mindy et lui.

Il se maudit intérieurement. Il tenait peut-être enfin le

moyen d'abattre Novus Ordo et ne pouvait pas sortir de cette maudite mine.

— Deke ? Qu'est-ce qui se passe ?

Bon sang, il l'avait réveillée !

— Rien mon cœur, rien. Rendors-toi.

Elle se raidit, déjà en alerte.

— As-tu entendu quelque chose ?

Il secoua la tête et avança sa main pour lui caresser doucement les cheveux.

— Non, rien. Je réfléchissais, c'est tout.

Mindy posa sa main sur son torse.

— Ce devait être de fortes réflexions, pour faire battre ton cœur comme ça… A quoi pensais-tu ?

— A Novus Ordo, finit-il par répondre avec une certaine réticence.

Il ne voulait pas lui faire part de ses craintes, mais d'un autre côté il lui devait bien la vérité. C'était lui qui l'avait entraînée dans toute cette histoire. Mieux valait sans doute lui dire pourquoi exactement et contre qui ils se battaient.

— Cette histoire a commencé d'une façon assez simple, expliqua-t-il. Irina a été prévenue que, si elle continuait à dépenser comme cela les fonds du gouvernement pour retrouver Rook, les crédits alloués au BHSAR pourraient bien s'épuiser rapidement. Il lui faudrait fermer la boutique ou cesser de dépenser une fortune à rechercher Rook. Elle a pris la seule décision possible.

— Moi, je ne comprends toujours pas qu'elle ait renoncé. Tous les deux, c'était le plus amoureux de tous les couples que j'ai pu rencontrer. Si j'avais été à la place d'Irina, seule la vue du cadavre de Rook aurait pu me faire cesser les recherches.

Deke essaya de chasser l'idée qui venait de lui traverser l'esprit.

Ainsi, le divorce n'y aurait pas suffi ?

Il se mordit la langue pour ne pas avoir à poser la question.

Il avait des torts envers elle et lui avait fait trop de mal, il le savait bien. Mais il souffrait toujours du fait qu'elle ait fini par divorcer, alors qu'il l'y avait lui-même poussée.

Très raide, il continua son explication.

— Lorsque Rook a quitté l'Air Force, il n'a pas pour autant abandonné la religion du sauvetage opérationnel. C'est pourquoi il a proposé au gouvernement la création du BHSAR. Irina savait bien qu'il n'aurait jamais abandonné son rêve. C'est pourquoi elle a pris la décision qu'il aurait lui-même prise : sauvegarder l'agence.

Mindy frissonna contre lui, puis étouffa un sanglot.

— Mindy, ça va ? demanda-t-il, inquiet.

— Oui, c'est seulement que c'est tellement triste…

— Apparemment, lorsque Irina a fait stopper les recherches, le bruit a commencé à courir qu'elle avait retrouvé son mari. D'après les services de renseignements, l'information a beaucoup circulé dans le corridor entre le Pakistan, la Chine et l'Afghanistan. La région que l'on appelle le Mahjidastan.

— Celle où ton hélicoptère a été abattu ?

— Oui, le quartier général de Novus Ordo.

Mindy se redressa en position assise avec un grognement d'effort. Il l'y aida.

— Alors, reprit-elle, cela veut dire que Novus Ordo savait qu'Irina renonçait à poursuivre les recherches. Mais comment ?

— Je ne vois qu'une seule explication. Il y a un traître dans le BHSAR.

— Mais qui ? C'est un tout petit service.

— Sept personnes.

— Je les connais presque tous, s'étonna Mindy. Je n'en vois aucun qui pourrait être suspect.

— Je le croyais, moi aussi. Il faut pourtant se rendre à l'évidence. Il y a bien quelqu'un qui renseigne Novus Ordo. Mais qui ?

— Brock O'Neill ? C'est un homme très secret…

— Ça ne veut pas dire pour autant qu'il trahit son pays.

— Peut-être qu'il ne le considère pas comme tel. Malgré son nom, c'est un Indien sioux, non ? C'est nous qui avons détruit son pays.

Deke ne répondit que par une moue sceptique.

— Ou bien Aaron Gold ? Je ne le connais pas très bien, non plus.

— Son père était un héros, objecta Deke. Très ami avec Rook, dans l'Air Force. Et il était enthousiaste à l'idée d'entrer au BHSAR…

— Rafe Jackson ?

Deke garda un instant le silence.

— Il est né en Angleterre, et il a eu beaucoup de mal à obtenir la nationalité américaine.

— Il est d'origine anglaise ?

— A moitié. Sa mère vient d'Arabie saoudite. Son vrai prénom est Rafiq.

— Wow… J'imagine que ce serait trop simple que ce soit lui, le traître ?

Deke hocha la tête.

— Oui, en fait, cela peut aussi bien être lui que n'importe lequel des autres…

— Que leur as-tu dit de ton plan pour me délivrer ? S'il y a un traître, alors Novus Ordo sait ce qui se passe ici.

— Disons que j'ai pris mes précautions…

— Lesquelles ? Comment peux-tu savoir qu'il n'est pas au courant ?

— Justement, je n'en sais rien…

— Tu crois qu'il nous observe en ce moment ?

Elle se démancha le cou pour essayer de regarder autour d'elle.

— C'est justement parce que je n'en sais rien que je prends mes précautions.

— Alors, tout ça pour ça ? Parce que Novus Ordo essaie

de savoir si Rook est vraiment mort ? Bien sûr, j'imagine que celui qui l'a tué n'est pas resté dans les parages pour vérifier si le travail avait bien été fait…

— Sans doute pas, non.

— Mais pourquoi il ne s'attaque pas directement à toi, ou à Irina ?

— Parce que nous sommes difficiles à atteindre, le ranch est très protégé. Et puis, le gouvernement, le ministère de la Défense suivent chacun de nos faits et gestes, surtout depuis la disparition de Rook.

— Alors, pour t'atteindre, il a choisi de s'attaquer à quelqu'un qui est proche de toi ?

Les yeux clos, Deke se massa un instant les tempes.

— Quelque chose comme ça, oui.

— Mais, pourquoi ? Dans quel but ?

— Il veut être certain que Rook ne peut plus le faire identifier. Tu as vu des photos ou des vidéos de Novus Ordo, non ? Tu sais qu'il porte un masque en permanence ?

— Oui, un de ces masques chirurgicaux verts ou blancs que l'on peut trouver dans toutes les pharmacies.

Elle eut un rire bref.

— Il a l'air tout à fait ridicule, avec ça…

— Ce n'est pas l'avis de tout le monde. Ce masque fascine beaucoup de gens, il lui donne un air mystérieux qui cadre bien avec son image de terroriste le plus célèbre et le plus dangereux de la planète.

— Personne n'a jamais vu son visage ?

— Personne à part le tout petit cercle de ses proches. Et puis Rook.

Le cœur de Deke se serra, comme chaque fois qu'il prononçait le nom de son ami. Rook l'avait pris sous son aile depuis son entrée dans l'armée. Il n'avait que quelques années de plus que lui, mais il avait toujours été un meneur d'hommes. C'était un chef-né, et Deke avait pu s'épanouir et progresser sous ses ordres.

— Il a vu Novus Ordo quand il a mené à bien ton sauvetage…, reprit Mindy.

Il la regarda, surpris. Elle savait cela ?

— Rook me l'a raconté, confia-t-elle. Il m'a dit aussi que tu avais sauvé beaucoup de monde, avant d'être pris.

Deke se tut un instant. Cette information ne lui causait aucun plaisir. Il ne tenait pas à apparaître sous un jour héroïque qu'il ne méritait pas. Et puis, il n'avait fait que son travail. Ensuite, son hélicoptère avait été abattu, les hommes d'Ordo l'avaient fait prisonnier, et Rook l'avait retrouvé.

— Il a attaqué le camp de nuit, pendant que la plupart des moudjahidine dormaient, expliqua-t-il. Rook m'a retrouvé parce qu'on m'avait placé une puce GPS dans l'épaule.

— Dans l'… ? Et elle y est toujours ?

Machinalement, il porta la main à la petite bosse, au-dessus de l'omoplate, où la minuscule pièce avait été posée. Mais l'inflammation de son bras rendait le geste douloureux, et il l'interrompit.

— Pas vraiment, enfin… Elle ne marche plus. La batterie était prévue pour durer un an. Ça me gratte encore, de temps en temps…

— Donc, Rook t'a récupéré.

— Avec son équipe, oui. Il a abattu mes gardiens avec une arme munie d'un silencieux et, par hasard, il s'est trouvé face à face avec Novus Ordo, pour une fois sans son masque. Il m'a dit qu'il avait eu parfaitement le temps de bien voir son visage.

— Oh ! Mon Dieu ! s'exclama Mindy. Il a vraiment vu son visage ?

— Jusqu'à ce que deux autres gardes le maîtrisent, oui. Mais son équipe a ouvert le feu sur eux, et nous avons repris l'hélicoptère de justesse.

Il se passa une main sur le visage.

— C'est donc à cause de moi, poursuivit-il, si Novus Ordo a juré de retrouver Rook et de le faire mourir.

Mindy frissonna.

— Et que dit Rook de son visage ? demanda-t-elle. A quoi ressemble-t-il ?

Deke appuya sa tête contre la paroi.

— Ça, c'est une information classifiée.

— Ah oui ? Bon. Est-ce que Irina la connaît ?

Il se rembrunit.

— Probablement.

— Est-ce qu'elle est davantage digne de confiance que moi ?

— Non, mais…

— Alors, réponds à ma question. Tu m'as toujours dit qu'il fallait connaître son ennemi. Il est le mien, j'ai donc besoin de le connaître.

Il la regarda, songeur, puis hocha la tête.

— D'accord, la plus importante information, c'est que le plus recherché des terroristes de la planète est un Américain, comme toi et moi. Aussi américain qu'un hamburger ou qu'une Chevrolet…

8

— Novus Ordo, américain ? Ce n'est pas possible !

Mindy dévisageait Deke, stupéfaite. Il avait toujours la tête appuyée contre la paroi. Sa pomme d'Adam montait et descendait, les tendons de son cou se dessinaient dans la pénombre. Dieu qu'il était beau et désirable, songea-t-elle… Jusque dans les plus petits détails de son apparence physique.

Il eut un petit sourire triste, et le cœur de Mindy fit un nouveau bond dans sa poitrine.

— Oh que si, c'est possible ! soupira-t-il.

— C'est Rook qui te l'a dit ? Et il t'a dit aussi à quoi il ressemblait ?

— A quelqu'un de tout à fait ordinaire, semble-t-il. Peut-être d'origine irlandaise ou écossaise, mais rien de beaucoup plus exotique. Et il l'a entendu parler avec un accent tout ce qu'il y a de plus américain…

— Mais, Deke, comment peut-il, dans ce cas…

Elle s'arrêta net, car sa question n'avait aucun sens. Des traîtres à leur patrie, il en existait depuis le commencement du monde…

— Mais ses enregistrements audio avec cet accent oriental prononcé ?

— Audio, tu l'as bien dit, jamais de vidéo. La CIA pense que c'est un de ses lieutenants qui les enregistre pour lui. Rook a aidé à établir un portrait-robot de lui. Leurs meilleurs profileurs y ont travaillé.

— Tu as vu ce portrait-robot ? A quoi ressemble-t-il ?

— A Monsieur Tout-le-monde. Taille moyenne, mince,

presque maigre. Un long nez, des yeux rapprochés, un menton saillant…

Deke s'interrompit. C'était un portrait désagréablement similaire à la description que l'on aurait pu faire de Frank James, sous sa ridicule panoplie de cow-boy : même morphologie, mêmes traits…

Le bandit d'opérette était bien le frère de Novus Ordo. Le frère et non le fils, car a priori il était trop vieux pour cela…

Et puis, Novus Ordo n'était certainement pas venu, en personne, diriger leur enlèvement, mais qu'il en ait chargé son frère n'avait rien d'improbable. Le portrait-robot aurait pu être celui de « Frank James » lui-même !

Quels pouvaient bien être leurs véritables noms ? se demanda Deke. Et de quelle partie du pays étaient-ils originaires ?

— Deke ?

— Oui, Mindy ?

— Est-ce qu'il est brun, blond, roux ?

— Difficile à dire, il porte en permanence le keffieh, que l'on appelle aussi *shemagh*, au Mahjidastan, comme en Afghanistan, et il le noue étroitement autour de sa tête. Rook n'a pas pu se prononcer sur ce point, mais il dit que le dessin est très fidèle. Ce qui est curieux, c'est que Novus éprouve le besoin de porter un masque chirurgical, alors qu'il pourrait, tout simplement, rabattre un pan du keffieh sur son visage…

— Et le portrait-robot n'a pas permis de l'identifier ?

— Pas encore. La CIA recherche activement toute trace de disparition d'un Américain blanc, il y a dix ans de cela, lorsque Novus Ordo a commencé à faire parler de lui dans le terrorisme.

La tête de Mindy lui tournait. Elle ne parvenait pas à y croire : Novus Ordo était américain ! C'était en effet un secret d'une importance capitale. Deke ne lui avait pas menti.

Quelle responsabilité de savoir cela ! Ses oreilles se

mirent à bourdonner, et elle porta la main à sa poitrine, suffoquant à demi.

— Qu'est-ce qu'il y a, Mindy ? s'inquiéta immédiatement Deke. C'est le bébé ?

— Non, c'est juste que… enfin… j'aurais préféré que tu ne me dises pas tout ça…

— Je comprends… Mais, après ce que tu as déjà dû endurer, j'ai estimé que tu avais le droit de savoir. Bien sûr, je te fais confiance pour n'en souffler mot à personne, n'est-ce pas… ?

— Evidemment ! Dis, Deke… On est quand même loin du sauvetage, même opérationnel… Tu es devenu… une sorte d'agent secret, ou quoi ?

Il laissa échapper un rire.

— Non, tout de même pas. Le BHSAR a des contrats avec le gouvernement, mais à la base c'est une société privée. C'est ce que Rook voulait…

— Alors, pourquoi pourchassez-vous Novus Ordo ?

— C'est un cas particulier. Une requête faite à Rook par…

Il parut hésiter.

— Par un ami à lui.

Un ami certainement très influent, très haut placé, songea Mindy.

— Si mon hélico n'avait pas été abattu…, reprit Deke, et si Rook n'avait pas vu le visage de Novus Ordo…

Il laissa sa phrase en suspens et haussa les épaules.

— Quand ce sera fini, reprit-il, on refera ce dont nous avons l'habitude : du sauvetage.

— Avec de temps en temps un petit service rendu ?

Le coin de la lèvre de Deke se redressa, mais il ne répondit rien.

— Je ne sais pas comment tu as fait pour ne pas devenir complètement dingue, soupira Mindy.

Il eut un rire bref.

— Peut-être que je l'étais déjà…

— Oh ! Je te sais plus solide que ça…

Elle se blottit, en souriant, contre le doux tissu de son blouson.

— Ah oui ? s'étonna-t-il. Tu as décidé que je n'étais pas complètement fini, après tout ?

La question paraissait simplement ironique. Pourtant, songea Mindy, il y résonnait quelque chose dont elle n'avait pas l'habitude, venant de lui. Une angoisse, comme si sa réponse était capitale pour lui.

— Hmmm, fit-elle avec précaution, je crois que tu as toujours un peu confondu la force avec la rigidité. Et c'est ça qui est dangereux. C'est comme dans la fable du chêne et du roseau : si tu peux plier, alors rien ne pourra te briser…

— Plier, oui, mais jusqu'où ? Est-ce que ce n'est pas une veulerie ? Ne dit-on pas courber l'échine ?

Elle ouvrit un œil et le fixa.

— Au contraire, cela veut dire que tu résistes. On t'obligeait à courber la tête, mais tu la redresses.

Etonnamment, Deke se mit à rire.

— Tu es épuisée, murmura-t-il. Il serait temps de dormir un peu.

— Je ne suis pas sûre de pouvoir me rendormir jamais, dit-elle d'une voix qui s'éteignait déjà.

— Oh ! Je parie que si…

Il se pencha pour déposer un baiser sur son front.

— Je vais faire un tour pour surveiller un peu les environs, lui dit-il. D'accord ?

— Toi aussi, tu aurais besoin de dormir.

Elle basculait déjà dans le sommeil…

Petit La Globule, songea-t-elle, je te défends bien de naître avant que nous soyons sortis d'ici. Tu peux bien attendre encore un jour ou deux, tout de même !

— Pas pour le moment, lui répondit-il. Il m'est arrivé de rester sans sommeil bien plus longtemps que cela, et de survivre. Si tu as besoin de moi, appelle.

— Mon héros…, souffla-t-elle.

Deke s'écartait d'elle avec précaution, lorsqu'un bruit effrayant retentit dans la caverne. Ils sursautèrent tous les deux instantanément.

— Qu'est-ce que c'est ? s'écria Mindy. On dirait une explosion.

— Le tonnerre qui résonne dans les galeries, probablement, prétendit Deke. Dors, il n'y a rien à craindre : nous sommes protégés de la pluie, ici.

Le temps qu'il se lève et la regarde, elle avait déjà sombré dans le sommeil. Elle était si belle, si jeune et si confiante envers lui. Les yeux clos, le visage enfin détendu par le sommeil, on eût dit une madone, malgré ses cheveux en désordre en travers de son visage.

Mon Dieu, pria-t-il, je ne m'adresse pas bien souvent à vous et ne mérite peut-être pas que vous exauciez mes prières, mais je vous en supplie : qu'elle ne souffre pas pour mes fautes. Et qu'elle ne meure pas, je vous en prie… Je vous en prie…

Il retint un frisson.

Que s'était-il donc passé pour qu'il laisse aller à vau-l'eau la vie qu'ils avaient eue ensemble ? Elle méritait un foyer heureux, avec un mari qui l'aimerait, la protégerait et lui apporterait la sécurité, de beaux enfants dont elle pourrait être fière, une existence sans angoisse et sans inquiétude.

Le genre même de vie qu'il ne pourrait jamais lui offrir…

Il tourna vivement les talons, tant il était douloureux de la contempler ainsi : innocente, vulnérable et assez confiante pour s'abandonner au sommeil. Malgré tout ce qui s'était passé entre eux, elle ne semblait pas avoir besoin d'une autre protection que celle qu'il lui offrait.

Il se reprocha de ne pas avoir emmené de renforts. Il aurait pu demander un coup de main à Rafe ou à Aaron, tous les deux disponibles. Mais, outre qu'il ne leur faisait pas forcément assez confiance pour cela, c'eût probablement été une erreur. Novus Ordo lui avait demandé de venir seul, il ne lui avait pas laissé le choix. Dans cet environnement de prairies ouvertes, un deuxième véhicule ou même un accompagnateur aurait fatalement été remarqué, et ils auraient peut-être été immédiatement abattus sans autre forme de procès.

Il se gratta pensivement la petite bosse sur sa clavicule. Il avait un peu menti à Mindy. Ce petit bout de métal inséré dans sa chair était une chance pour lui, surtout s'il devait demeurer sous terre quelque temps. Quelqu'un finirait bien par capter sa localisation. Si seulement il avait pu émettre…

S'il se plaçait à la verticale du puits d'aération pendant un long moment, peut-être que les spécialistes en détection du BHSAR parviendraient à le localiser.

Il aurait fallu aussi prévenir que Mindy était à son huitième mois de grossesse, mais il n'avait aucun moyen de communiquer.

Pourquoi donc n'avait-il pas mis au point un plan pour protéger Mindy, comme il l'avait fait pour Irina ?

Parce qu'il s'était accroché à l'idée stupide qu'au bout de deux ans de séparation elle n'était plus assez proche de lui pour être en danger. Enorme erreur…

Debout sous le puits d'aération, il médita sur ses fautes et sur la vanité qu'il y avait à les ressasser. Finalement, il se déplaça à l'autre bout de la caverne et examina les rails qui partaient vers le plan incliné.

Pas question d'aller par là. Bien sûr, il aurait pu le faire s'il avait été seul, mais Mindy ne le supporterait pas. La pente était d'environ 20°, ce qui n'était pas énorme, mais dans son état elle avait déjà du mal à marcher à l'horizontale. Il était bien étonnant que les wagonnets remplis de charbon aient pu suivre une telle inclinaison, surtout si les galeries présentaient des courbes.

Une nouvelle explosion le coupa dans ses réflexions. Il

s'immobilisa, retenant son souffle, mais rien ne se passa, et le silence revint.

C'était bien des explosions et non le tonnerre, comme il l'avait prétendu pour Mindy. Frank James faisait certainement ébouler les galeries de mines, pour les prendre tous deux au piège. Il ne pouvait le faire que dans deux buts distincts : soit pour les forcer à revenir vers l'hôtel, soit pour les enterrer vivants.

Mais pourquoi procéder de cette manière, alors qu'il lui aurait suffi de condamner l'issue ? Peut-être que Novus Ordo ne disposait pas de suffisamment de complices sur place. Frank James et son acolyte ne pouvaient peut-être pas non plus garder les différents accès. Si c'était le cas, calcula Deke, le rapport de forces revenait un peu en sa faveur : 2 contre 1, 3 contre 1 peut-être.

Il se tourna pour examiner les autres départs de galeries. C'était le mieux qu'il avait à faire pour le moment. Dans celle qui s'ouvrait juste au-dessus, la pente était plus praticable, quasi nulle. Peut-être que Novus Ordo allait négliger de piéger ce tunnel-ci, ainsi que son voisin qui ramenait vers l'hôtel : il pourrait supposer que les fugitifs allaient chercher à s'évader par une galerie plus éloignée.

Deke soupira et se massa les tempes. Ses pensées commençaient à divaguer, hors de son contrôle. C'était probablement le résultat de trop peu de sommeil et de nourriture, sans compter les coups de Taser de Frank James. Mais, au moins, ses réflexions forcées le distrayaient de son autre problème : sa libido malmenée. Son jean le serrait toujours autour de son érection intacte. Bon, il n'était pas si distrait que cela…

Il plongea ses mains dans le courant du ruisseau souterrain et s'aspergea le visage puis, restant accroupi sur ses talons, laissa son regard errer autour de la vaste salle. Les seuls bruits audibles y étaient le murmure de la rivière souterraine et un très léger souffle de vent, venu du puits d'aération.

Il se massa la nuque. Il n'aurait pas volé quelques minutes de sommeil, mais il devait partir à la recherche de quelque chose qui pourrait lui servir d'arme. Avec un soupir d'effort, il se redressa. D'abord, il voulait aller chercher cette couverture qu'il avait vue au passage, dans le wagonnet. Si elle n'était pas trop sale, Mindy pourrait s'en couvrir et se réchauffer.

Il traversa la rivière et s'approcha du wagonnet. Malheureusement, la couverture de laine était non seulement sale et mangée aux mites, mais aussi complètement pourrie. Mindy ne pouvait s'envelopper là-dedans…

Il poussa le répugnant carré de laine de côté et leva sa lanterne. Il se figea aussitôt. De la dynamite !

Plusieurs bâtons… Il n'était pas un expert en explosifs, mais en connaissait le danger, surtout après des années à l'abandon dans une galerie humide. En retenant son souffle, il abaissa précautionneusement sa lanterne : il ne devait pas mettre la dynamite trop en contact avec cette source de chaleur.

Tout à côté traînait un entrelacs de détonateurs et de cordons Bickford à demi rongés par l'humidité. Mais il y avait pire : sur les bâtons eux-mêmes brillaient des cristaux. De la nitroglycérine ! s'alarma Deke. Le plus petit mouvement suffirait à les faire exploser. En osant à peine respirer, il recula. Est-ce que cette dynamite avait été placée là intentionnellement ? Y avait-il un cordon ou une traînée de poudre aux alentours ? Il chercha, mais n'en trouva pas, même en furetant le nez au ras du sol.

En revanche, derrière le wagonnet, une lourde barre à mine en acier avait été laissée contre la paroi, et il s'en saisit. Peut-être, après tout, que la dynamite n'avait pas été placée là par Frank James. Peut-être qu'elle traînait dans ce wagonnet depuis une cinquantaine d'années. La question restait, cependant : Frank James le savait-il ?

Peu importait en fait. Ce qui comptait, c'était qu'il n'était plus question de s'approcher de cet endroit, car la nitroglycérine pouvait exploser d'un instant à l'autre. En soupesant la barre à mine dans sa main, il tourna les talons et revint vers la sorte d'alcôve où dormait Mindy. Au passage, il s'accroupit au bord de la rivière souterraine et but quelques gorgées dans ses mains. Puis, il se plaça sous le puis d'aération et respira sans contrainte pour la première fois depuis qu'il avait trouvé les bâtons de dynamite. Une chose était sûre, il fallait sortir d'ici aussi vite que possible. Cependant, un satellite de transmissions allait peut-être passer au-dessus de lui : il devait rester sous l'ouverture aussi longtemps que possible. Aussi s'accroupit-il au pied d'un rocher.

Deke s'éveilla en sursaut. Une sorte de faible gémissement venait de résonner. Et encore un autre !

Mindy !

Il sauta sur ses pieds, sans prendre garde au léger vertige qui le saisit, et courut vers l'alcôve. Mindy s'était redressée, les deux mains sur son ventre.

— Mindy ! Qu'y a-t-il ?

— Je ne sais pas… Il se passe quelque chose… d'anormal.

Elle avait le souffle court, et tout son corps paraissait tendu. Deke s'accroupit auprès d'elle et lui prit les mains.

— Est-ce que je peux faire quelque chose ? demanda-t-il.

Elle secoua la tête. Dans la faible lumière qui tombait du puits d'aération, elle paraissait très pâle.

— Bon, dit-il en veillant à garder sa voix aussi basse et aussi calme que possible, je pense que le mieux est que tu respires calmement, non ?

Elle leva vers lui un œil ironique.

— Tu en sais des choses sur les accouchements, dis donc, lui souffla-t-elle d'une voix hachée et difficile.

Il sourit.

— J'ai suivi une formation spéciale à ce sujet dans l'Air Force…

— Ravie de l'apprendre !

Elle expira une longue bouffée d'air avant d'en reprendre une.

— C'est bien, respire profondément, l'encouragea-t-il.

Il prit ses mains dans les siennes et les porta à ses lèvres pour les embrasser. Elle l'avait pris comme une plaisanterie, mais il avait bel et bien suivi, durant sa formation militaire, une présentation des gestes d'assistance à une accouchée. Une démonstration brève, à titre d'information.

Non, mon Dieu, songea-t-il, ne laissez pas cet enfant naître maintenant !

Il avait juste suivi une démonstration : il ne saurait pas mettre un bébé au monde, et moins encore celui de Mindy.

— Alors, concentre-toi, lui dit-il. Y avait-il des signes que le travail avait commencé ? Des contractions ? Tu as mal ?

Elle secoua la tête.

— Pas pour le moment…

— Ce n'était pas une contraction ?

Elle ferma les yeux et pinça les lèvres.

— Si, et je crois que ce ne devait pas être la première.

Deke se força à se concentrer. Les détails de la formation lui revenaient peu à peu. Une sueur froide lui mouillait les tempes et coulait dans son cou.

— De… de combien sont-elles espacées ?

— Je ne sais pas exactement, elles ont commencé dans mon sommeil. J'avais un peu mal, mais j'ai d'abord cru à une crampe. J'ai palpé mon abdomen : il est très contracté.

— Je ne comprends pas tout, mais c'est toi l'infirmière, alors je te crois sur parole.

Elle eut un faible sourire.

— Merci…

Il fit un vague geste en direction de son ventre.

— Qu'est-ce que ça veut dire… Que tu vas avoir le bébé maintenant ?

— Non… Non, c'est trop tôt, et puis, regarde où nous sommes… Mon bébé ne peut pas naître ici.

Elle caressa son ventre.

— Tu entends, La Globule ? reprit-elle. Reste où tu es. On sera bientôt à la maison.

Mon bébé... Ces deux mots résonnaient aux oreilles de Deke. N'était-ce pas le sien aussi ? Elle avait d'ailleurs, une ou deux fois, dit *notre bébé*. Mais maintenant c'était de nouveau *le sien...* Bizarrement, cela lui faisait mal d'entendre ça.

Il s'éclaircit la gorge.

— Qu'est-ce que je peux faire pour t'aider ?

Elle le regarda de son œil vert, si perçant.

— Trouve le moyen de sortir d'ici, va trouver de l'aide et reviens me chercher.

— Pas question de te laisser ici, surtout si tu es tout près d'avoir le bébé.

Et surtout, sachant qu'elle était assise sur assez de dynamite pour faire sauter toute la mine...

Elle lui lança un regard apaisant.

— Je ne vais pas avoir ce bébé maintenant.

Malgré la situation, sa détermination le fit sourire.

— Ah non ? Tu vas te retenir d'accoucher par la seule force de ta volonté ?

— Fichtre oui que je vais me retenir, répondit-elle, obstinée, le menton levé.

— Et c'est moi qui suis censé être têtu, marmonna-t-il entre ses dents.

— Je t'ai entendu, tu s... oh !

— Min' ?

Il lui reprit précipitamment la main et la pressa tendrement. Les doigts de Mindy se refermèrent sur les siens avec une force surprenante.

— Respire lentement, mon cœur, respire...

Elle serra sa main jusqu'à ce que la contraction fût passée.

— Je crois qu'il y a eu un intervalle de dix minutes

depuis la première, fit-il en l'aidant à s'adosser de nouveau à la paroi.

Elle hocha la tête.

— C'est bien ce que je pensais, dit-elle, dix minutes… je suis en travail prématuré.

L'adjectif inquiéta Deke.

— Ce n'est pas la phase avant le vrai accouchement ? demanda-t-il quand même, gardant un peu espoir.

Mais il avait déjà un mauvais pressentiment quant à la réponse.

Elle secoua lentement la tête.

— Non, c'est le vrai, mais je veux sortir d'ici. C'est trop tôt. Il ne devait pas pointer son nez avant trois semaines. Dis, tu peux me donner un peu d'eau ?

Il alla lui remplir une gamelle, et elle avala plusieurs gorgées.

— Il faut que je m'étende, lui indiqua-t-elle. Pour ralentir ou stopper un travail prématuré, il faut rester couchée au moins deux heures et boire beaucoup d'eau. C'est ma seule chance d'arrêter ça.

— Bien, nous allons attendre deux heures, puis nous partirons d'ici.

Elle secoua de nouveau la tête.

— Je ne pense pas que je pourrai marcher, lui dit-elle. Il faut que tu trouves la sortie.

— Je ne te laisserai pas.

Elle se coucha sur le flanc.

— Ce n'est pas vraiment le moment de jouer au sentimental, Deke. Tu dois faire pour le mieux. Que ferais-tu, d'ailleurs, si j'étais un homme, un blessé, ou une autre femme, que tu serais chargé de récupérer ?

— Tu ne l'es pas…, lui dit-il en souriant d'un air entendu.

Elle lui rendit son sourire.

— Je laisserais probablement une arme à l'homme pour

qu'il puisse se défendre, et je porterais la femme, répondit-il finalement.

— Tu ne le pourrais pas. Tu es blessé, je suis trop lourde et je ne peux pas marcher.

— Je ne peux pas te laisser ici, seule et sans protection.

— Il n'y a pas d'autre solution, alors donne-moi ton couteau et trouve la sortie.

Silencieusement, il lui tendit l'arme blanche.

— Je sais que tu as ton idée sur ce que Novus Odo va faire, ajouta-t-elle.

Il acquiesça.

— Il contrôle certainement toutes les sorties, expliqua-t-il. Et lui aussi pense sûrement deviner ce que je vais faire. Il a même peut-être établi une sorte de prévision heure par heure de mes faits et gestes. C'est son truc, de jouer avec les gens comme un chat avec une souris. Et, comme le chat, il sait exactement à quel moment il va interrompre le jeu, et tuer pour de bon…

Deke s'assit sur ses talons. Il était épuisé et affaibli par tout le sang qu'il avait perdu, il avait la fièvre et n'avait pas dormi plus de une heure au cours des vingt-quatre dernières.

Il devait reconnaître à Novus Ordo une redoutable efficacité. Frank James l'avait d'ailleurs prévenu : on chercherait à épuiser sa résistance, et c'était bien près de réussir. Il était au bout du rouleau.

Oui, il était à bout.

Il considéra un tas de pierres et de traverses de bois, devant lui. Des ombres dansaient dans la lumière de la lampe, et la chanson de la rivière souterraine semblait se moquer de lui. De temps en temps, un petit trait d'argent qui remontait le courant attirait son regard. Un petit poisson… qui remontait vers Mindy…

Il pensa à elle, seule dans ce creux de rochers où il l'avait laissée. Cela avait été une très mauvaise décision. Mais c'était aussi la seule possible.

A quelques mètres le narguait le résultat des explosions qu'il avait entendues et attribuées au tonnerre pour ne pas effrayer Mindy. La galerie était obstruée par un éboulement récent, suite à une explosion. Des fumerolles s'élevaient encore, çà et là, et l'odeur âcre de la poudre flottait partout autour.

Il avait bien essayé de creuser peu ou prou l'éboulement à l'aide de sa barre à mine, sans y parvenir vraiment.

Il n'avait réussi qu'à ébranler deux gros rochers et à faire s'élever dans l'air un véritable nuage de fumée et de poussière chaude. Mieux valait ne pas prendre le risque de se faire enterrer sous un nouvel éboulement.

Il ne lui restait donc d'autre choix que faire demi-tour. Mais vers quoi exactement ? Un nouveau cul-de-sac et le choix entre mentir à Mindy ou lui dire l'horrible vérité : ils étaient prisonniers d'une galerie de mine. Car Frank James n'avait certainement pas bouché ce seul tunnel.

En revanche, cela prouvait une chose : leur ravisseur n'avait pas suffisamment de complices pour garder tout le réseau. Ce qui pouvait peut-être jouer en leur faveur…, songea Deke.

Il plongea sa main gauche dans le courant, but et s'aspergea le visage, puis il reprit sa lanterne et sa barre à mine, et tourna les talons.

Mindy se réveilla en sursaut. Un bruit de pas avait résonné ! Mon Dieu, faites que ce soit Deke ! pria-t-elle.

Le petit La Globule lui donna un coup de pied, comme pour lui rappeler qu'il dormait, jusque-là, lui aussi. Elle retint son souffle et écouta. Le bruit qui l'avait réveillée se reproduisit, et ce n'était pas rassurant.

Des pas sur le sol de terre et de gravier. Son rythme cardiaque s'accéléra. Cela ne pouvait pas être Deke. Il l'aurait appelée, déjà.

Elle recula vers le fond de l'alcôve aussi silencieusement qu'elle le put et tira le couteau de son soutien-gorge. En retenant son souffle, elle fixa le rai de lumière qui découpait l'ouverture de l'alcôve.

La poignée du couteau était encore chaude du contact avec sa peau et, bien qu'elle ait pu voir les dommages qu'il occasionnait, elle ne put s'empêcher de le trouver bien petit.

Tout à coup, la lumière fut plus vive. C'était le faisceau d'une torche électrique, et pas la lampe-tempête qu'avait emportée Deke. Elle se mordit la lèvre et se força à rester immobile.

Deke, où es-tu ? cria-t-elle intérieurement.

Les pas se firent plus sonores, et le rayon lumineux éclaira l'entrée de l'alcôve.

La bouche sèche, Mindy s'aplatit contre la paroi rocheuse, essayant de se faire aussi petite que possible. Le faisceau lumineux vint balayer l'alcôve, et deux ombres en obscurcirent l'entrée, derrière le halo de la lampe, qui fouillait la paroi et le sol.

Quand le rayon lumineux passa enfin sur ses pieds, Mindy en reçut un choc presque physique. Instinctivement, elle protégea son ventre, tandis que le faisceau remontait le long de ses jambes. Ce fut presque un soulagement lorsque la lueur l'aveugla.

— Tiens, madame Cunningham… Alors, comme ça, votre mari vous a laissée toute seule ? Pas bien, ça…

La voix était aisément reconnaissable. Frank James…

Deke poussa un soupir de soulagement. Un souffle d'air frais venait de passer sur son visage, et un début de clarté apparaissait dans l'obscurité quasi totale qui l'environnait.

C'était la fin du tunnel. Il ralentit son pas, à l'écoute de son instinct et de ses sens.

Et si Novus l'avait, au moins partiellement, fait obturer, celui-ci aussi, pour le séparer de Mindy ? Il était même capable d'avoir laissé passer la lumière, par pur sadisme, afin de lui donner de l'espoir. En les séparant l'un de l'autre, Frank James pouvait rapidement remettre la main sur Mindy.

Deke s'aplatit contre la paroi et examina l'élargissement.

Rien… et personne…

Mais cela ne voulait rien dire, se méfia-t-il. Surtout, il brûlait de se précipiter vers l'alcôve pour retrouver Mindy et la prendre dans ses bras. Mais mieux valait procéder comme lors d'une progression derrière des lignes ennemies.

La sueur mouillait ses tempes. Il s'essuya machinalement d'un revers de manche : la chaleur irradiait de sa peau. Il avait bel et bien la fièvre, à cause de l'infection de son bras. Il posa la main sur son pansement. Bien sûr, celui-ci était chaud, lui aussi, et la simple pression de sa main dessus lui faisait mal. Et puis, la tête lui tournait, un voile noir menaçait sans cesse de lui tomber devant les yeux… Décidément, il était en bien fâcheuse posture.

Oui, bien fâcheuse…

Il prit une profonde inspiration et avança encore, à l'écoute du moindre bruit, du plus petit mouvement.

A ce stade, il était préférable d'allumer la lanterne. Il la posa délicatement sur le sol, puis la reprit dans sa main droite en tenant la barre à mine de la gauche. Son pouls battait dans ses oreilles. Plutôt que l'excitation à l'idée de retrouver Mindy, c'était certainement de l'adrénaline pour se préparer au combat, se dit-il.

Enfin, il parvint, en vacillant un peu, jusqu'à l'ouverture de l'alcôve.

Pas de Mindy.

Même s'il s'y était vaguement attendu, son cœur se serra. Elle n'était plus là.

A cet instant précis, quelque chose bougea dans l'ombre. Il faillit prononcer le nom de sa femme, mais les deux syllabes restèrent bloquées dans sa gorge. Mindy pouvait à peine se mettre debout et encore moins se faufiler dans l'obscurité.

Il agita devant lui sa lanterne pour mieux voir, et un visage noir grimaçant, aux dents étincelantes, apparut.

Un coup d'une force herculéenne le fit alors décoller du sol et son crâne atterrit en premier. La douleur l'aveugla, tandis qu'une sorte de grognement menaçant lui emplissait l'oreille. Il essaya de rouler sur le côté, mais le monstre roula avec lui. Il avait autour de la tête un étrange panache orange. Soudain, Deke comprit : c'était un Noir gigantesque, et sa chevelure était en feu.

L'homme secoua la tête, envoyant des gouttelettes d'essence enflammée jusque sur le visage de Deke, puis il se releva, courut vers le lit de la rivière souterraine et y plongea la tête, dans un effort désespéré pour éteindre les flammes.

Deke en profita pour reprendre sa barre à mine fermement en main et le suivit. Juste comme le géant relevait la tête, il balança la lourde barre de fer qui l'atteignit avec un craquement sourd. L'homme tomba comme une pierre, et Deke chut sur lui, en se faisant terriblement mal à son bras blessé. Les dents serrées, il roula de nouveau sur le côté.

Le souffle court, il retourna la masse inconsciente du bout du pied, tapota les poches du géant et trouva ce qu'il cherchait : un Taser miniature, lequel, étrangement, était trempé. Il s'en saisit, et le seul fait de le regarder tendit douloureusement ses muscles. Il le secoua, l'essuya sur son pantalon, puis l'examina. Il voulut l'allumer, puis se ravisa, préférant attendre qu'il soit bien sec. Il l'empocha et s'assit sur ses talons. Il lui fallait quelques minutes de repos avant de retourner vers la cave de l'hôtel.

Après quelques profondes inspirations et une gorgée d'eau, il retraversa la rivière. Il hésita un instant devant les différents départs de tunnels, puis repassa devant le wagonnet aux bâtons de dynamite.

Aussi dangereux que cela fût, il allait porter cette charge

mortelle et imprévisible vers l'hôtel, pour faire sauter les deux tunnels restants. Frank James ne devait pas s'échapper par là et moins encore y entraîner Mindy.

La tête lui tourna de nouveau, et il vacilla. Il dut s'appuyer à la paroi pour ne pas tomber. Il serra les dents, refusant de se laisser abattre par la fièvre. Ce n'était pas possible, il devait continuer.

Car s'il perdait, cette fois, Mindy allait mourir, et leur fils avec elle.

9

La sombre galerie paraissait sans fin… Deke avançait précautionneusement, sa charge de dynamite et de détonateurs dans le balluchon qu'il avait improvisé avec la couverture plus qu'à demie pourrie et en se servant de la barre à mine comme canne de marche. Il était une véritable bombe ambulante, constatait-il avec terreur.

La dynamite n'était pourtant pas son principal souci ; il avait le plus grand mal à mettre encore un pied devant l'autre et se sentait à la fois brûlant et glacé. Il savait pourquoi : sa blessure au bras s'était rouverte et une douleur déchirante le faisait vaciller et lui amenait des papillons noirs devant les yeux. C'était infecté et le risque de gangrène remontant au cœur était bien réel.

Il avait essayé le remède préconisé par Mindy et ramassé des toiles d'araignée pour les appliquer sur la plaie, avant de replacer le pansement. Pendant un temps, il avait été un peu soulagé, en effet. S'il avait pu immobiliser assez longtemps son bras, peut-être les toiles d'araignée auraient-elles pu stopper l'hémorragie. Il avait en tout cas pratiquement cessé de le bouger, le laissant pendre le long de son corps, mais retenant son balluchon de dynamite de la même main. Par moments, une goutte de sang coulait jusqu'à son poignet et ses doigts.

Il trébucha sur une pierre et se rattrapa de justesse à la paroi mais, le temps d'équilibrer et de stabiliser son fardeau, une vive douleur le relançait dans le bras et une nouvelle envolée de papillons noirs s'agitait devant ses yeux. Il s'appuya à la paroi et ferma les paupières le temps de les chasser.

Quand il les rouvrit, il était recroquevillé contre la paroi de la galerie. Il s'était endormi, ou évanoui plutôt, mais il n'avait pas lâché son balluchon, par chance. Il essaya de calmer les battements de son cœur, releva la tête et cligna les yeux. Etait-ce encore l'effet de son vertige, ou y avait-il une vraie lumière devant lui ? Celle-là ne bougeait pas, ne dansait pas et ne ressemblait pas à ces étincelles internes qui peuvent éblouir. Elle semblait venir d'une ouverture rectangulaire et n'était pas très brillante. Un grand soulagement s'empara de lui, lui nouant la gorge et lui piquant les yeux.

C'était le bout du tunnel, la fin de la galerie. Là où devait se trouver Mindy. Il s'en approcha encore de plusieurs dizaines de mètres puis s'arrêta et se plaqua à la paroi. Les yeux clos, il chercha à se souvenir du plan de l'espèce de vestibule reliant la cave de l'hôtel aux galeries. Il était revenu à son point de départ. Quand était-il entré dans ce dédale ? La veille ? Avant ? Il ne savait plus.

Il n'était qu'à quelques mètres du vestibule et devait faire vite. Il avait déjà fixé le détonateur aux bâtons, ainsi qu'un cordon. Il n'avait plus qu'à dérouler celui-ci et mettre le feu.

Il commença à tirer sur le fil, mais ne parvenait pas à fixer sa vision et à distinguer nettement les objets. Que lui arrivait-il ? Ses jambes étaient lourdes comme du plomb. Une sueur froide lui coulait sur le visage et glaçait sa peau. Il frissonna et s'approcha de la porte du vestibule. Là, il s'immobilisa et écouta.

Rien…

A l'est se trouvait la trappe et au nord, la porte au lourd battant de bois derrière laquelle Frank James avait disparu.

Avant de placer sa charge, il voulait vérifier quelque chose. Il se déplaça vers l'une des poutres qui étayaient verticalement la galerie et s'y dissimula pour observer le vestibule. Il jeta un œil à la trappe par laquelle il s'était introduit dans la place. Il l'avait écartée comme issue possible, car Mindy ne pouvait passer par sa petite ouverture. Mais ce qui avait attiré son attention quand il l'avait découverte l'intriguait toujours. Lorsque la mine était en service, il y avait cinquante ou soixante ans de cela, cette trappe ouvrait un passage de l'hôtel vers les galeries. Ce n'était donc probablement pas une trappe, à l'époque, mais bien plutôt une porte aux dimensions normales. En quelques coups bien placés, il pouvait peut-être rouvrir ce passage, s'il en avait la force. Alors, Mindy pourrait l'emprunter.

Il assura sa barre dans sa main et examina les planches avec attention. Si l'autre côté, il s'en souvenait, avait l'apparence d'une porte, celui qui lui faisait face présentait simplement l'aspect d'un mur de planches, celles au-dessus de la trappe paraissant toutefois plus récemment posées que les autres. Il y avait bel et bien eu une porte, là. Il reprit courage.

Mais, avec le bruit qu'il allait faire, il ne faudrait probablement pas plus de deux minutes à Frank James ou à l'un de ses complices pour le repérer.

Il déposa la charge de dynamite devant la trappe et déroula le cordon jusqu'au mur Nord. Il n'y avait guère de mou. Et il n'avait du maniement des explosifs que des notions assez sommaires. Cela n'avait jamais été sa spécialité. Mais il connaissait la rapidité avec laquelle se consumait ce genre de mèche. Il n'aurait guère plus de cinq minutes, ensuite, pour entraîner Mindy et la mettre en sécurité. Et encore, en supposant qu'elle était bien à proximité immédiate… Cela lui semblait certain, mais pourquoi ?

Après tout, se dit-il, cela n'avait guère d'importance de le savoir, car c'était leur dernière chance…

Il posa délicatement le bout du cordon au sol, en espérant être capable de revenir l'allumer. Il tapota machinalement les poches de son jean : le briquet y était toujours. Il y avait là suffisamment de dynamite pour faire sauter tout l'hôtel, des combles aux fondations, si la mèche voulait bien rester allumée et le détonateur, fonctionner.

Il se tourna vers la porte. Il ne pouvait guère compter que sur trois minutes avant que le bruit de l'explosion n'alerte James.

Bon, il fallait y aller. Il attaqua les premières planches, juste au-dessus du trou qu'il avait déjà pratiqué, à peu près à la hauteur de son genou. Ses ongles crissèrent et les planches craquèrent. En quelque trente secondes, il en avait arraché deux et s'attaquait à la troisième. Avec un peu de chance et si le bois n'était pas renforcé à cet endroit, il pourrait bientôt pratiquer une ouverture assez large pour que Mindy puisse y passer. Enfin… si du moins il en avait la force. Après avoir arraché la troisième planche, il était épuisé. C'était sans doute le résultat de sa fièvre et de sa perte de sang. Il avala une grande goulée d'air, espérant se fortifier ainsi pour au moins quelques secondes. Puis, il recula et donna un grand coup de pied dans la porte. De nouvelles planches volèrent en éclats, projetant des échardes alentour.

A ce moment précis, la porte Nord s'ouvrit en trombe, et deux soldats en treillis de camouflage pénétrèrent dans la pièce, se jetèrent sur lui, lui arrachèrent sa barre à mine et lui tordirent les bras dans le dos.

Il hurla de douleur, mais justement celle-ci aiguisa tous ses sens. Il devint hyperconscient de tout ce qui l'entourait : la lumière derrière la porte, l'air frais qui venait rafraîchir sa peau, le souffle haché et court des deux hommes.

Ils lui firent passer la porte et le traînèrent dans un autre vestibule, plus petit que le premier. Deke se força à se concentrer et à utiliser toute la force qui lui restait encore pour bien observer où on l'entraînait. Il y avait trois portes dans le petit vestibule. Celle par laquelle il avait été emmené, une autre à sa gauche et la dernière, juste devant. Il allait découvrir où menait au moins l'une d'entre elles.

L'un des gardes poussa la porte devant lui. Là, dans une

pièce au sol en terre battue, éclairée par une ampoule nue, Mindy était attachée et bâillonnée. Son cœur se mit à battre dans sa poitrine avec une férocité qui lui coupa le souffle.

— Mindy, murmura-t-il, la gorge littéralement étranglée par l'émotion et le soulagement de la retrouver.

Il n'avait pas osé imaginer la perdre et à présent il en avait la peur rétrospective.

Elle secoua violemment la tête et il hocha légèrement la sienne, espérant lui faire comprendre son plan : Franck James l'attendait et il y était préparé. Mais elle avait l'air effrayée : en un seul regard, elle avait perçu son épuisement, devina-t-il.

Puis, elle fixa sa main droite, et de nouveau son visage. Elle calculait la progression de son infection, comprit-il.

Elle agita tristement la tête. Il lui adressa ce qu'il espérait être un sourire d'encouragement et fit un pas vers elle.

Mais une sorte de sifflement retentit alors et des projecteurs l'aveuglèrent instantanément, tandis que des bruits de culasse que l'on armait emplissaient l'air. Peu à peu, trois silhouettes d'hommes se dessinèrent. Ils portaient des treillis militaires et braquaient leurs armes vers sa tête.

Le plus petit des trois passa son fusil d'assaut sur son épaule et vint se placer à côté de Mindy. Il tira un pistolet 9 mm de l'étui qu'il portait à la ceinture et le pointa sur la tête de Mindy.

— C'est gentil de vous joindre à nous, lança-t-il à Deke. Que fabriquiez-vous donc, à casser des planches ? Vous cherchiez à vous enfuir en abandonnant madame derrière vous ? Ce n'est pas très élégant…

Deke fixait l'homme, mais la fièvre lui en donnait une vision trouble et vacillante.

Il l'avait cependant bien reconnu. C'était Frank James, sans son bandana. Aucun doute possible. Et son visage était si conforme au portrait-robot de Novus Ordo… Ils en étaient presque identiques.

Il cligna frénétiquement les yeux pour tenter d'accommoder sa vision et étudia attentivement le visage de Frank James. Sans le bandana, les yeux ressortaient davantage et…

Ils paraissaient familiers.

— Ça va, Mindy ? Tu te sens mieux ? demanda-t-il en essayant de prendre une voix naturelle et décontractée.

Il n'aurait pas trompé un enfant, et moins encore une bande de terroristes comme ceux-là.

Mindy acquiesça, mais elle était excessivement pâle et paraissait épuisée. Pis, à en juger par son regard, elle était folle d'inquiétude à son sujet.

— Mais oui, elle va bien, Cunningham. Mais, quand on l'a trouvée après que tu l'as abandonnée, elle n'était pas flambante. Par bonheur, on a pu trouver ce qui n'allait pas et la soigner…

La soigner ? La bile ne fit qu'un tour dans l'estomac de Deke.

— Je jure devant Dieu, dit-il lentement, que si jamais vous lui avez fait du mal ou quoi que ce soit…

— Calme-toi un peu, Cunningham. Le médicament que nous lui avons donné est couramment prescrit lors d'un pré-accouchement. Tu peux le lui demander…

— Tu es en train de lui braquer un canon sur la tempe, gronda Deke. Qu'est-ce que tu veux qu'elle réponde ?

Mais Mindy cligna faiblement de l'œil : Frank James disait vrai. Si du moins il voyait aussi clairement en elle qu'autrefois…

— Elle n'est plus en travail, tu t'en apercevras toi-même, et elle va bien, ce qui est plus que l'on peut dire à ton sujet.

Deke déglutit avec difficulté. Du sang coulait de sa blessure, ainsi qu'une sueur froide, sur ses tempes et dans son cou. Il était furieux qu'un petit coup de couteau ait pu l'atteindre autant.

— Ne t'inquiète pas pour moi, grogna-t-il.

— Mais je ne m'inquiète pas, sois-en sûr.

Frank James eut un sourire narquois et quelque chose frappa enfin Deke, depuis la première fois qu'il l'avait vu apparaître dans son ridicule costume le cow-boy.

Bien sûr que Frank était le frère de Novus Ordo, mais à bien le regarder ce n'était pas la première fois qu'il voyait ces yeux-là. Ils l'avaient observé, chaque jour de sa captivité, sous le keffieh, même si c'était Novus Ordo qui venait, tous les matins, braquer un pistolet sur sa tempe alors qu'il était à genoux. Son regard était plus brutal, plus sinistre que celui de James, et plus vieux aussi.

James fit un geste et trois gardes s'avancèrent vers Deke, l'arme levée. Au moins deux d'entre eux étaient des Moyen-Orientaux, remarqua-t-il. Cela lui fit froid dans le dos. Novus Ordo était-il parvenu à infiltrer tout un réseau terroriste aux Etats-Unis ? En tout cas, il avait pu s'entourer en quelques jours d'une demi-douzaine de complices pour exécuter son plan. Et peut-être bien davantage…

— Bon, James, qu'est-ce que tu veux de moi ? marmonna Deke.

— C'est cela, Cunningham, parlons un peu affaires.

— Tu sais ce que je suis prêt à offrir…

— Bien sûr ! Je laisse partir ta femme… Oh ! pardon, ton ex-épouse… Et en échange j'ai tous les renseignements que je veux, c'est ça ? C'est bien gentil, mais je sais que tu ne me donneras qu'un tissu de mensonges. Je suis sûr, en plus, que tous ces mensonges auront un joli goût de vérité. Tu me les distilleras même sous la torture…

A ce mot, Mindy poussa un gémissement étranglé par le bâillon et secoua convulsivement la tête en tentant d'articuler quelques mots.

Deke savait exactement ce qu'elle voulait lui dire : ne parle pas, ne dis rien. Il admirait son courage et était éperdument ému qu'elle se soucie ainsi de lui. Mais il s'agissait de bien davantage que de la vie de deux personnes.

— Je te dirai toute la vérité, déclara-t-il lentement.

Mindy le regardait intensément, fixement. Elle était à la fois si heureuse qu'il soit là et tellement inquiète pour lui.

Elle l'examina. La fièvre donnait des couleurs à ses joues et à ses lèvres pincées. Sa main droite pendait au bout de son bras, et du sang coulait sur ses doigts. Une partie de son pansement sortait de la manche de son blouson, un bout de charpie gorgé de sang.

A cette vue, son estomac se noua douloureusement. Deke devait avoir perdu au moins un demi-litre de sang, voire davantage. Elle l'avait pansé comme elle avait pu, mais il aurait fallu des points de suture et des antibiotiques pour stopper l'infection.

Une salive âcre lui emplit la bouche. Elle avala douloureusement et consacra toute son énergie à repousser la nausée qui montait. Le sulfate de magnésium qu'on lui avait donné était parfait pour stopper l'accouchement, mais il donnait presque immanquablement des haut-le-cœur. Elle serra les dents comme elle le put, pour l'éviter.

Au moins, les terroristes avaient un véritable infirmier parmi eux, songea-t-elle.

— Laisse partir Mindy, insista Deke.

Ces mots paraissaient sourds et déjà lointains. Frank James lâcha de nouveau un rire méprisant.

Aussi calmement qu'elle le pouvait, Mindy examina leur situation. Elle n'était pas bonne. A en juger par la pâleur de Deke et à la façon dont il vacillait sur place, c'était un miracle s'il tenait toujours debout.

Un miracle et aussi le résultat de sa vaillance, et de sa détermination. Il était admirable, mais ce dont il avait besoin dans l'immédiat, c'était d'une bonne transfusion sanguine : sa peau paraissait tirée sur ses os, sa bouche n'était plus qu'un trait et ses narines se pinçaient tandis que ses tempes, son cou et son front se mouillaient de sueur.

Reste avec moi, Deke. Ne me quitte pas, aurait-elle voulu lui dire. Mais c'était bien inutile. Il était l'homme le plus brave qu'elle avait jamais rencontré. Il mourrait sans regret pour sauver un innocent et serait prêt à tout endurer pour son fils. Mais il s'était poussé lui-même au-delà des limites physiques de tout homme normalement constitué et il était au bout de son rouleau.

Que l'amour de sa vie fût un mortel comme les autres et que même sa volonté de fer ne pût pas toujours le rendre vainqueur fit passer un frisson d'épouvante dans tout le corps de Mindy, comme une étincelle sur une coulée de pétrole. Sa terreur se manifesta par une nouvelle nausée. Mais sa gorge était trop sèche pour qu'elle pût la ravaler, alors elle ferma les yeux et attendit que la vague de profond malaise s'éloigne. Au même instant, le petit La Globule lui donna un coup de pied, comme pour lui rappeler que tout ce qu'elle faisait, tout ce qu'elle ressentait l'affectait, lui aussi.

Pour le moment, le sulfate de magnésium avait fait son œuvre, mais Mindy s'attendait au retour des contractions d'une minute à l'autre. A plus de huit mois de grossesse, La Globule était viable, et il naîtrait dans les prochaines vingt-quatre heures, aurait-elle parié avec tout son savoir et son expérience d'infirmière.

Mais il ne devait pas venir au monde dans le tunnel d'une mine, otage de terroristes, et certainement pas non plus être orphelin, s'épouvanta Mindy.

Il lui fallait un plan…

— Bien sûr, tu parais sincère, Cunningham, disait Frank James. Mais tu mens tout le temps. Même avec un canon sur la tempe, tu mens.

Celui qu'elle avait elle-même sur le front lui entrait dans la chair. Elle ne pouvait pas voir James, mais Deke était en face. Son teint virait au gris et ses yeux ne se fixaient même plus. Il fit un pas vacillant en avant. L'un des soldats s'avança et lui balança un coup de crosse en pleine tête. Le choc résonna comme une détonation et Deke s'écroula sur le sol.

— Non ! s'écria Mindy à travers son bâillon.

— Debout, bâtard ! grogna le garde avec un lourd accent.

Il leva de nouveau la crosse de son fusil d'assaut.

— Arrêtez ! cria Mindy, désespérément.

— Attends ! coupa sèchement James. Mort, il ne nous servira à rien. Relève-lui la tête, je veux qu'il voie ça.

Le garde prit Deke par les cheveux.

Deke se mit sur les genoux. Il garda un instant les yeux fermés, puis les cligna plusieurs fois.

Je t'en supplie, ne résiste pas, lui dit Mindy silencieusement.

— Voyons un peu si tu peux mentir avec un canon posé contre sa tempe à elle, reprit James. Est-il chargé ? Ne l'est-il pas ?

Il releva le chien du revolver et Mindy ferma les yeux.

— Et vous, madame Cunningham, qu'est-ce que vous en pensez ?

Et sans crier gare il lui retira son bâillon.

Elle lécha ses lèvres sèches. Le petit La Globule n'arrêtait pas de bouger.

Mais ce minable n'allait pas la tuer, réfléchit-elle. C'était impossible : s'il le faisait, il n'obtiendrait plus rien de Deke. Pourtant, ce raisonnement logique ne la faisait pas se sentir mieux.

Deke releva la tête. Les dents serrées, pâle comme un mort, il murmura :

— Attendez…

— Non, Deke non, murmura-t-elle. Il ne fera rien, il a besoin de moi.

— Ah, vous croyez ça, dit James entre ses dents, mais en relâchant toutefois la pression de l'arme contre sa tête.

Mindy retenait son souffle.

— Je ne sais pas si Rook est toujours vivant…, lâcha Deke.

En réponse, James pressa de nouveau son canon contre la tempe de Mindy…

— Je ne le sais pas, ajouta précipitamment Deke, mais

je sais où il y aurait de fortes chances pour qu'il soit, s'il est toujours en vie.

— Tu sais où il serait s'il était vivant, mais tu ne sais pas où il est ?

Frank James eut un rire narquois et méprisant.

— Désolé, je ne marche pas à ça non plus. On dirait que tu n'es pas décidé à dire la vérité.

Il appuya sur la détente et le chien claqua à vide. Un simple déclic, mais qui ressemblait presque à un coup de tonnerre. La poitrine de Mindy lui semblait prise dans un étau. Elle devait lutter pour respirer et le petit La Globule bougeait frénétiquement en elle, faisant comme des vagues sous ses côtes.

James adressa un signe à ses comparses, et les deux gardes se précipitèrent sur Deke pour le relever. Il n'ouvrit pas la bouche. Parce qu'il était stoïque, parce qu'il souffrait, parce qu'il était au-delà de l'épuisement ? Mindy ne parvenait pas à le savoir. Sa tête roulait sur son épaule et il ne pouvait pas même se tenir debout.

— Très bien, Cunningham, on va voir jusqu'où tu as du cran… A chaque heure du jour, je mettrai une balle dans le barillet, viendrai poser l'arme sur la tempe de ta femme, et fatalement, à un moment ou à un autre : boum ! Et toi, je passerai te casser un doigt toutes les demi-heures. Tu auras un peu de mal, ensuite, à tenir une arme…

Il fit de nouveau signe aux gardes et ceux-ci traînèrent Deke vers la porte, au fond de la pièce.

— Tu sais, Cunningham, lui lança James. Il n'y a qu'une seule chose que nous voulions vraiment. Mène-nous jusqu'à Irina Castle, et ta femme et ton fils n'auront rien à craindre.

Deke émit sourdement un juron entre ses dents, mais le faux cow-boy se contenta de sourire plus largement.

Pourvu que Deke sache ce qu'il faisait, pria Mindy. Car Frank James leur avait montré son visage à découvert : ils ne sortiraient pas vivants de là…

10

Il y avait une horloge pendue au mur, intentionnellement, Mindy n'en doutait pas. Elle pouvait donc anticiper, minute par minute, voire seconde par seconde, l'instant où les gardes viendraient casser un doigt à Deke. Une demi-heure plus tard, James entrerait, son revolver à la main, qu'il chargerait d'une seule balle. Puis il ferait tourner le barillet, lui presserait le canon contre la tempe et appuierait sur la détente.

Mindy déglutit, et une petite contraction tira ses muscles abdominaux

Reste tranquille, petit La Globule, ne bouge pas. Maman a besoin d'un peu de temps pour trouver le moyen de sauver papa.

Il y en avait forcément un. Novus Ordo ne la ferait pas tuer tant qu'il penserait que Deke détenait bien le secret qu'il voulait. Il ne laisserait pas non plus le seul hasard décider de sa vie ou de sa mort. La balle qui monterait dans le canon devait donc nécessairement être à blanc.

L'aiguille des minutes s'avança d'un cran et le cœur de Mindy se mit à battre plus vite. Il était 11 h 29 : dans une minute exactement, ils iraient casser un doigt à Deke.

Elle se mit à crier, bien qu'elle fût seule dans la pièce.

— Arrêtez ! Je le ferai parler, je le jure, mais ne lui faites pas de mal !

Elle s'interrompit, en alerte, mais la seule réponse fut un silence assourdissant.

— Ne lui faites pas de mal, répéta-t-elle, les yeux toujours fixés sur la pendule.

Lorsque l'aiguille se mit à bouger, ses yeux s'emplirent de larmes.

— Non, je vous en prie, non ! hurla-t-elle quand la flèche s'arrêta sur le six.

La porte s'ouvrit derrière elle, et elle se tortilla pour voir qui entrait. Frank James s'avança.

— Qu'est-ce que vous avez à crier comme ça ? lança-t-il d'un ton rogue.

— Où est Deke ? Est-ce qu'il va bien ? Est-ce que vous lui…

James leva la main.

— Une minute, une minute… Tâchez de rester calme, qu'est-ce que vous racontez ?

Mindy le fixa du regard. Il tenait dans ses mains leur destin à tous les trois : Deke, leur enfant et elle.

— S'il vous plaît, supplia-t-elle, ramenez Deke ici ou bien amenez-moi auprès de lui. Je m'engage à lui faire dire toute la vérité.

— Il vous l'a dite, la vérité ?

Elle fit de son mieux pour ne pas détourner les yeux du regard fixe de son geôlier, mais ne put s'empêcher de ciller.

— Donc, il vous l'a dite, en conclut Frank James. Pourquoi vous ne me la dites pas, alors ?

Cette fois, elle baissa les yeux. Qu'est-ce que Deke aurait voulu qu'elle réponde ?

Le faux cow-boy fit un pas vers elle.

— Madame Cunningham ? Je vous cause.

Elle releva les yeux.

— Il m'a dit qu'il ne savait pas où se trouve Rook.

Les petits yeux porcins de Frank James la fixèrent longtemps. Elle voyait presque tourner les petits rouages de son cerveau. Il devait décider s'il la croyait ou non.

Elle essaya de garder une expression parfaitement neutre tandis qu'elle réfléchissait elle-même à toute allure.

Depuis qu'on l'avait capturée et amenée ici, elle savait que cet instant allait venir, mais elle n'avait pas pu mettre au point ce qu'elle devrait répondre aux questions. Elle ne voyait à peu près clairement qu'une chose. Si elle confortait son geôlier dans l'idée que Deke ignorait l'endroit où pouvait bien se trouver Rook, alors le terroriste arriverait à la même conclusion qu'elle-même : qu'ils ne lui étaient plus d'aucune utilité.

Finalement, il parla.

— Et vous le croyez ?

Lentement, délibérément, elle croisa son regard de nouveau.

— Non.

L'œil de Frank James se mit à pétiller et les coins de sa bouche se relevèrent. S'amusait-il ou était-il satisfait de l'avoir fait avouer ? Elle n'aurait su dire.

— Pourquoi je devrais vous croire ? demanda-t-il.

— Les hommes se préoccupent de choses comme l'honneur, la patrie, la liberté, et ils sont prêts à mourir pour tout ça…

Elle prit une profonde inspiration.

— … Mais moi je suis une femme, et il n'y a que deux choses pour lesquelles j'accepterais de mourir, dit-elle, la main sur son ventre. Mon enfant et Deke. Mais je ne veux pas mourir.

James rit.

— Bien dit, madame Cunningham.

— Alors, vous allez m'emmener voir Deke ?

— On en reparlera…

Il se leva et se dirigea vers la porte.

— Attendez, lui cria-t-elle. Ne me sous-estimez pas, je peux le faire parler, je vous assure. Attendez, je vous en prie !

Mais la porte se referma. James n'allait pas revenir. Pas tout de suite, en tout cas.

*
* *

Deke releva un peu la tête. S'était-il évanoui ? Ou avait-il rejoint l'autre monde ? En tout cas, sa tête était lourde, et la transpiration lui coulait jusque dans les yeux. Pendant deux ou trois secondes, il ne sut pas où il était. Il voulut lever sa main pour s'essuyer le visage, mais n'y parvint pas. Il était attaché, de nouveau.

Ses souvenirs revinrent lentement. Mindy et lui étaient les prisonniers d'un type ridicule habillé en cow-boy d'opérette et qui se faisait appeler Frank James, mais devait travailler pour Novus Ordo. Il ne l'avait pas encore avoué, mais c'était certain.

Il faillit éclater d'un rire ironique. Ces liens allaient-ils être aussi faciles à défaire que les précédents ? Non, malheureusement. Faible et malade comme il l'était, il aurait été incapable de dénouer les rubans d'un cadeau de Noël…

On l'avait assis dans un fauteuil de bois, derrière un bureau. Il baissa les yeux : sa main gauche était attachée à l'accoudoir. Son bras droit, ficelé à l'autre, était rouge de sang. Il fixa le bandage trempé.

Comment était-ce arrivé ? Il avait le souvenir d'une lame tranchant l'air, puis d'une vive douleur, comme une brûlure. Aucun visage, aucun nom ne lui revenait à propos de cette image. En revanche, il reconnaissait la charpie qui formait le pansement. Sa chemise, une blanche, toute neuve… Mindy l'avait déchirée en bandes pour pouvoir le soigner.

Ce pansement avait parfaitement rempli son office. Il recouvrait encore partiellement la blessure. Mais, çà et là, le tissu trempé avait glissé et révélait les bords vilainement enflammés de la plaie. Il pouvait bouger les doigts. Enfin… Le pouvait-il vraiment, ou n'était-ce qu'une illusion ?

Il cligna les yeux, pour essayer de les débarrasser de la sueur qui coulait de son front, puis leva la tête, cherchant la source de lumière dans la pièce. C'était une ampoule nue sur un pied, simplement posé sur une table de bois. Elle ne produisait que peu de lumière, à peine assez pour qu'il puisse distinguer les contours des objets autour de lui. Au-dessus de la lampe, il y avait un calendrier mural publicitaire de l'année 1959 et un présentoir à stylos de bois.

Il y avait aussi des fenêtres, obscurcies par d'épais rideaux. Cette pièce se trouvait donc au-dessus de la surface : peut-être un bureau d'ingénieurs de la mine ou bien celui du directeur de l'hôtel.

A côté de la porte, des rayonnages étaient chargés de vieux dossiers et registres. C'était une ambiance qui aurait beaucoup plu à Mindy : elle adorait ce genre d'endroits.

Deke ne put s'empêcher de sourire. Mindy… Lorsqu'ils seraient sortis d'ici, il faudrait qu'il lui en parle.

L'ironie de ces quelques mots le frappa instantanément. Lorsqu'ils seraient sortis ? Ils en étaient encore loin.

Ces souvenirs revenaient en foule. Il était venu sauver Mindy, mais ils avaient été piégés dans une mine abandonnée et Frank James lui avait donné un coup de couteau.

Puis, parti pour chercher une issue, il était tombé sur un cul-de-sac. Et quand il était revenu sur ses pas il n'avait plus trouvé Mindy. Elle avait été reprise par Frank James.

Le son d'un marteau frappant le métal lui résonna aux oreilles. Etait-on… un autre jour ?

Mais non, pas un autre jour. Une heure plus tard, simplement. Une journée n'avait pas pu s'écouler : on n'était pas encore venu avec un marteau, justement, pour lui écraser un doigt. Puis, une demi-heure plus tard, ces salauds joueraient à la roulette russe avec Mindy…

Savoir l'heure exacte lui aurait permis d'élaborer un plan pour sortir de là et sauver Mindy. Elle ne méritait rien de ce qui lui arrivait. Elle était innocente, autant qu'un nouveau-né.

Un bébé…

Deke se sentait la tête lourde. Il risquait de retomber dans un sommeil profond. Si seulement il pouvait s'essuyer les yeux… Ils le brûlaient comme du feu et il ne pouvait penser à rien d'autre. Il voulut bouger sa main droite mais, non, ce n'était pas possible. Il regarda pensivement ses doigts : lequel allaient-ils briser le premier ? Il frissonna.

Ça n'avait guère d'importance, après tout. Mais il aurait bien voulu être définitivement sorti de ce bureau et pouvoir se concentrer sur le sauvetage de Mindy.

Pour s'occuper, il chercha des caméras dissimulées dans la pièce. On lui avait appris à les reconnaître dans les forces spéciales, lors des formations destinées à ceux qui risquaient de se retrouver prisonniers en territoire hostile.

Il avait déjà scruté avec attention le mur devant lui sans rien trouver, quand une clé joua dans la serrure. La porte tourna lourdement sur ses gonds. C'était Frank James, et le garde qui l'accompagnait tenait un gros marteau.

— Nous voilà, Cunningham, tonna le faux cow-boy. Tu as quelque chose à nous dire, ou on y va directement ?

— Bon Dieu, allez-y, grogna Deke en réponse. Je n'ai rien à vous dire.

James fit un signe de tête au garde. Son marteau devait peser à peu près trois kilos, jaugea Deke. Ce n'était pas énorme, mais suffisant pour pulvériser un doigt.

Le garde leva son outil en l'air, à deux mains, comme un joueur de base-ball sa batte, et se prépara à frapper.

Deke aurait donné cher pour pouvoir défier le cow-boy d'opérette en le regardant bien en face pendant toute l'opération. Mais il avait toujours autant de mal à ouvrir les yeux. Il serra les dents pour ne pas laisser échapper un seul cri de douleur

— Attends !

Surpris, Deke sursauta. Frank James venait d'arrêter le geste du garde. Deke retint à grand-peine un spasme nerveux du bras en réaction.

— Désolé, Cunningham, j'oubliais quelque chose. Ça te plairait que ta femme vienne te voir ?

Deke ravala sa bile et fixa le terroriste sous ses paupières à demi fermées.

— Qu'est-ce que tu me chantes là ? demanda-t-il, l'estomac noué.

— Je te pose une simple question. Ta femme m'a supplié de ne pas te briser les doigts et disait qu'elle voulait te voir.

Deke se dressa autant qu'il le pouvait dans la position où il se trouvait.

— Qu'est-ce que tu lui as fait, salaud ? demanda-t-il, serrant les dents toujours plus fort contre le vertige qui s'emparait de lui.

— Ce que je lui ai fait ? Rien du tout. Je t'ai dit ce que je voulais faire, tu sais exactement à quoi t'en tenir. Mais Mme Cunningham est si jolie et charmante que je ne peux pas lui refuser ça…

— D'accord, eh bien, je veux la voir, moi aussi…

Deke avait répondu d'un ton calme et mesuré. Il ne comprenait pas le plan de James, mais cela avait dû être prévu et mis au point par Novus Ordo.

Plutôt que de poser des questions qui n'auraient pas de réponse, il ferma les yeux.

— Je ne me sens pas bien, dit-il, alors dépêchez-vous. Je suis en danger de saigner à mort et je voudrais revoir ma femme, avant.

— Ton ex-femme, corrigea James.

Il fit un signe au garde qui baissa son marteau et quitta la pièce.

— J'ai un message à faire passer à Novus Ordo, lui lança Deke, dès que l'homme fut sorti.

— Je ne vois pas de qui tu veux parler, répondit Frank James, désinvolte. Mais dis toujours, cela risque d'être drôle…

— Tu lui diras qu'il a fait une grave erreur en s'attaquant à mes amis et à ma femme. Il me connaît et il sait que je ne parle pas pour ne rien dire. Alors, qu'il sache bien que, même si c'est la dernière chose que je puisse faire sur terre, j'aurai sa peau.

James se mit à glousser.

— Novus Ordo, tu veux parler du terroriste international ? Tu as vraiment de l'imagination, tu sais…

Puis le faux cow-boy se pencha, jusqu'à ce que leurs visages se touchent presque.

— Maintenant, laisse-moi te délivrer un message à mon tour. Tu te crois très malin, mais ce n'est pas le cas. Tu me traites comme une quantité négligeable, mais tu vas bientôt apprendre qui je suis et, quand tu apprendras, je serai là pour te faire regretter de ne pas plus me respecter…

Au fond du brouillard qu'il avait devant les yeux, Deke scruta le visage ingrat de James et ses petits yeux porcins. Il baissa lui-même les paupières, pour bien montrer que les paroles du faux cow-boy l'ennuyaient profondément. Mais en fait il essayait de se remémorer chaque trait de Novus Ordo.

Frank James ne pouvait être qu'un proche parent du terroriste. Peut-être même Novus Ordo… Non, l'homme le plus recherché de la planète n'intervenait certainement pas en personne sur le territoire des Etats-Unis.

Deke pressa encore davantage ses paupières, et une multitude d'étoiles rouges apparurent. Puis il rouvrit très légèrement les yeux : Frank James s'était redressé et le regardait avec haine et mépris.

La porte s'ouvrit et le garde entra en entraînant Mindy par le bras. Elle avait toujours les mains liées dans le dos, nota Deke.

Elle se tourna vers lui, et son visage devint très pâle. Elle chancela, au point que le garde dut la soutenir.

— Deke ! Est-ce qu'il t'a…

Elle posa un regard inquiet sur ses mains, puis se détendit.

— Oh ! Merci, mon Dieu ! soupira-t-elle

James lui désigna un fauteuil, de l'autre côté du bureau.

— Si vous voulez bien vous asseoir, madame Cunningham…

— Pour l'amour du ciel, il faut lui donner de l'eau, s'écria Mindy, sinon il va mourir. Il a perdu trop de sang. Où est l'infirmier qui m'a soignée ?

James fit un nouveau signe au garde qui tourna les talons et quitta la pièce.

— Comment te sens-tu, Mindy ? lui demanda Deke, nerveux.

— Ça va, répondit-elle. Les médicaments qu'ils m'ont donnés ont stoppé les contractions, pour le moment du moins.

L'homme en treillis camouflé revint presque immédiatement avec une grande bouteille d'eau. James la prit et la porta aux lèvres de Deke. Il le fit sans précaution. Deke ne put boire proprement. De l'eau lui coula sur le torse, mais il réussit tout de même à en ingurgiter probablement un demi-litre. Tout de suite, il se sentit mieux. L'hydratation dissipa le brouillard de ses yeux et la lourdeur de ses membres.

— Maintenant que tu as fait le room-service, lança James à son homme de main, attache-la à son fauteuil, elle aussi.

— Non, je vous en prie, supplia-t-elle. Je ne me sens pas bien. Si les contractions reviennent, il faudra que je m'étende. Liez-moi les mains par-devant et ne m'attachez pas au fauteuil. Si j'entre en travail, il faudra que je puisse bouger, ou bien…

Ses yeux se remplirent de larmes, et elle sanglota.

— Ou bien je vais perdre mon bébé.

James roula des yeux faussement étonnés.

— D'accord, d'accord, dit-il. Très bien, on fera comme vous dites. Mais laissez-moi vous prévenir, madame Cunningham : ça ne servira à rien de fureter autour de la pièce, elle a été complètement nettoyée de tout ce qui aurait pu servir d'arme, ou vous permettre de trancher vos liens. Je ne souhaite pas du tout qu'il arrive quelque chose à votre gamin. Par contre, ma patience a des limites. Si vous ou

Cunningham tentez quoi que ce soit, je reviendrai à mon plan initial, mais avec des changements.

Son regard alla se poser sur Deke, puis revint vers elle.

— Au lieu de lui briser les doigts, je les lui couperai. J'ai un coupe-cigares qui fonctionne très bien et fera parfaitement l'affaire.

Mindy chancela de nouveau comme si elle allait s'évanouir. Le garde dut l'empêcher de s'effondrer.

— Bon Dieu, James, gronda Deke, pourquoi tu l'as amenée ici ? A quoi cela te sert, qu'elle doive supporter tout ça ?

— Je la laisse te dire elle-même pourquoi elle est là.

Il se tourna vers son complice.

— Attache-lui les mains. Par-devant, pas dans le dos.

— Pas… La chaise ? demanda l'homme en mauvais anglais.

— Non.

James se tourna à demi vers la porte.

— Au revoir, madame Cunningham. Je reviendrai papoter avec vous… Dans une heure.

Mindy ouvrit la bouche pour parler, mais Deke lui fit silencieusement signe de n'en rien faire et elle se tut.

Il attendit plusieurs minutes avant de lui faire signe de la tête de venir le rejoindre. Elle se leva avec précaution de son fauteuil de bureau et se dirigea vers lui.

— Penche-toi, lui murmura-t-il.

Elle s'approcha, et son parfum de mandarine… la douceur de ses cheveux proches de ses lèvres lui mirent un peu de baume au cœur.

— J'ai inspecté la pièce, chuchota-t-il. Je suis presque sûr qu'il n'y a pas de caméras de surveillance, mais il y a peut-être des micros. Alors réponds à voix haute à ce que je te dirai de la même manière et en chuchotant quand je chuchoterai. Tu as toujours le couteau ?

Elle acquiesça, désignant sa poitrine.

— Gentille petite ! s'exclama-t-il à voix haute.

Puis, plus bas :

— Pourquoi James a-t-il dit que tu me dirais pourquoi tu es là ?

— Oh ! Deke, je t'en prie, répondit Mindy en s'efforçant d'attraper le couteau avec ses mains liées. J'étais tellement inquiète, j'avais peur qu'il ne te brise les doigts. Je t'en prie, je t'en supplie, dis-lui ce qu'il veut savoir et il nous relâchera.

Finalement, elle attrapa le couteau et appuya sur le cran d'arrêt pour débloquer la lame. Deke lui montra ses poignets d'un signe du menton.

— Je t'ai déjà dit ce que je savais, chuchota-t-il. Tu ne me crois pas ?

Mindy trancha ses liens entre les poignets. Deke détendit sa main gauche, puis la droite.

— Est-ce que je peux te croire, seulement, soupira-t-elle. Tu m'as tellement menti…

Elle secoua la tête et ses yeux se remplirent de larmes. Elle était malheureuse de lui dire ces choses-là, il le savait. Mais, après tout, il le méritait : il ne lui avait jamais raconté de mensonges, bien sûr, mais lui avait menti par omission, continuellement.

— Je suis désolé, Mindy. Je ne voulais pas te faire de peine.

Elle hocha la tête, et des larmes coulèrent sur ses joues. Il lui prit le couteau et trancha à son tour les cordes qui entravaient ses poignets délicats.

— Deke, reprit-elle, je t'en prie, explique-moi tout ce que tu sais. Je suis certaine que tu n'as pas dit toute la vérité à James.

— Tu crois que je sais quelque chose de plus à propos de Rook ? s'emporta Deke. Voyons, Mindy, il était mon meilleur ami et Novus Ordo l'a fait tuer. Même si je savais quelque chose, tu crois que je le dirais à l'un de ses complices ?

Elle se pencha plus près.

— Mais maintenant ? murmura-t-elle.

— Tu sais quelle heure il est ? lui demanda-t-il tout à trac. Elle le regarda avec surprise.

— A peu près 15 h 30, pourquoi ?

Il ne répondit pas tout de suite. Il n'était pas prêt à lui dire ce qu'il avait en tête.

— Mais, Deke, poursuivit-elle tout haut, si Novus Ordo avait tué Rook, pourquoi nous aurait-il fait capturer et pourquoi croirait-il que Rook puisse toujours être vivant ?

— Pour la même raison qui a fait qu'Irina n'a jamais abandonné : parce qu'on n'a jamais retrouvé son corps. Il est possible qu'Ordo n'ait pas grande confiance dans ses tueurs. Mais, si Rook était vivant, crois-tu qu'il n'essaierait pas d'entrer en contact avec sa femme et qu'il accepterait qu'elle le croie mort ?

Mindy le fixa, interdite, et réfléchit un instant.

— Peut-être a-t-il été défiguré et ne veut-il pas qu'elle le voie dans cet état, ou bien peut-être qu'il est amnésique…

Deke eut un rire bref.

— Allons, Mindy, c'est du roman-feuilleton…

— Et s'il se cachait ? S'il était vivant, mais qu'il devait faire croire à Novus Ordo qu'il est bien mort ? Peut-être que le traqué n'est pas celui que l'on croit. Peut-être qu'en ce moment Rook recherche Novus Ordo.

Deke laissa pendre son bras et hocha la tête.

— Je ne sais pas ce qu'ils ont mis dans tes médicaments, mais tu délires complètement. Rook est mort et le fait que Novus Ordo braque un revolver sur ta tête ou sur la mienne n'y changera rien.

11

— Voilà, c'est fait. J'ai trouvé un moyen de tromper la sécurité et d'entrer dans le ranch. Ça ne va pas être facile, il faudra probablement n'utiliser cette possibilité qu'en dernier ressort.

— En dernier ressort ? A quoi bon un dernier ressort, quand on n'a même pas le premier ?

— Je travaille sur une autre option, qui serait plus facile et moins risquée. Demain, c'est la visite mensuelle d'Irina au service des enfants grands brûlés de l'hôpital. Elle n'y manque jamais quand elle vient en ville. Elle s'y fera vraisemblablement conduire par l'un des spécialistes de son service. Je suis sûr que c'est ce que Cunningham lui a conseillé.

— Quel est ton plan, alors ?

— Tirer sur son chauffeur, pour le blesser seulement. Qu'il aille à l'hôpital pour un jour ou deux, voire trois. Si un de ses hommes est hospitalisé, elle viendra le voir chaque jour.

— Il n'est pas bien précis, ton plan. Il y a suffisamment de lacunes pour que s'y engouffre un semi-remorque.

— Ah oui ? Et tu as une meilleure idée ?

La voix à l'autre bout du fil resta silencieuse quelques secondes.

— Tu crois peut-être que j'ai des dizaines de tireurs d'élite qui attendent tranquillement que je claque des doigts ? Continue plutôt à travailler sur le franchissement des postes de sécurité. C'est un vaste périmètre. Il y a forcément des trous dans le filet…

— Et Cunningham ?

L'homme au bout du fil jura sourdement en arabe.

— Il maintient que Rook Castle est mort, même quand il est seul avec sa femme.

— Tu crois qu'il ne devine pas que la pièce est truffée de micros ? Cessez ce petit jeu-là, de menacer sa femme. Agissez. Et qu'ils s'en souviennent.

L'interlocuteur lâcha un soupir de frustration.

— Je ne suis pas sûr qu'Elliott ait suffisamment de cran pour ça.

— Peut-être que tu devrais trouver quelqu'un qui a suffisamment d'estomac pour cela…

Il y eut un lourd silence à l'autre bout du fil. Il resta sans parler, lui aussi, à regarder ses mains trembler. Etait-il allé trop loin ? Il venait juste de donner à l'homme le plus dangereux de la planète une bonne raison de vouloir le tuer.

— Contente-toi de me livrer Irina Castle et laisse-moi me charger du reste.

— Bon, mais ne fais pas l'erreur de sous-estimer Cunningham. Je peux assurer qu'il est tout sauf stupide.

— Qu'est-ce qu'on va faire, Deke ? murmura Mindy. Il va revenir et alors… Il va te…

Elle refoula une violente nausée.

— Il va…

Elle n'arrivait pas à prononcer ces mots.

— Je ne le laisserai pas faire ça, bafouilla-t-elle. Pourquoi ne pas lui dire quelque chose qui le satisfasse ?

Deke prit sa main et lui chuchota à l'oreille :

— Ecoute-moi, Mindy. Je t'assure que j'aimerais mieux mourir que de te faire peur, mais il faut que tu comprennes bien ce qui se passe ici. Il n'y a rien que je pourrais leur révéler qui aurait la moindre chance de les satisfaire. Rien du tout… Quoi que je dise, le résultat sera strictement le même.

Mindy eut un haut-le-cœur.

— Le même résultat ? Que veux-tu dire ?

Il secoua la tête.

— Tu sais très bien ce que je veux dire. Peux-tu faire semblant d'avoir sommeil ? Je veux dire, pour qu'ils l'entendent… J'ai quelque chose à faire.

Mindy se redressa et déclara tout haut :

— Tout cela, c'est trop pour moi. Je suis épuisée et j'ai de petites contractions.

— Tu ne vas pas accoucher ?

— Mais non, le médicament fait toujours effet, mais j'ai besoin de repos. Cela t'ennuie, si je me rassoie dans mon fauteuil pour dormir un peu ?

Il lui fit un discret signe d'approbation pour son manège et répondit tout haut :

— Bien sûr que non, ma chérie, tu as à peu près quarante minutes avant qu'ils viennent me couper un doigt…

Bien sûr, il parlait pour que leurs geôliers l'entendent, mais ces mots lui serrèrent le cœur.

— Deke, je ne voulais pas…

— Tire ton fauteuil près de moi, tu pourras t'appuyer contre mon épaule…

— C'est bien gentil à toi, lui dit-elle, très raide. Je ne veux pas qu'ils te fassent du mal.

— Ravi de l'apprendre, merci !

Elle lui fit une grimace et tira ostensiblement le fauteuil de bureau vers lui, puis s'y assit d'une façon tout aussi ostentatoire.

— Oh ! soupira-t-elle, je suis bien fatiguée… C'est gentil de me laisser me reposer sur toi.

Quand elle fut installée, Deke lui murmura :

— Est-ce qu'ils sont passés par l'espèce de vestibule, pour t'amener ici ?

Elle acquiesça.

— Donc, c'est bien la troisième porte qui mène dans cette pièce ?

— Oui, pourquoi ?

— Parce que je sais peut-être comment nous échapper.

Mindy porta sa main à sa bouche pour étouffer un cri. Ces dernières heures, elle avait essayé de ne pas trop penser à l'avenir proche, mais elle n'avait jamais imaginé s'en sortir.

Deke mit sa main sur la sienne et lui chuchota :

— Je ne peux pas te cacher que ce sera extrêmement dangereux. Nous allons peut-être mourir.

Voilà, c'était arrivé. Son seul repère, c'était la force, la confiance de Deke. Mais s'il pensait qu'ils pouvaient mourir…

Le sang se retira de son visage et une sueur glacée lui coula dans le dos.

— Bien…, murmura-t-elle.

— Je ferai tout ce que je pourrai, lui dit-il, pour que tu en sortes vivante.

— Pour l'instant, je le suis…

Il hocha la tête, mais sans la regarder.

— Qu'est-ce que je dois faire, alors ?

— Entrer en travail.

Elle ne put retenir un éclat de rire nerveux. Il leva la main pour l'arrêter.

— Mindy, ça va ? lui demanda-t-il à voix haute.

— Quoi ? répondit-elle de même. Je dormais…

— Tu faisais un rêve. Rendors-toi.

— Entrer en travail ? répéta-t-elle, en chuchotant cette fois.

Avait-elle bien entendu ? Il parlait si doucement, elle n'en était pas sûre.

Il acquiesça nettement.

— J'ai besoin que tu fasses diversion pour agir quand ils reviendront.

— Deke, tu es blessé et aussi faible qu'un chaton. Tu ne pourrais même pas attraper une souris.

Il lui fit une grimace.

— Je suis pourtant ton seul espoir, répliqua-t-il.

— Bon, explique-moi ton plan…

Il la regarda un instant puis annonça très calmement :

— Je vais faire sauter une galerie.

Cette fois, elle mit ses deux mains sur sa bouche pour ne pas crier. Il posa la sienne dessus et articula doucement :

— Dynamite…

Elle voulut parler, mais il secoua la tête. Elle se tut, tandis que défilaient dans sa tête de sinistres images de fumée, de rochers qui explosaient et de corps démembrés.

— Quand je te le dirai, il faudra courir, ajouta-t-il. Tu dois sauver ton… notre… petit La Globule.

Machinalement, elle baissa les mains pour les poser sur son ventre.

— Ils seront là dans une minute. Reste comme ça, les mains sur tes genoux…

Il arrangea rapidement le reste des cordes pour faire croire qu'elle était toujours attachée, puis se pencha de nouveau à son oreille.

— Ecoute, lui dit-il, ça va les tromper un petit moment. Nous n'aurons pas beaucoup de temps, peut-être trente secondes. Commence à faire comme si tu accouchais.

Elle se pencha à son oreille. Elle aurait bien aimé en profiter pour l'embrasser sur la joue, simplement, mais elle devait se montrer forte, elle le savait.

— Qu'est-ce que tu veux faire ? se contenta-t-elle de lui demander.

— Je vais me cacher derrière la porte.

— Et ensuite ? La leur claquer sur le nez ?

Il secoua la tête.

— J'ai le couteau et le Taser. Quand je leur sauterai dessus, cours vers la porte Sud. J'ai pu arracher des planches de la trappe avant qu'ils me reprennent. Monte très vite l'escalier et sors de l'hôtel. Tu te rappelles ce que je t'ai dit, pour ma voiture ?

Elle hocha la tête, l'air un peu égaré. Deke était en plein conte de fées, ou quoi ? Comment voulait-t-il qu'elle puisse passer par une trappe, escalader en courant un escalier et retrouver sa voiture ? Dans son état, elle en était bien incapable. Mais elle allait essayer, néanmoins, puisque c'était sa seule chance. Si Deke n'abandonnait pas, elle ne renoncerait pas non plus.

— Tu te rappelles ce que je t'ai dit ? reprit-il. Si les hommes d'Irina ne sont pas encore arrivés, il y aura un téléphone portable sous le siège du chauffeur, avec les clés. Le numéro d'Irina est le premier de la mémoire, il te suffira de presser le bouton pour l'appeler. Puis démarre et fuis vers l'est aussi rapidement que tu le pourras.

— Et toi ?

— Moi, je peux me débrouiller.

Deke alla se placer immédiatement à côté de la porte. Ainsi, lorsque James ou les gardes ouvriraient, il serait parfaitement placé pour leur sauter dessus. Il tenait le petit Taser de poche dans sa main droite, la plus faible, et le couteau dans la gauche. Il abaissa la puissance électrique du Taser au cran minimum et pressa le bouton. La décharge, pourtant faible, lui fit crisper les doigts.

— Ça marche, dit-il avec un petit sourire de satisfaction.

Mindy lui sourit en retour et leva son pouce. Deke régla l'intensité du Taser au maximum, puis se tourna de nouveau vers sa femme.

— Mindy ?

C'était à peine un murmure, mais il traversa la pièce.

— Oui ?

— Je... je n'ai jamais aimé que toi, tu sais...

Les yeux de Mindy s'embuèrent de larmes.

— Oh... Deke...

— Tu es prête ?

— Est-ce que je dois parler tout haut ?

— Dis tout ce que tu voudras, mais fais du bruit.

Mindy se mit instantanément à gémir. Il se plaça en position d'attaque, tout en admirant Mindy. Elle « rejouait » les contractions qui s'accéléraient, comme lorsqu'ils étaient dans le tunnel de la mine.

Une sueur froide lui coula alors dans le dos. Et si elle entrait réellement en travail ? Que pouvait faire et ne pas faire une femme en train d'accoucher ? Il n'en savait trop rien, mais courir et monter un escalier quatre à quatre ne devaient pas vraiment en faire partie…

Elle se mit à gémir plus fort et à souffler…

Deke se tenait prêt. Il aurait bien aimé savoir de combien de temps il disposait avant que James ne revienne. Il avait normalement un très bon sens du temps qui passait, mais trop de facteurs jouaient contre lui, aujourd'hui.

Il était faible et tremblant à cause de l'infection et du sang qu'il avait perdu. Pour la première fois, il se posait des questions sur sa capacité à vaincre Frank James et ses gardes. Et puis il y avait Mindy. Il la regarda. Ses cheveux étaient emmêlés, ses yeux cernés de noir. Pourtant, elle restait la plus jolie femme sur laquelle il ait jamais posé ses yeux. Elle était aussi brave que n'importe quel militaire qu'il avait pu croiser sur sa route. Elle repousserait les limites de son endurance pour sauver le bébé qu'elle abritait dans son ventre, mais il avait terriblement peur que cela ne suffise pas, terriblement peur, aussi, de lui en demander trop. Si elle devait succomber, et son fils avec elle, il n'y survivrait pas.

Son fils. Un morceau de lui. La chair de sa chair. Le sang de son sang…

Il referma ses poings autour du couteau et du Taser. Il lui restait une chance de montrer qu'il était digne d'être père. Il vaincrait ou il tomberait au combat, pour sa femme et son fils.

— Deke ? appela-t-elle tout haut. Je… je m'inquiète… Les contractions sont de plus en plus fortes…

— Tiens bon, lui répondit-il. Tu veux t'allonger ?

— Peut-être, oui… parce que là… Je crois que c'est le moment…

— Eh, James, hurla Deke en direction du plafond. Ma femme va accoucher ! A l'aide !

Il se remit en position de combat. James ne viendrait pas seul, et ils seraient armés.

Il contempla de nouveau Mindy : elle avait peur, autant que lui. Alors il esquissa un sourire pour essayer de la rassurer. Elle n'en fut pas dupe, il le vit aussitôt…

Des pas résonnèrent au-dehors.

— Les voilà, chuchota-t-il.

Il était prêt à bondir. Pas sur le premier, cela aurait été un suicide, mais sur le second, en espérant qu'ils ne soient que deux…

La porte s'ouvrit brutalement, et il s'aplatit contre le mur. Frank James entra, suivi par un garde qui tenait nonchalamment son fusil d'assaut dans la saignée du bras. James fixa le fauteuil vide.

— Qu'est-ce que… ?

Réagissant tout aussi vite, le garde leva son fusil. Alors, dans un geste parfaitement coordonné, Deke bondit et attrapa l'arme par le fût, tout en appuyant son Taser sur le plexus solaire de l'homme, lui envoyant dans le corps une puissante décharge électrique. Le garde se cabra, trembla frénétiquement et s'écroula au sol.

Puis, se servant du fusil comme d'une massue, Deke le fit tournoyer et abattit sa crosse sur l'épaule de Frank James. Celui-ci s'écroula et un éclair argenté brilla dans sa main : un revolver.

— Va-t'en, Mindy ! hurla Deke.

Il réfléchissait à toute allure. Si le revolver était préparé pour jouer à la roulette russe, il ne contenait probablement qu'une seule balle, ce qui pourrait lui laisser le temps, malgré sa faiblesse, de prendre l'avantage sur James. A moins que la chambre où se trouvait la balle ne vienne tout de suite se positionner en face du canon. Dans ce cas-là…

— Deke ! lui cria Mindy.

— Fous le camp, bon Dieu ! lui répondit-il.

Prenant le fusil, il en enfonça le canon dans la poitrine de James.

— Je vais te faire sortir le cœur de la poitrine, espèce de sadique ! rugit-il.

Et il plaqua le Taser dans le cou de James. Celui-ci appuya bien sur la détente, mais le chien claqua à vide. Deke appuya sur le bouton du Taser et James s'effondra, foudroyé.

Deke se baissa alors pour ramasser le revolver et virevolta vers la porte. Mais, comme il enjambait le garde toujours allongé, celui-ci le saisit par la cheville. Il faillit trébucher, mais se reprit et repoussa la main de l'homme d'un coup de pied. Mince, n'avait-il pas mis le Taser au maximum ?

Si. Lorsque l'homme voulut se redresser en appui sur ses bras, il s'effondra au sol. Il hurla néanmoins quelques mots dans un langage que Deke ne put identifier, mais ses mots étaient très clairs. L'homme appelait à l'aide. Dans une seconde, ses amis allaient venir.

Il devait partir d'ici…

Il appuya une nouvelle fois son Taser sur le plexus du garde, mais celui-ci réagit à peine : l'appareil était presque déchargé. Alors, il assomma l'homme d'un coup de crosse du fusil d'assaut. Il ne ressentait pas la moindre pitié. C'était des terroristes, des ennemis de son pays et qui voulaient du mal à Mindy.

Revolver et fusil en main, il se rua au-dehors. Mais Mindy n'était pas là. Il l'appela. Pas de réponse. Pourvu qu'elle ait pu trouver la force de monter l'escalier, songea-t-il.

— Mindy ! cria-t-il. Sauve-toi ! Cours !

Une fois passé derrière la porte du vestibule, il regretta

de ne rien avoir qui aurait permis de la bloquer. Mais il n'y avait pas une seconde à perdre. Il courut vers le tunnel de mine où il avait laissé ses deux charges de dynamite. Son bras le brûlait terriblement et il avait les paupières lourdes. Si seulement il avait pu dormir deux ou trois minutes…

Non ! Il ne le fallait pas. Dormir, c'était perdre la bataille. L'important, c'était de sortir Mindy d'ici. Il ne le lui avait pas dit, mais les hommes de Frank James pouvaient avoir découvert sa voiture… Et le BHSAR ne les avait peut-être pas localisés.

La voiture, c'était la seule chance de Mindy. Elle ne devait pas avoir été découverte.

Il fouilla dans sa poche et en tira son briquet, qu'il alluma du pouce. Il y eut une étincelle, mais pas de flamme.

— Ah non, pas maintenant !

Il essaya, encore et encore.

Bon Dieu, se dit-il, plus de gaz !

Finalement, une faible flamme jaillit de l'appareil. Deke se figea une seconde. Mindy avait-elle pu sortir du bâtiment ?

Pourvu que oui !

Il attendit encore quelques secondes, puis alluma les deux mèches, en retenant sa respiration. Ensuite, il courut vers la trappe.

Des cris et des pas précipités retentirent dans ses oreilles. Il se glissa dans l'ouverture vers la cave de l'hôtel et tomba sur deux gardes qui descendaient l'escalier. L'un d'eux pointa un fusil d'assaut sur lui et l'autre lui cria quelque chose dans un langage étranger, en l'attrapant par le col.

Deke leva les mains en l'air. Le soldat qui le tenait lui donna un coup de pied derrière le genou et il s'effondra sur le sol.

— Dynamite, cria-t-il, là, juste derrière la porte !

On frappait à la porte du vestibule et on essayait d'entrer. L'un des gardes cria quelque chose d'un ton impérieux, certainement de se taire, et le frappa dans le dos d'un coup de crosse.

— Là, derrière, répéta Deke. Boum !

Est-ce que cette onomatopée signifiait une explosion dans toutes les langues ?

Il y eut des éclats de voix et le bruit du bois qu'on enfonce : les gardes tentaient de s'introduire dans le vestibule. Il ferma les yeux en essayant de ne pas penser à ce qu'allaient produire les explosifs dans un très bref moment.

Et en effet, l'instant d'après, des explosions semblables à celles d'un gigantesque feu d'artifice déchirèrent le silence, suivies de hurlements et accompagnées de l'odeur de la poudre et du métal brûlant.

A la seconde, les deux gardes le lâchèrent pour se jeter au sol. Deke profita de leur réaction de surprise et de peur pour bondir vers l'escalier. La deuxième charge de dynamite n'allait pas tarder à exploser. Il fallait qu'il sorte d'ici. Les gardes le tueraient s'ils mettaient la main sur lui, mais au moins, alors, il mourrait en espérant que Mindy ait pu se sauver.

Il entreprit de gravir les marches de l'escalier, mais à chaque pas il se faisait plus lourd et plus lent.

Un garde hurla un ordre et il se plaqua instinctivement contre le mur. Une balle siffla à quelques centimètres de sa tête. La prochaine irait au but.

— Boum ! hurla-t-il. Encore boum ! Sauvez-vous !

Enveloppé dans une brume de fatigue extrême et de faiblesse, il utilisa les dernières ressources de son corps pour se hisser en haut des marches.

Une grêle de balles le suivit jusqu'au palier. Il franchit la porte et, tout de suite, une tache de soleil apparut sur sa gauche. Etait-ce la porte donnant sur l'arrière, que Mindy avait empruntée ? Ou bien était-ce un mirage de son cerveau annonçant sa fin prochaine ?

Cela n'avait plus d'importance. Cette lumière, c'était

sa seule chance de salut, car les pas dans l'escalier se rapprochaient derrière lui. Il se dirigea vers la lumière, elle devenait plus forte. En secouant la tête, et espérant ne pas halluciner, il se trouva soudain devant ce qui ressemblait à une embrasure de porte donnant vers l'extérieur, le plein jour. Et là-bas, loin devant, marchait une frêle silhouette entre deux hommes en treillis camouflé.

Mindy !

Ils l'avaient reprise.

Il fit quelques pas en avant, puis une énorme détonation retentit et un souffle brûlant le projeta au sol.

Mindy...

Dites-lui de me pardonner...

Mindy... Mindy...

12

— Je suis désolé, Mindy, je suis désolé, balbutiait Deke entre ses lèvres qui restaient quasi closes.

Il avait la bouche en coton, et sa tête résonnait comme une cloche de bronze. Des larmes qu'il ne pouvait retenir coulaient de ses yeux.

Il n'avait pas voulu une telle fin. Il aurait donné sa vie pour Mindy et le bébé, mais il aurait tant aimé voir son fils avant de mourir…

— Monsieur Cunningham ?

Une voix qu'il ne reconnaissait pas parlait très près de son oreille.

— Vous êtes réveillé ? Réveillez-vous, monsieur Cunningham.

Il aurait voulu chasser cette voix comme on le fait d'une mouche importune, mais il ne pouvait pas bouger son bras.

— Est-ce que vous pouvez me répondre ? Essayez de parler…

C'était une voix féminine, et elle semblait insister.

Deke ouvrit un peu ses paupières, mais il les referma immédiatement : la lumière était trop aveuglante.

— Où est Mindy ?

— C'est à moi que vous devez parler, monsieur Cunningham. A moi…

— Foutez-moi la paix !

Un petit rire agaça ses oreilles.

— Eh bien, ça, c'est dit ! Ouvrez les yeux, maintenant. Savez-vous où vous êtes ?

Deke poussa un grognement. S'il ne pouvait voir Mindy, alors il voulait qu'on le laisse tranquille. Il se sentait complètement dépassé par les événements et n'aimait pas ça du tout.

— Où je suis ? En enfer, non ?

Un autre petit rire.

— Pas tout à fait. Vous êtes en salle de réveil, et à présent que vous avez réagi nous allons pouvoir vous ramener dans votre chambre. Vous voyez ce que je tiens là ?

Deke se força à ouvrir les yeux : l'infirmière lui présentait un récipient en plastique bleu.

— Je reste là, à côté de vous. Si vous vous sentez mal, n'hésitez pas à utiliser la bassine… Je la pose sur la table de nuit.

Tout ce que pouvait lui raconter cette femme ne l'intéressait pas. Lui, il voulait retrouver Mindy. Il se redressa, ou essaya du moins, car dès qu'il releva la tête tout devint noir.

— Mindy ! appela-t-il.

Mais personne ne lui répondit.

Deke ouvrit les yeux. La dernière chose dont il se souvenait, c'était l'explosion de la dynamite dans son dos. Non, pas tout à fait, le son aussi d'une voix qui l'ennuyait, c'était vague.

Il respira avec précaution : ni chaleur ni odeur de tissus, de bois ou de chair brûlés, mais plutôt un mélange d'eau de Javel et de quelque chose de frais, de médicinal. C'était bizarre.

Il ouvrit un peu plus les yeux, prudemment. Les murs de la pièce étaient peints en vert pâle.

Un hôpital. Mais, bien sûr, il était dans un hôpital ! Instantanément, il fut tout à fait réveillé. Ça voulait dire qu'il n'avait pas été éparpillé aux quatre coins de l'horizon quand la dynamite avait explosé et peut-être aussi…

Est ce que Mindy était vivante ? Et le bébé ?

Il se regarda. Son bras était bandé du coude jusqu'au

poignet et engagé dans le brassard d'un tensiomètre. Il y avait une aiguille reliée à un tuyau, dans le pansement. Pas pour longtemps... Ce ne serait pas la première fois qu'il se débarrasserait d'une perfusion. Il l'avait déjà fait, même au front.

Aussitôt dit, aussitôt fait, avec un peu de difficulté, handicapé qu'il était par le bandage à son bras. La piqûre saigna un peu, mais rien d'anormal, ni d'alarmant.

Il glissa son bras hors de l'écharpe du tensiomètre, mais il n'avait rien d'autre sur lui que la courte et légère chemise d'opération. Il se mit néanmoins debout, lentement, s'assurant que sa tête était bien claire, puis il vérifia le contenu de la penderie et les tiroirs de la commode. Ses vêtements n'y étaient pas, ce qui n'avait rien de surprenant : ils étaient dégoûtants et déchirés. En cherchant un peu, il trouva un pantalon de pyjama que l'on comptait sans doute lui mettre un peu plus tard. Il l'enfila en hâte, la tête lui tournant un peu, et se débarrassa de la chemise, qui le gênait. Cela suffit à le mettre à bout de souffle. Il but longuement au robinet du cabinet de toilette et fit couler un peu d'eau sur son cou et sa poitrine, puis, la recueillant dans ses mains, s'aspergea le visage.

Un peu revigoré, il quitta sa chambre d'hôpital et emprunta le couloir en direction du bureau des infirmières. Le temps qu'il y arrive, il était de nouveau épuisé. La secrétaire du service, à son comptoir d'accueil, qui se trouvait immédiatement à côté du bureau, leva les yeux en le voyant.

— Oui ? Quel est votre numéro de chambre ? demanda-t-elle.

— Où est ma femme ? lui répliqua-t-il.

La secrétaire soupira.

— Puis-je avoir votre nom et votre date de naissance, s'il vous plaît ?

— Ma chambre est juste derrière.

Il se retourna : un vigile venait vers lui.

— Amenez-moi voir Mindy Cunningham, lui dit-il.

— Je suis chargé de vous ramener à votre chambre, monsieur Cunningham. Nous voulons nous assurer…

— Moi, je veux m'assurer qu'elle va bien. Amenez-moi à elle.

Le vigile leva la main.

— Ecoutez, monsieur Cunningham…

— Non, c'est vous qui allez m'écouter !

Il fit un pas en avant et se campa sous le nez du vigile, bien que la tête se remît à lui tourner.

— Ma femme a dû accoucher, alors elle doit bien se trouver quelque part dans cet hôpital. Vous allez me conduire à elle et vous allez le faire maintenant !

Le vigile s'approcha du comptoir du secrétariat. La secrétaire pianota un instant sur son ordinateur et lui indiqua :

— Chambre 410.

— Où sont les ascenseurs ? demanda Deke, en s'appuyant sur le mur pour retrouver son équilibre.

Le vigile fit un geste à une infirmière, et celle-ci vint se placer derrière Deke avec un fauteuil roulant.

— Vous ne pouvez pas quitter cet étage autrement que là-dedans, monsieur Cunningham, l'informa le vigile. J'ai des ordres.

— Des ordres de qui ?

— D'Irina Castle.

Dompté, Deke se laissa tomber dans le fauteuil et le vigile le poussa jusqu'à l'ascenseur, où il retrouva toutefois la parole pour demander, soupçonneux :

— Irina vous a vraiment demandé de me mettre dans un fauteuil d'invalide ?

Le vigile ne répondit pas tout de suite. Il appuya d'abord sur le bouton quatre.

— Elle m'a aussi prévenu que vous risquiez de vous montrer entêté et difficile. Elle ne s'était pas trompée…

Les voyants d'étage défilèrent : le deuxième, le troisième et finalement le quatrième.

— Nous y voilà enfin, soupira Deke.

— Restez tranquille, lui intima le vigile, vous n'aurez pas à marcher.

Il le poussa le long du couloir. Les murs en étaient recouverts de canards roses et jaunes, et d'éléphants bleus. Une odeur de talc flottait dans l'air. C'était la maternité, comprit Deke, soudain terrorisé.

Est-ce que Mindy avait eu son bébé ? Leur bébé ?

Leur bébé ?

Des infirmières, des infirmiers et des aides-soignants, habillés en rose ou en bleu, portaient des draps ou poussaient des chariots de médicaments. L'une d'entre elles portait un enfant dans ses bras.

Les numéros sur les portes des chambres défilaient.

— Stop ! cria-t-il.

Le vigile continua à le pousser.

— Arrêtez ! répéta Deke.

Il posa son pied nu sur le sol, attrapant de la main le frein du fauteuil.

— Hé ! s'écria le vigile.

— C'est la chambre 410, lui fit remarquer Deke.

— Eh bien, nous y allons !

— Vous auriez envie, vous, que votre femme vous voie en fauteuil roulant ? lui demanda Deke d'un ton courroucé.

La pomme d'Adam du vigile monta et redescendit. Il le regarda d'un air hébété.

— Ben… Non.

Deke se leva. Il n'avait sur lui qu'un pantalon de pyjama de coton et un bandage, mais au moins il était sur ses deux pieds. Il vérifia qu'il tenait bien dessus, et le vigile voulut l'aider, mais il l'arrêta d'un geste. Une infirmière s'avança vers lui.

— Vous êtes M. Cunningham ?

— Oui… est-ce que ma… est-ce que Mindy est là ?

L'infirmière sourit.

— Elle vient juste de réintégrer sa chambre.

— Et… et le…

— Le bébé va très bien. Nous allons le lui amener dans quelques minutes.

Deke déglutit. L'infirmière lui tapota la main.

— Vous pouvez entrer.

Il acquiesça, un peu hébété, et le vigile lui donna une grande tape dans le dos.

— Félicitations, papa ! lui lança-t-il joyeusement.

Deke le regarda un instant, encore plus ahuri, puis il hocha la tête pour le remercier. Il attendit que le vigile et l'infirmière se soient éloignés pour poser la main sur la poignée de la porte.

Il allait la pousser quand il interrompit son geste. De quel droit allait-il entrer ? Elle ne l'y avait pas invité.

Rien n'avait vraiment changé. Rien d'important.

Mindy ne méritait pas la vie qu'il lui avait imposée. Elle était restée un peu trop longtemps à sa remorque et méritait la distance calme et tranquille à laquelle elle avait toujours aspiré.

Il se passa une main sur le visage. Bon sang, s'il avait la moitié du courage qu'on lui prêtait, il tournerait les talons au plus vite.

Le médecin accoucheur avait été on ne peut plus clair, se rappela Mindy.

— Du repos ! Vous devez dormir au moins douze heures par jour, si ce n'est davantage. C'est bien simple : chaque fois que votre bébé dort, vous dormez.

— Facile à dire ! lui avait-elle rétorqué.

Elle était bien trop épuisée et tendue pour pouvoir dormir. Après trois jours d'angoisse avec Deke, aux mains des terroristes, elle avait tout juste été consciente de la naissance du petit La Globule. Pourtant, elle avait refusé par trois fois la césarienne.

— Je vais très bien, avait-elle haleté au milieu d'une contraction. Je veux qu'il naisse naturellement, je veux le voir sortir et je ne veux en aucun cas être confinée trop longtemps dans un lit.

Le médecin n'avait pas été ravi, mais elle avait tenu bon. Elle avait parfaitement plaidé sa cause, mais n'avait pas forcément dit toute la vérité. Elle ne voulait pas subir une césarienne parce que, le plus tôt possible, elle voulait se mettre à la recherche de Deke. La dernière fois qu'elle l'avait vu, c'était au moment où il avait jailli de la porte de derrière du vieil hôtel. L'instant d'après, il avait disparu dans un énorme nuage de fumée, tandis que le bâtiment avait volé en éclats.

Elle s'était mise à crier, avait voulu courir, mais les hommes en treillis noir du Secret Service l'avaient emmenée dans leur voiture, toutes sirènes hurlantes, vers la maternité. Elle avait protesté, supplié, pleuré, si bien que l'un des agents avait pris son téléphone et qu'il avait pu la rassurer : Deke était vivant, on l'emmenait à l'hôpital lui aussi.

Le temps que le petit La Globule ait fait son entrée dans le monde, elle avait mené une vie impossible au personnel hospitalier, si bien que l'on avait dépêché une infirmière hors de la salle de travail vers les admissions, afin de s'assurer que Deke était bien arrivé. La pauvre femme était revenue tout essoufflée, prenant tout juste le temps de remettre sa tenue stérile, pour l'en avertir.

Mindy avait alors pu pousser un soupir de soulagement. Et puis, le personnel de la maternité allait lui permettre de délivrer le petit La Globule dans les meilleurs délais : tout irait bien de ce côté-là, il serait en pleine forme. Le médecin le lui confirma brièvement dès la fin de l'accouchement en lui précisant même que le bébé avait bien le nombre de doigts et d'orteils requis. Mais Deke ? Allait-il bien, lui ? Il lui fallait en être sûre.

— Je vous en prie, mon Dieu, psalmodia-t-elle sur son

lit. Faites qu'il ne soit pas gravement blessé, ni diminué. Qu'il n'ait pas trop de cicatrices, je vous en prie... Il a reçu tant de blessures. Au corps et à l'âme...

Des larmes perlèrent entre ses paupières closes. Il lui avait dit un jour qu'il avait moins de cicatrices à l'extérieur qu'à l'intérieur. Elle croyait encore l'entendre. Il avait tant enduré ! Si quelqu'un avait bien le droit d'être heureux, c'était lui.

Son enfance malheureuse avait laissé des traces. Il craignait de ne pas être un bon père ou, pis, de ressembler au sien. Elle aurait tant voulu lui faire admettre qu'il n'avait rien de Jim Cunningham. Le père de Deke était un vieil homme aigri et pervers, qui se complaisait dans ses propres défauts. L'alcool et l'amertume avaient effacé tout ce qu'il avait pu avoir de bon en lui à l'origine, et il s'était consumé dans la haine de soi.

Deke, lui, n'avait jamais laissé quoi que ce fût, ni l'alcool, ni la torture, ni même le chagrin et la déception, le changer profondément. Sa bonté innée, son sens de l'honneur et de l'amitié l'avaient toujours tenu à l'écart des chemins bourbeux qu'avait empruntés son père sa vie durant.

Mindy écrasa une larme sur sa joue : elle aurait tant voulu qu'il se voie comme les autres le voyaient. Il était un être exceptionnel et un héros. Mais il ne le savait pas.

Elle retomba sur son oreiller, laissant les larmes couler sur ses joues et dans son cou. Elle n'avait jamais pu trouver la faille de la cuirasse dont son mari s'était entouré le cœur, n'avait jamais pu lui apprendre quel homme merveilleux il était en fait. Qu'est-ce qui lui faisait croire qu'elle y parviendrait à présent ? Peut-être qu'il n'accepterait jamais de tenir le rôle de père de son fils et, plus important peut-être, qu'il ne comprendrait jamais à quel point celui-ci allait avoir besoin de lui et méritait de l'avoir comme père.

— Ton fils a besoin de toi, Deke, murmura-t-elle, et moi aussi, si tu savais... tellement !

La porte tourna sur ses gonds. C'était l'infirmière qui lui amenait le bébé. Mindy sourit et se redressa sur le lit.

— Entrez, dit-elle tout de suite, j'attendais le…

Mais la main qui venait d'apparaître sur le montant n'était pas celle de l'infirmière. C'était un grand battoir aux longs doigts, avec des ongles cassés, les phalanges écorchées et du sang séché sur le dessus. Interdite, Mindy retint sa respiration. Deke était sur le seuil. Il ne portait rien d'autre qu'un pantalon de pyjama informe de couleur verte qui tombait bas sur ses hanches. Son bras blessé était bandé et la coupure de son front, suturée. Quant à son torse nu, on eût dit une peinture abstraite à base de bleu, de pourpre et de vert, songea-t-elle. Il ressemblait à un loup affamé et blessé. Un loup qui aurait des yeux bleus, dans un visage livide.

Il lui était toujours apparu comme un roc, un grand arbre tutélaire. A plus d'un mètre quatre-vingt-dix, il la dépassait de plus de trente centimètres. Et son physique n'était rien auprès de sa « présence ». Mais là, à demi-nu devant elle, avec toutes ses blessures exposées, il paraissait plus petit, plus mince aussi. Vulnérable. Humain. Il lui faisait exploser le cœur.

Elle lui tendit sa main et murmura son prénom.

Deke la regarda, incapable de faire un pas de plus. A peine pouvait-il respirer. Elle ressemblait à un ange, dans le halo de la lampe de lecture, juste au-dessus de sa tête de lit. Ses cheveux s'étalaient sur le vert pâle de son oreiller comme les ailes d'un ange.

Il avala sa salive avec difficulté.

— Je… Je peux entrer ? demanda-t-il d'une voix hésitante et rauque.

Elle le regarda sans parler une seconde, puis mouilla ses lèvres du bout de sa langue et acquiesça silencieusement en lui tendant toujours la main. Il s'approcha pour la lui prendre.

— Où… où est La Globule ? Je veux dire… Est-ce que tu as… ?

Elle hocha la tête.

— On va me l'amener d'une minute à l'autre.

La panique le fit tressaillir.

— Il vaut mieux que je parte, balbutia-t-il.

Mais la main de Mindy le serra plus fort pour le retenir.

— Pas question que tu t'en ailles, lui dit-elle doucement. Tu ne t'en tireras pas comme ça. Assieds-toi près de moi et raconte-moi ce qui t'est arrivé lorsque nous nous sommes séparés.

Il hocha la tête. S'asseoir n'était pas une mauvaise idée. Il se percha loin sur le bord du lit, retenant une grimace de douleur, car sa blessure n'avait pas apprécié cette petite gymnastique.

— Ton bras…, s'inquiéta Mindy. Ça ne va pas ?

— Oh ! ça va aller, je pense. Le médecin devait passer me voir mais j'ai préféré aller à ta recherche…

Les yeux de Mindy devinrent brillants et humides.

— C'est drôle, fit-elle, moi aussi j'allais me mettre à ta recherche.

Elle lui serra la main un peu plus fort.

— Oui…, confirma-t-il. La dynamite.

— Qu'est-il arrivé à James et aux autres ?

Il baissa la tête, les lèvres pincées.

— Je n'en sais rien du tout.

Elle lui caressa la main.

— Il le fallait, Deke.

— Oui, je sais.

Il garda les yeux baissés sur leurs mains.

— Je… je suis bien content que tu ailles bien, Mindy. Toi et le bébé…

Il s'interrompit. Il se sentait sur le point d'être submergé par les émotions qui se bousculaient en lui : l'amour, la peur, le soulagement, la tristesse.

— Vraiment… vraiment content.

— Moi aussi, je suis contente que tu ailles mieux. J'ai eu si peur…

Il acquiesça et reprit :

— Dis-moi… Tu te souviens comment nous nous sommes retrouvés dans cet hôpital ?

— Quand je suis sortie de l'hôtel, ta voiture était encerclée par un tas de 4x4 noirs. J'ai eu terriblement peur, mais les hommes qui sont venus vers moi m'ont dit qu'ils appartenaient au Secret Service. J'ai bien été obligée de les croire. De toute façon, je crois qu'ils m'auraient embarquée sans me demander mon avis…

— Le Secret Service ? Je suppose qu'Aaron leur a donné ma position. A moins que ce ne soit la puce que j'ai dans l'épaule.

— La puce… ? Mais tu m'avais dit…

On frappa à la porte, et tous les deux sursautèrent.

— Vous avez un visiteur, annonça une voix chaleureuse.

La lumière principale s'alluma brusquement, chassant les ombres de la pièce.

Deke frissonna un peu plus. Il ressentait un désir irrésistible de fuir, de courir aussi loin que possible, pour ne pas être mis en présence du petit être qu'on allait lui présenter d'un instant à l'autre.

Il sauta sur ses pieds et s'écarta du lit.

— Oh ! bonjour, dit l'infirmière. Vous êtes certainement M. Cunningham ? Toutes mes félicitations !

En réponse, il ne put qu'esquisser un vague sourire. Il ne pouvait détacher ses yeux du bébé, que l'infirmière déposa dans les bras de Mindy.

Comment un si petit être pouvait-il remplir ainsi toute la pièce de sa présence ? Mindy paraissait comme éclairée de l'intérieur, resplendissante comme un ange. Son visage laissait transparaître un amour et une sérénité qu'il ne lui avait jamais connus. C'était tout juste si sa beauté et son bonheur ne l'éblouissaient pas.

L'infirmière les regarda, l'un et l'autre, puis elle s'éclaircit la gorge.

— Bon, reprit-elle, eh bien, je crois que je vais revenir dans... disons... une demi-heure, moi... Je vous montrerai les premiers soins à lui donner...

Elle quitta rapidement la chambre, éteignant au passage l'éclairage principal.

Mindy regardait son petit La Globule. Elle l'avait bien un peu tenu dans ses bras dans la salle de travail, mais il y avait alors autour d'eux un tas de médecins, d'infirmières, d'instruments, et tout le monde était pressé de préparer les lieux pour l'accouchement suivant.

A présent, il n'y avait qu'elle, lui et puis Deke. Elle toucha le petit nez, la joue incroyablement douce et tendit un doigt pour que l'enfant l'entoure de son petit poing.

— Regarde, Deke, s'extasia-t-elle, ses petits ongles tout roses !

Elle embrassa les petits doigts et frotta son nez sur le bras du bébé.

— Il est si doux, dit-elle, si parfait !

Elle se tourna alors vers Deke, et son cœur se serra. C'était peu dire qu'il était pâle : son visage était devenu d'une couleur de cendre. Au cinéma ou dans une sitcom de la télévision, le public rirait bien fort. Mais voilà, pensa-t-elle, on était dans la vraie vie et il n'y avait vraiment pas de quoi rire.

— Viens le voir, au moins, lui suggéra-t-elle en souriant quand même.

Mais il ne bougea pas, comme s'il était figé sur place. Il ouvrait de grands yeux effrayés.

Cinq minutes auparavant, elle s'inquiétait de sa réaction possible à la présence de leur fils, mais maintenant qu'il était là, hébété, en face d'elle, terrifié par un petit enfant, alors qu'il n'avait pas montré la moindre inquiétude devant les dangers qu'ils avaient courus ensemble, la colère montait en elle.

— Alors c'est ça, murmura-t-elle d'un ton féroce, pour ne pas apeurer le petit par des éclats de voix. Après tout ce qu'il a affronté, le grand, le brave Deke Cunningham flanche devant un petit bout de chou de rien du tout ?

Elle appuya sa joue contre le haut de la tête de son bébé, au cas où cette « sortie » l'aurait inquiété.

Deke ne bougeait pas. Il la fixait.

— Si tu n'es pas assez malin pour savoir quel merveilleux père tu pourrais être, alors peut-être que tu ne le mérites pas ! Regarde-le, bon sang ! Comment une mauvaise personne pourrait produire une telle merveille ?

— Mon père..., fit-il.

Mais elle le coupa.

— Je sais qu'il t'a meurtri, physiquement et émotionnellement. Mais je vais te dire une chose : peut-être qu'il a fait ce qu'il a pu. Il n'était pas aussi fort que toi. Peut-être tiens-tu ça de ta mère, ou de plus loin, je ne sais pas. Ou peut-être que quelque chose s'est brisé en lui.

Elle s'interrompit et prit une profonde inspiration pour calmer les battements de son cœur.

— Je ne suis pas en train de l'excuser, reprit-elle, mais peut-être ne supportait-il plus sa vie après la mort de ta mère, je ne sais pas. Ce que je sais, c'est que tu ne lui ressembles en rien. Toi, tu es un héros, l'homme le plus brave que j'ai jamais rencontré. Mais, si tu n'es pas capable de regarder la paternité en face, peut-être n'es-tu pas aussi courageux que je le croyais !

Etait-elle allée trop loin ? Trop tard, c'était dit.

Elle leva la tête et regarda Deke bien en face, d'un air de défi. Les secondes qui venaient allaient être décisives pour leur vie à tous les trois.

Deke baissa les yeux vers le bébé, le regarda un long moment, puis les releva vers elle.

— Que dois-je faire ? demanda-t-il très doucement.

— Viens t'asseoir ici.

Mindy crut défaillir de soulagement. Mais du diable si elle lui laissait voir combien elle avait eu peur qu'il ne s'obstine à se détourner de son fils.

Deke fit un pas, puis deux, l'air de marcher vers l'échafaud. Mais finalement il s'assit sur le bord du lit.

— Tiens, fit Mindy, prends-le dans le creux du bras gauche, la tête juste sur le pli du coude…

Deke fit comme elle le disait. Il avait la tête baissée, l'expression de son visage masquée. Mais il regardait son fils.

— Il est tout petit…, murmura-t-il.

— Il n'a même pas un jour, répliqua-t-elle. Comment veux-tu qu'il soit ?

Il rit doucement. Puis il se pencha et posa un baiser sur la tempe de son fils.

— Tu es presque aussi beau que ta mère, La Globule, lui dit-il. Je t'aime. Moi, c'est papa…

Mindy sentit fondre son cœur. Il avait dit à son fils qu'il l'aimait et, au ton de sa voix, il n'avait sans doute jamais rien dit de plus profondément ressenti.

Tout allait bien…

Elle savoura cet instant. Un être avait pu trouver la faille dans le mur dont Deke entourait son cœur. Ne plus avoir de doute sur l'amour qu'il allait vouer à son fils lui suffisait. Enfin… presque.

Un peu moins de douze heures plus tard, Deke était assis dans une salle de réunion prêtée par l'administration de l'hôpital, en face de Mike Taylor, le nouveau responsable du Secret Service en charge de la sécurisation du Castle Ranch. Il aurait préféré sortir de cet établissement et avoir cette réunion ailleurs, mais le médecin s'était fermement opposé à sa sortie, qu'il jugeait prématurée.

Deke jeta un regard autour de la table. A côté de lui, l'air d'avoir vu un fantôme, se tenait Irina Castle. A la gauche de celle-ci, Brock O'Neill, dont l'attitude réservée, le blazer sombre et l'oreillette Bluetooth auraient pu le désigner comme l'homme du Secret Service, au lieu du très détendu Taylor. Mais son bandeau noir sur l'œil lui donnait plutôt l'air d'un pirate. Taylor, lui, portait un jean, des bottes et une chemise western

— Quelqu'un vient de tenter d'assassiner Irina, annonça-t-il avec calme.

— Tenté… ? répéta Deke.

Il se tourna, effaré, vers Irina.

— Mais… vous n'avez rien ?

Irina secoua la tête en esquissant un pâle sourire, mais elle tremblait encore. Quant à Brock, il se dandina un peu sur sa chaise.

— Qu'est-il arrivé ? demanda Deke. Et quand ?

— Je n'ai rien, répondit posément la patronne du BHSAR. Dès que j'ai su qu'on vous avait retrouvés, Mindy et vous, je…

— Il y a à peine trente-cinq minutes, la coupa Brock pour répondre à la question. Le salaud ne manquait pas d'air : ça s'est passé ici, juste sur le parking de l'hôpital.

— Ici ? s'étonna Deke en se redressant sur sa chaise, ce qui le fit grimacer de douleur. Mais je n'ai rien entendu !

— Tu ne risquais pas, répondit Brock, c'était un sniper, avec une carabine munie d'un silencieux. Posté Dieu seul sait où, et à quelle distance. On est en train de chercher sa cachette, mais… enfin, tu sais ce que c'est…

Deke savait, en effet. Il connaissait les grandes possibilités de ce genre d'armes de précision.

— Est-ce que tu peux estimer la trajectoire ? La hauteur de tir ? Si tu veux, je…

Irina posa doucement la main sur son bras bandé.

— Attendez, Deke, ce n'est pas tout…

Sa voix tremblait d'émotion. Il croisa son regard : elle était au bord des larmes.

— Quoi ? Quelqu'un a été tué ?

Irina secoua la tête.

— Brock ne voulait pas que j'y aille, mais Rafe m'a dit qu'il voulait m'accompagner. Alors Brock a dit à Aaron de venir aussi avec nous.

Deke échangea un regard avec Brock. Ils se comprirent instantanément, sans avoir besoin de parler. Le complice de Novus Ordo dans leurs rangs ne pouvait être que l'un ou l'autre des deux hommes.

— Qu'est-il arrivé, alors ? demanda-t-il à Mike.

— Rafiq Jackson a été touché, à la cuisse. La balle a manqué de peu l'artère, heureusement.

— Et Aaron ?

— Il n'a rien eu, mais plusieurs balles se sont logées dans l'appuie-tête, à quelques centimètres de sa tempe. Quant à Mme Castle, elle a échappé de peu également à plusieurs balles en pleine tête, une en particulier, qui, tirée deux secondes plus tard, aurait fait mouche entre les deux yeux…

Embarrassé, il se tourna vers Irina.

— Excusez-moi de vous infliger de nouveau ces détails, madame…

Elle secoua une nouvelle fois la tête.

— Où sont-ils, à présent ?

— Jackson a été emmené aux urgences chirurgicales. Gold est dans une chambre, au calme. Je vais aller l'interroger tout à l'heure.

Deke regarda Irina.

— Vous ne voulez pas monter voir Mindy et le bébé quelques minutes ? lui suggéra-t-il.

Les yeux d'Irina s'assombrirent et elle parut prête à dire quelque chose, mais visiblement elle y renonça.

— J'y vais, lui répondit-elle, mais il faudra que je vous voie, ensuite…

Deke acquiesça, en esquissant un sourire. Elle n'avait rien perdu de son autorité…

Dès qu'elle eut quitté la pièce, il se tourna vers Brock.

— Bon, alors, lui demanda-t-il sans détour. Lequel des deux ?

Taylor ne disait rien, mais il écoutait de toutes ses oreilles, nota Deke.

— Pas évident à dire, répondit l'ancien commando-marine. Ils sont tous les deux suspects, mais ils se sont fait tous les deux allumer, tout à l'heure…

— Tu crois que le tireur aurait pu les manquer exprès, pour détourner les soupçons ? Il faudrait qu'il soit sacrément bon !

Brock poussa un grognement dubitatif. Deke lança alors à l'homme du Secret Service un regard de côté.

— Qu'est-ce que vous en pensez, vous ?

— Faut voir… Ce qui m'importe surtout, dans un premier temps, c'est de protéger Mme Castle…

— Combien d'hommes pouvez-vous mettre à notre disposition pour assurer sa protection ? lui demanda Deke. Novus est en train de perdre son calme et sa prudence. Il a échoué deux fois : à tuer Matt et à me tuer, moi. L'attaque d'aujourd'hui nous prouve que sa vraie cible reste Irina. Il fera n'importe quoi pour l'éliminer…

Deke s'interrompit brusquement. Les murs avaient peut-être des oreilles…

— Raccompagnez Irina au ranch, commanda-t-il à Taylor, et mettez autant d'hommes que vous pourrez pour assurer sa sécurité. Je vous parlerai plus tard…

L'homme du Secret Service s'agita sur sa chaise.

— En fait, répondit-il, nous aimerions emmener Mme Castle à Washington, où nous serons mieux à même d'assurer sa sécurité.

Brock croisa les bras sur sa poitrine d'un air fermé, et Deke secoua la tête.

— Nous allons perdre Novus Ordo, si vous faites ça. Elle doit rester ici, lui rétorqua-t-il. Trouvez-moi le poste de tir que le sniper a utilisé, j'irai le voir dès que je serai sorti d'ici. Il y a de bonnes chances pour que je puisse découvrir qui il est…

Il se tourna vers Brock.

— Tu peux aller parler avec Rafe, lorsqu'il sortira de chirurgie ?

L'ancien commando-marine acquiesça et quitta la pièce. Taylor attendit qu'il eût refermé la porte, puis reprit :

— J'aimerais bien savoir ce que vous avez en tête…

— Ne perdez pas Irina de vue, lui répondit Deke. Je veux dire vous, en personne, Taylor… jusqu'à ce qu'elle soit en sécurité au ranch. Je vous y rejoindrai dès que possible, car il faut que je vous parle plus longuement…

Après que l'homme du Secret Service lui eut donné son accord et eut quitté la pièce à son tour, Deke regarda autour de lui. Dans un coin, sur une table, il y avait un téléphone fixe. Durant un instant, il songea à l'utiliser, mais c'était trop dangereux. Les lignes étaient peut-être écoutées. Il sortit dans le couloir et se dirigea vers la réception.

— Dites-moi, demanda-t-il à l'employée, y a-t-il encore des téléphones à pièces ou à carte, dans cet hôpital ?

— Oui, monsieur, juste là, à côté de l'ascenseur…

Elle fit un geste vague vers la droite.

Une cabine téléphonique n'avait rien de très privé, mais depuis que tout le monde avait un portable leurs lignes étaient rarement surveillées, se rassura Deke. Et puis, il n'avait rien d'autre à faire qu'à écouter, sans avoir besoin de parler. Il alla s'enfermer dans la petite cabine, entra un certain code, puis un certain numéro. Après une ou deux secondes, un clic résonna.

Un message…

Son rythme cardiaque se mit à s'accélérer. Il entra un autre code. Quelques déclics plus tard, ce qui avait été enregistré pour lui défila dans l'écouteur.

Il poussa un long soupir de soulagement, puis entra de nouveau le code pour écouter le message. Enfin, il effaça et raccrocha. L'espace d'une seconde, il ferma les yeux et appuya son front au cadre de métal autour du téléphone. Puis il sortit de la cabine et poussa le bouton de l'ascenseur.

Quelques instants plus tard, il croisa Irina sur le seuil de la chambre de Mindy. Elle avait les larmes aux yeux.

— Vous avez beaucoup de chance, lui dit-elle, visiblement heureuse pour eux, mais très émue. N'allez pas tout gâcher, surtout…

Il évita de la regarder en face, bredouilla un vague remerciement et lui sourit.

Elle le regarda d'un air soupçonneux.

— Que se passe-t-il ? demanda-t-elle. Comment va Rafe ?

— Aussi bien que possible, je pense…

Il aurait voulu pouvoir lui apprendre ce qu'il venait de découvrir, mais c'était trop tôt. La bataille finale allait commencer et Novus Ordo allait la perdre, il le savait à présent.

Elle le dévisagea un instant puis hocha la tête.

— C'est bien, soupira-t-elle, allez voir votre femme et votre fils…

Il laissa sa patronne s'éloigner, puis frappa doucement à la porte avant d'entrer.

Il s'arrêta net, sur le seuil. Mindy était en train de donner le sein au petit La Globule.

— Je… je peux revenir plus tard, bredouilla-t-il, intimidé.

Mindy leva les yeux et lui sourit.

— J'ai presque fini, lui assura-t-elle. Tu veux le tenir ?

Deke aurait voulu refuser, mais il se surprit à dodeliner de la tête.

— Viens t'asseoir, lui dit-elle.

Il obéit, se posant délicatement sur le bord du lit.

— Je ne vais pas savoir…

— C'est moins fragile que ça n'en a l'air. Tu n'as qu'à le tenir de la même façon que tout à l'heure.

Il s'exécuta, surpris par la perfection et la beauté du petit être.

— Trois kilos ? murmura-t-il.

— Et quelques… Il te ressemble.

— Comment peux-tu dire ça ? Il est si petit…

— Oh ! Je peux le dire, crois-moi…

Deke la scruta. Son cœur tambourinait dans sa poitrine.

— Tu es belle, tu sais, murmura-t-il. Tellement belle…

— Menteur…

— Oh non, répliqua-t-il solennellement. J'ai toujours pensé que tu étais le plus bel être humain sur la terre. Encore que, maintenant, tu vas peut-être avoir de la concurrence avec celui-ci…

Il montra le bébé.

— Pour moi, reprit-il, tu n'as jamais été aussi belle qu'en ce moment. Mindy… J'ai trahi beaucoup trop de promesses et Dieu sait que je ne mérite pas une nouvelle chance, mais…

Mindy le regardait, ses grands yeux bien ouverts, sans répondre.

— Je voudrais… redevenir ton mari… être son père. Est-ce que nous pourrions en parler, tu crois ?

Elle garda encore le silence pendant un long moment. Interminable. Si long que Deke, éperdu, redoutant un refus, essaya d'y résister de son mieux, sans s'effondrer complètement.

— Il n'y a rien à discuter, déclara-t-elle enfin.

Voilà, c'était fait. Le couperet était tombé.

— R… rien ?

— Non, rien. Tu n’as jamais cessé d’être mon mari. Et mon héros.

Interdit, Deke commençait à peine à comprendre quand elle leva la tête pour l’embrasser.

Il lui rendit son baiser, leur fils nouveau-né entre eux.

Le 1er mai

Black Rose n°296

L'éclat du danger - Nora Roberts

Trilogie Le secret des diamants 3/3

Lieutenant de police à Washington, Seth Buchanan est stupéfait : Diana Fontaine, une célèbre mannequin qu'on pensait morte assassinée dans son appartement, vient de surgir devant lui, bien vivante. Le meurtrier a-t-il commis une erreur ? Et, lorsqu'il s'en rendra compte, ne voudra-t-il pas à tout prix recommencer pour atteindre, cette fois, sa *vraie* cible ? Déjà désarçonné par la tournure que prend son enquête, Seth doit bientôt se rendre à l'évidence : la beauté de Diana le touche étrangement... Il décide alors d'employer ses talents d'enquêteur pour démasquer celui qui, dans l'ombre, la menace...

Jamais je ne t'ai oublié - Elle James

Lorsqu'elle se retrouve plaquée contre un torse puissant – tandis qu'une main se pose sur sa bouche, étouffant le cri qu'elle s'apprêtait à pousser –, Tessa sent la peur la gagner.

- Cesse de te débattre, bon sang !

A ces mots, elle se fige. Cette voix qui vient de murmurer à son oreille, elle la reconnaîtrait entre mille. Pourtant... c'est impossible ! Sean McNeal, l'homme qu'elle aimait follement, est mort deux mois plus tôt ! Aussitôt, la fureur l'envahit. Puisqu'il lui a menti, Sean va devoir s'expliquer... Et vite.

Black Rose n°297

Une mystérieuse identité - Carla Cassidy

Amnésique... Terrifiant, le mot tourne comme une spirale sans fin dans l'esprit de Jane. Qui est-elle ? Impossible de s'en souvenir. Tout ce qu'elle sait, c'est que, sans l'aide de Lucas Washington, l'homme qui l'a recueillie chez lui après l'avoir trouvée, errant seule en pleine nuit, elle serait en grand danger. Qui est responsable des traces de coups qu'elle porte ? Lucas lui a promis de le découvrir... Lucas, qui l'a immédiatement séduite, mais qui disparaîtra de sa vie sitôt qu'elle aura retrouvé ses souvenirs... et le père de l'enfant qu'elle porte.

Un cruel dilemme - Cynthia Eden

Slade vient d'être localisé ? En apprenant la nouvelle, Sydney est sous le choc. Voilà bien longtemps qu'elle avait abandonné tout espoir que son fiancé – enlevé deux ans plus tôt par une armée rebelle au Pérou – ne soit retrouvé vivant. Bien sûr, si elle est extrêmement soulagée que Slade revienne enfin parmi les siens, elle sait aussi que ces retrouvailles inattendues vont la placer face à un terrible dilemme... Car, bien malgré elle, elle est tombée profondément amoureuse de Gunner, le frère de Slade...

Le vertige de la menace - Maggie Price

Du sang. Recouvrant le sol de sa boutique. Comme anesthésiée, Claire ne peut détacher les yeux du corps sans vie de Silas, son employé. Qui l'a assassiné ? Et pourquoi ? Brusquement, elle est interrompue dans ses pensées par l'homme qui vient de franchir le seuil du magasin. Jackson Castle – qu'elle aimait, mais qu'elle a quitté, incapable de supporter la vie instable que leur imposait son métier d'agent secret – la fixe. Claire sent son cœur cesser de battre : elle vient de comprendre. Ce n'est pas Silas qu'on voulait tuer, mais *elle*. Pour atteindre Jackson. D'une phrase, il confirme ses pires craintes.
- Tu es en danger de mort, Claire.

Un fascinant partenaire - Jennifer Morey

Elle doit faire équipe avec Jag Benney ? L'agent Odelia Franck ne décolère pas. Comment va-t-elle faire pour supporter les sarcasmes et le machisme de cet homme arrogant et détestable ? Et, surtout, comment parviendra-t-elle à réprimer le désir brutal, inexplicable, qu'il fait monter en elle à chaque fois qu'elle le croise ? Odelia s'en fait la promesse : elle prendra sur elle et se montrera professionnelle. Quoi qu'il lui en coûte...

Black Rose n°299

Le lac des secrets - Harper Allen

Depuis des mois, vivant seule dans sa maison au bord d'un lac, Julia lutte contre les démons qui la hantent, incapable d'oublier ce jour fatidique où elle a échoué dans sa mission de flic et où un enfant est mort à cause d'elle. Pourtant, lorsque Cord Hunter, son amour de jeunesse, vient lui demander de protéger Lisbeth, une petite fille de cinq ans dont les parents ont été assassinés par un psychopathe et qui ne doit son salut qu'au fait de s'être cachée dans un placard, Julia ne peut faire autrement que d'accepter. Elle doit dès lors faire équipe avec Cord, celui qu'elle n'a jamais cessé d'aimer, mais qu'elle a quitté à cause de cette culpabilité écrasante qui l'étouffait...

La brûlure du danger - Jasmine Creswell

Ambitieuse, indépendante, un brin rebelle, Abigail Deane n'est pas du genre à se laisser impressionner par un appel anonyme. Mais là, c'en est trop. Depuis quelque temps, les événements étranges se multiplient autour d'elle : comptes falsifiés, appartement cambriolé... A n'en pas douter, un inconnu, tapi dans l'ombre, l'observe et cherche à lui nuire... Refusant de céder à la panique, elle se tourne vers Steve, son meilleur ami, afin qu'il l'aide à démasquer l'ennemi sans visage qui semble l'avoir prise pour cible. Sans deviner que la tendre protection de Steve va immanquablement raviver ses sentiments pour lui. Des sentiments inavoués, enfouis depuis des années dans le secret de son cœur...

A paraître le 1er mars

Best-Sellers n°599 • historique

Le tourbillon des jours - Susan Wiggs

Londres, 1815

Rescapée d'un terrible incendie, Miranda a perdu la mémoire : pour tout souvenir du passé, il ne lui reste qu'un médaillon où est gravé son prénom. Perdue dans une Angleterre tout juste libérée de la menace napoléonienne, elle ne reconnaît ni le décor qui l'entoure, ni le visage des deux hommes qui prétendent tous deux être son fiancé. Auquel doit-elle faire confiance ? Et que signifient ces images fugitives et incompréhensibles qui surgissent parfois dans sa mémoire ? Résolue à comprendre ce qui lui est arrivé, et à retrouver son identité, Miranda se lance alors dans une quête éperdue qui va l'entraîner dans la plus folle – et inattendue – des aventures…

Best-Sellers n°600 • suspense

Un cri dans l'ombre - Heather Graham

Des corps en décomposition, cachés sous des branchages et de vieux emballages… Face à l'atrocité des clichés étalés devant elle, Kelsey O'Brien ne peut s'empêcher de pâlir. Des cadavres, elle en a pourtant vu des dizaines au cours de sa carrière d'agent fédéral. Mais la mise en scène sordide choisie par le tueur en série qui sévit depuis quelques mois à San Antonio fait naître en elle un puissant sentiment de dégoût et de révolte. Et puis, qui sont ces jeunes femmes qui ont été sauvagement assassinées, et dont personne n'a signalé la disparition ? Autant de questions qui obsèdent Kelsey et la poussent à accepter d'intégrer la célèbre équipe de l'inspecteur Jackson Crow, et de mettre à son service le don qu'elle a jusqu'ici toujours voulu garder secret : celui de communiquer avec les morts… Un don qui, elle le comprend bientôt, pourrait bien la rapprocher malgré elle de Logan Raintree, ce policier aussi introverti que taciturne avec lequel elle est obligée de collaborer...

Best-Sellers n°601 • suspense

Kidnappée - Brenda Novak

Un déchirement absolu, irréductible. C'est ce que ressent Zoé Duncan depuis que Samantha, sa fille adorée, a disparu. Déchirement, révolte aussi. Car elle refuse de croire un instant à une fugue, hypothèse que la police de Sacramento s'obstine pourtant à avancer. Certes, Sam traverse une crise d'adolescence difficile, mais elle ne serait jamais partie comme ça. Cela n'a pas le moindre sens.
Persuadée que quelque chose de grave est arrivé à sa fille, Zoé est prête à tout pour la retrouver. Même si elle doit pour cela perdre son nouveau fiancé, son travail, sa splendide maison de Rocklin. Même s'il lui faut revenir sur son passé douloureux et dévoiler ses secrets les plus intimes à Jonathan Stivers, le détective privé à la réputation hors du commun qu'elle a engagé. Jonathan, le seul homme qui a accepté de se lancer avec elle dans cette bataille éperdue pour sauver Sam – et où chaque minute qui passe joue contre eux.

Best-Sellers n°602 • thriller

La petite fille qui disparut deux fois - Andrea Kane

Il aurait suffi qu'elle tourne la tête… Elle aurait alors aperçu, dans une voiture, sa petite fille qui luttait pour échapper à son ravisseur. Mais Hope n'a rien vu de tout cela car elle ne pensait qu'à une chose : rentrer à la maison où, pensait-elle, l'attendait son petit ange.
La juge aux affaires familiales Hope Willis de White Plains n'a désormais plus qu'une raison de vivre : retrouver sa fille Krissy, cinq ans, qui vient d'être enlevée. Aussi, luttant contre le désespoir et refusant d'envisager le pire, elle décide de faire appel à la profileur Casey Woods et à son équipe peu conventionnelle de détectives, les Forensic Instincts – des enquêteurs privés réputés pour leur ténacité et leurs succès dans des affaires particulièrement délicates.
Très vite, alors que des secrets du passé refont surface, Hope comprend que le temps est compté et que le sort de Krissy se joue sans doute à très peu de choses. A un détail jusqu'alors passé inaperçu, au passé trouble de sa propre famille… Quoiqu'il en soit, elle va la retrouver, dût-elle pour cela tout perdre et affronter l'inconcevable.

Best-Sellers n°603 • roman

Rencontre à Seattle - Susan Andersen

Depuis qu'elle a croisé l'inspecteur Jason de Sanges, Poppy Calloway n'arrive pas à chasser cet homme de ses pensées. Il faut dire que dans le genre beau flic ténébreux et incorruptible, il est tout simplement irrésistible. Si bien que quelques mois plus tard, lorsqu'elle apprend qu'elle va devoir travailler avec lui à la réinsertion de jeunes de son quartier, elle sent un trouble intense l'envahir… avant de déchanter devant les manières glaciales de Jason. Loin d'être un héros chevaleresque, comme elle l'avait pensé, c'est un homme froid et cynique, dont le caractère est à l'exact opposé du sien ! Comment va-t-elle réussir à collaborer avec Jason, qui non seulement a le don de la mettre systématiquement hors d'elle, mais qui, en outre, semble pertinemment conscient de l'effet incroyable qu'il a sur elle ?

Best-Sellers n°604 • historique

La rose des Highlands - Juliette Miller

Ecosse, XIIIe siècle
Roses est révoltée. Comment le seigneur Ogilvie a-t-il osé utiliser la force pour tenter d'abuser d'elle ? Elle qui travaille depuis toujours au château est désormais contrainte à la fuite. Une fuite dans la lande glaciale au cours de laquelle elle aurait sans doute péri, si un mystérieux highlander ne lui avait porté secours et donné refuge… dans la forteresse qui appartient au clan ennemi de celui des Ogilvie.
Dès le début, Wilkie MacKenzie, qui possède toute l'autorité et la noblesse d'un grand seigneur, se conduit comme tel avec elle. Pourtant, Roses sent que sa présence dérange les autres membres du clan. Pire, qu'elle représente un danger pour eux : n'est-il pas évident que le seigneur Ogilvie va vouloir la récupérer, par les armes s'il le faut ? Mais si elle se sent la force de faire face à cette hostilité, et à cette menace, Roses ne sait si elle pourra cacher les sentiments brûlants que lui inspire Wilkie, alors que celui-ci va bientôt devoir se choisir une épouse de son rang…

Recevez notre Newsletter

Nouvelles parutions, offres promotionnelles...
Pour être informée de toute l'actualité
des éditions Harlequin, inscrivez-vous sur

www.harlequin.fr

Composé et édité par les

éditions HARLEQUIN

Achevé d'imprimer en Italie (Milan)
par Rotolito Lombarda
en mars 2014

Dépôt légal en avril 2014